KB035690

북한 핵 문제

IAEA 핵안전조치 협정 체결 5

북한 핵 문제

IAEA 핵안전조치 협정 체결 5

한국학술정보

| 머리말

1985년 북한은 소련의 요구로 핵확산금지조약(NPT)에 가입한다. 그러나 그로부터 4년 뒤, 60년대 소련이 영변에 조성한 북한의 비밀 핵 연구단지 사진이 공개된다. 냉전이 종속되어 가던 당시 북한은 이로 인한 여러 국제사회의 경고 및 외교 압력을 받았으며, 1990년 국제원자력기구(IAEA)는 북핵 문제에 대해 강력한 사찰을 추진한다. 북한은 영변 핵시설의 사찰 조건으로 남한 내 미군기지 사찰을 요구하는 등 여러 이유를 댔으나 결국 3차에 걸친 남북 핵협상과 남북핵통제공동위원회 합의 등을 통해 이를 수용하였고, 결국 1992년 안전조치협정에도 서명하겠다고 발표한다. 그러나 그로부터 1년 뒤 북한은 한미 합동훈련의 재개에 반대하며 IAEA의 특별사찰을 거부하고 NPT를 탈퇴한다. 이에 UN 안보리는 대북 제재를 실행하면서 1994년 제네바 합의 전까지 남북 관계는 극도로 경직되게 된다.

본 총서는 외교부에서 작성하여 최근 공개한 1991~1992년 북한 핵 문제 관련 자료를 담고 있다. 북한의 핵안전조치협정의 체결 과정과 북한 핵시설 사찰 과정, 그와 관련된 미국의 동향과 일본, 러시아, 중국 등 우방국 협조와 관련한 자료까지 총 14권으로 구성되었다. 전체 분량은 약 7천여 쪽에 이른다.

2024년 3월

한국학술정보(주)

| 일러두기

· 본 총서에 실린 자료는 2022년 4월과 2023년 4월에 각각 공개한 외교문서 4,827권, 76만여 쪽 가운데 일부를 발췌한 것이다.

· 각 권의 제목과 순서는 공개된 원본을 최대한 반영하였으나, 주제에 따라 일부는 적절히 변경하였다.

· 원본 자료는 A4 판형에 맞게 축소하거나 원본 비율을 유지한 채 A4 페이지 안에 삽입하였다. 또한 현재 시점에선 공개되지 않아 '공란'이란 표기만 있는 페이지 역시 그대로 실었다.

· 외교부가 공개한 문서 각 권의 첫 페이지에는 '정리 보존 문서 목록'이란 이름으로 기록물 종류, 일자, 명칭, 간단한 내용 등의 정보가 수록되어 있으며, 이를 기준으로 0001번부터 번호가 매겨져 있다. 이는 삭제하지 않고 총서에 그대로 수록하였다.

· 보고서 내용에 관한 더 자세한 정보가 필요하다면, 외교부가 온라인상에 제공하는 『대한민국 외교사료요약집』 1991년과 1992년 자료를 참조할 수 있다.

| 차례

정 리 보 존 문 서 목 록					
기록물종류	일반공문서철	등록번호	2020040096	등록일자	2020-04-10
분류번호	726.62	국가코드		보존기간	영구
명 칭	북한.IAEA(국제원자력기구) 간의 핵안전조치협정 체결, 1991-92. 전15권				
생 산 과	국제기구과/국제연합1과	생산년도	1991~1992	담당그룹	
권 차 명	V.11 1991.12월				
내용목차	* 12.5-6 IAEA 12월 이사회(Vienna) 12.7 속개회의				

0001

발 신 전 보

분류번호	보존기간

번 호 : WAV-1382 911202 1803 ED 종별 : ~~암호송신~~

수 신 : 주 오스트리아 대사. 총영사

발 신 : 장 관 (국기)

제 목 : 12월 IAEA 이사회

연 : WAV-1364

1. 연호 원자력 연구소 연구원의 표제회의 참석이 사정상 불가능하게 되었으니 양지 바람

2. 기술협력분야 의제 관련 과기처의 검토사항을 별첨 fax 송부하니 관련 회의 참가시 활용 바람.

첨 부 : 상기 fax 3매. 끝.

(국제기구국장 문 동 석)

보안 통제	

앙 고 재	91년 12월 2일	국제기구 과	기안자 성명		과 장	심의관	국 장		차 관	장 관
			신동익							

외신과통제

0002

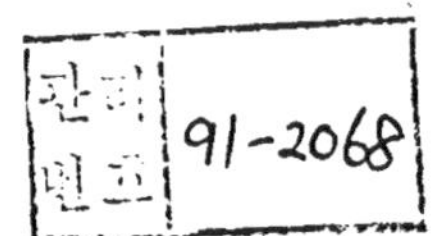

과 학 기 술 처

우 427-760 경기 과천 중앙 1, 정부 제2종합청사내 / (02)503-7651 /

문서번호 원협 16225- 136
시행일자 1991. 12. 2.
(경유)
수신 외무부장관
참조 국제기구국장

선결			지시	12/5 신	
접수	일자 시간		결재·공람		
	번호	5330			
처 리 과		기			
담 당 자					

제목 IAEA 보장조치 강화방안에 관한 의견송부

1. 관련 : 오지리 20332-1013 ('91. 11. 7)

2. IAEA 12월 이사회에 의제로 상정예정인 특별사찰에 관한 우리처 의견을 별첨과 같이 송부합니다.

첨부 : IAEA '91년 12월 이사회 특별사찰 의제에 관한 의견 1부. 끝.

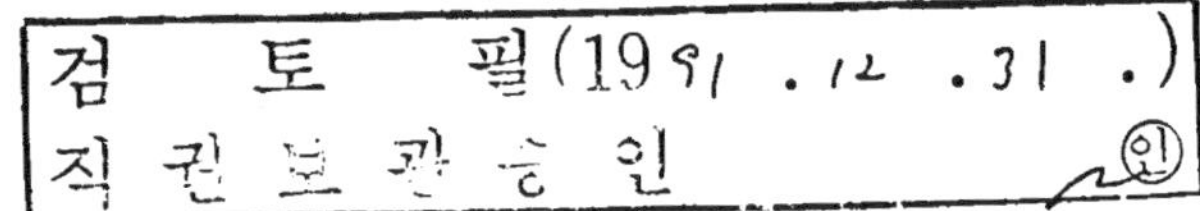
검 토 필(1991 .12 .31 .)
직권보관승인

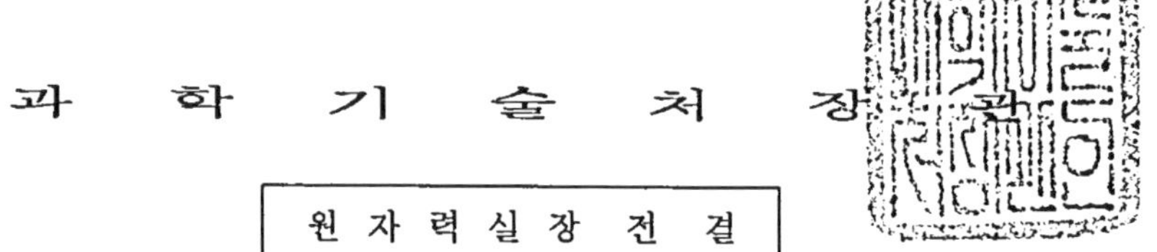
과 학 기 술 처 장 관

원 자 력 실 장 전 결

0003

IAEA '91년 12월 이사회 특별사찰 의제에 관한 의견

1. IAEA의 보장조치를 포괄적으로 검토하여 IAEA의 보장조치를 강화하고 효율적으로 개선시키기 위한 사무총장 및 사무국의 노고를 치하함.

2. 아국은 NPT에 가입하고 IAEA와 전면보장조치 협정체결 후 아국의 모든 원자력활동을 IAEA 사찰대상으로 하고 있으며, 협정에 규정된 의무조항들을 성실하게 준수하고 있음. 앞으로도 IAEA의 보장조치 강화에 따라 국가차원에서 보강이 필요한 사항은 핵물질 계량관리 국가체제(SSAC)에 반영해 나갈 것임. 이를 위해 IAEA 보장조치 당국과의 협력관계를 강화하고 있고 '91. 9월 『제 1차 한국 - IAEA간 보장조치 검토회의』를 한국에서 개최한 바 있음.

3. NPT에 가입하고 IAEA와 전면보장조치협정을 체결한 국가들은 그 협정에서 수락한 의무에 언급되어 있는 바와 같이 자국의 모든 원자력활동이 IAEA의 보장조치대상이 될 수 있도록 스스로 보고하고 사찰을 받음으로써 국제적 신뢰성을 제고하고 세계 평화에 이바지 해야함. 이는 세계 원자력산업계의 활성화에 기여하는 중요인자 이기도함. 그러나, 또한 NPT에 가입하고 IAEA와의 전면보장 조치협정체결을 지연 시키거나 발효를 지연시키는 경우에는 IAEA는 물론 UN 차원에서 적절하고 효과적인 조치가 취해져야 하며, 이와 같은 의무 불이행 당사국에 대해 조속한 의무이행을 강력히 촉구함은 세계 평화유지의 관건임과 동시에 IAEA의 의무사항임.

0004

4. NPT에 따른 IAEA 보장조치하에서도 미신고 시설에서 핵무기 개발이 추진될 수 있다는 사실은 UN을 통한 국제평화 유지에 걸림돌이 되고 IAEA 회원국 모두에게 실망을 안겨주고 있음. 따라서, IAEA에 가입한 모든 당사국들은 이러한 불행한 사태를 미연에 방지해 나가야 함. 이를 위해서 IAEA는 이미 보장조치 협정에 명시되어 있는 특별사찰의 효과적 실시체제를 갖춰 나가고 당사국은 설계정보를 IAEA에 미리 제공 하여 IAEA가 사전에 충분히 검토할 수 있도록 해야 할 것임.

5. 특별사찰과 관련하여 몇가지 의견을 제시하고자 함.

첫째, IAEA는 의문이 제기되는 핵활동 정보를 신속히 수집·분석할 수 있는 능력을 갖추어야 함.

둘째, 수집된 정보에 의하여 IAEA는 특별사찰 적용을 신속하고 효과적으로 추진할 수 있어야 함.
특히 특별사찰의 거부 또는 지연 기간동안 핵물질, 핵폭발장치, 시설, 장비 등 의 은닉과 이동으로 사찰관들이 탐지하기 어렵거나 탐지못하는 것이 우려되는 만큼 사찰의 신속한 적용이 중요함.

세째, 특별사찰을 지연시키거나 거부하는 경우에는 강력한 제재조치를 취할 수 있어야함.

0005

설계정보에 관한 검토의견

1. IAEA가 추진하고 있는 설계정보의 사전 제출시기 조정건은 IAEA가 체계적이고 효과적인 보장조치 적용을 사전에 준비함과 아울러, 사찰장비의 적기설치 및 필요한 예산의 사전확보를 목적으로 하고 있음.

2. 이는 IAEA의 사찰 능력제고를 위하여 필요한 사항임.
구체적인 조정사항은 시설의 종류에 따라 전문가의 기술적 검토 및 IAEA의 사찰 필요성을 종합적으로 고려하여 개선하여 나가야 될 것임.

0006

2

관리번호	91-732

외 무 부

종 별 :

번 호 : GHW-0656 일 시 : 91 1202 1840

수 신 : 장관(정특,미안,아프일,정보)

발 신 : 주 가나 대사

제 목 : 북한 핵안정협정 서명(자료응신 제 54호)

당지 북한대사 이 해섭은 당지 GHANAIAN TIMES 기자(KWESI DEBRAH-PINAMANG)와의 인터뷰에서 북한은 조만간 핵안정협정(NSA)에 서명할 것이라고 12.2. 자 동일간지(5 면 2 단)가 아래요지 보도했음.

-북한의 이러한 결정은 미국이 한국으로부터 핵무기를 철수하겠다고 수락함에 따른 것이라고 말했음.

-동대사는 북한이 핵비확산조약(NPT)에 가입하고서도 핵안정협정이 지연된 것은 미국이 주한 핵무기 철수와 북한에대한 핵위협을 제거하라는 북한의 요구를거절했기 때문이라고 말했음.

-동대사는 남북한이 한반도의 비핵지대화를 위해 협상을 할것과 남북한이 각기 상대방에 대한 핵무기를 개발하지 말고, 동시 핵사찰을 할것을 제안했음.

- 동대사는 동시 핵사찰과 북한에 대한 핵위협을 위해 미국과 북한이 협의를 가질 것을 촉구하면서 동시 핵사찰은 한국내 미국핵무기의 존재 확인과 북한내 핵시설 존재 확인이어야 할 것이라고 했음.

-최근 한-미간에 서명된 전시지원협정(WHNSA)에 대해 동대사는 이는 매우 모험적이고 위험한, 전쟁지향적인 문서로서 한반도의 긴장완화와 평화를 위협하고 새로운 전쟁을 도발시킬 수도 있다는 반응을 보였음. 끝.

(대사 오 정일 - 외정실장)

예고: 91.12.31.까지 예고 : 92.6.30.까지 고문에 의거 일반문서로 재분류됨

외정실	장관	차관	1차보	2차보	미주국	중아국	외정실	분석관
청와대	안기부							

0007

PAGE 1 91.12.03 08:23

외신 2과 통제관 CA

2

관리번호	91-231

외 무 부

종 별 :

번 호 : GHW-0657 일 시 : 91 1202 1910

수 신 : 장관(정특,미이,아프일,기정)

발 신 : 주 가나 대사

제 목 : 북한의 핵사찰 문제

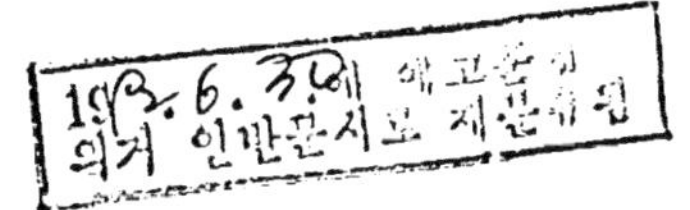

대:미이 01225-41961

연:GHW-0656

1. 본직이 금 12.2.(오후 3:40-4:00)주재국과 업무협의차 SIMPSON 외무부 아시아중동국장을 면담한 바, 동국장은 금일 오후 이 해섭 북한대사(통역관 수행)가 DR.CHAMBAS 외무차관을 면담, 북한의 핵무기 개발문제와 관련 북한의 입장을 설명하였다고 제보하였음. 그러나 상세한 내용언급은 회피하였음.

2. 이에 본직은 동건에 대한 대통령 특별성명 내용과 장관님의 11.30 자 기자회견 내용인 북한의 핵사찰 수락문제와 특정지역의 군사시설에 대한 검증문제는 연계할 수 없는 것이 우리의 입장이라고 설명하고, 북한이 NPT 가입국으로서의 의무인 핵안정협정에 조속 서명하고 이에 따른 IAEA 의 핵사찰을 조속 수락해야할 것이라고 언급하면서, 북한의 핵개발문제는 한반도 뿐만 아니라 동북의 안전에 중대한 위협이되고 있다고 설명하였음.

3. 당관 판단으로는 북한대사의 상기설명 요지는 연호 신문보도 내용과 거의 유사할 것으로 사료됨. 끝.

(대사 오 정일 - 외정실장)

예고:92.6.30. 까지 예고문에 의거 일반문서로 재분류됨

외정실	장관	차관	1차보	2차보	미주국	중아국	분석관	청와대
안기부								

0008

PAGE 1 91.12.03 08:26

외신 2과 통제관 CA

관리번호	91-1359

외 무 부

종 별 :

번 호 : SVW-4569 일 시 : 91 1202 1930

수 신 : 장 관(동구일,정특,기정)

발 신 : 주 쏘 대사

제 목 : 핵사찰에관한 북한측 메모렌덤

당관은 금 12.2(월) 주재국 대외관계성 극인국으로부터 핵사찰에 관해 북한입장을 설명하는 메모렌덤(91.11.19 극인국에 전달되었다 함)을 입수한바, 동 요지 하기 보고함.(메모렌덤전문 파편 송부 위계임)

0 북한은 NPT 가입국중 미국의 핵무기에 의해 위협을 받고있는 유일한 국가인바, 미국은 핵보유 국가로서 핵 비보유국에에대한 핵위협 행위를 금지하고 있는 NPT 상의 의무 이행을 거부하면서 북한에대해 일방적으로 핵안전 협정을 체결할 것을 강요하고 있어 북한 외교부는 이 문제에관한 실상을 알리기 위해 본 메모랜덤을 배포하게 되었음.

1991.6.30에 예고문에 의거 일반문서로 재분류됨

0 북한은 왜 핵비확산 조약에 가입했는가

- 1980 년대 들어 미국의 대북한 핵위협의 더욱 증대되었으며, 남한을 핵기지화 하려는 미국의 정책이 강화되었음.

- 북한은 이러한 미국으로부터의 핵 위협을 제거하고 한반도를 비핵지대화 하는데 유리한 국제적 여건을 조성하기 위해 1985.12.5 NPT 에 강비 하였음.

- 북한은 NPT 가입이후 점증하는 미국 핵위협하에서도 조약상의 의무를다하기 위해 진지한 노력을 해왔으나, 미국의 사주에 의해 일본등 일부 국가가 1991.9 IAEA 집행이사회에서 북한의 조속한 핵안전 협정 체결을 요구하는 결의안을 채택함으로써 오히려 북한의 핵안전 협정 서명에 인위적인 장애물을 조성하였음.

0 왜 북한의 핵안전협정 서명 문제가 해결되지 않고 있는가

- NPT 전문 제 2 항에 의하면 핵 보유국은 핵 비보유국에대한 위협 행위르 자제해야 하는 의무가 있으나, 미국은 핵 비보유국인 북한에 대한 위협 행위를함으로써 이러한 조약상의 의무를위반해 왔음.

- 또한 NPT 제 1 조는 핵보유국이 핵비보유국에대해 핵무기나 핵폭발 장치를

구주국	장관	차관	1차보	2차보	외정실	분석관	청와대	안기부

PAGE 1

0009

91.12.03 10:21

외신 2과 통제관 CA

이전치 못하도록 규정하고 있으나, 미국은 이를 위반하여 남한에 대량의 핵무기를 반입함으로써 한반도를 핵전재의 온상으로 만들고 있음.

- 미국은 핵무기 철수 계획을 발표함으로서 세계를 호도하려하고 있는바, 상금까지 핵무기 철수를 확인한후 남. 북 동시 핵사찰을 하자고 한 우리의 제의에 응답하지 못하고 있으며 따라서 북한의 핵안전 협정 서명 연기는 미국의 책임인 것임.

0 핵안전 협정 문제가 해결되려면 미국이 우리의 요구에 응해야 함.

- 미국의 대북한 주권 침해 행위 중단, 남한으로부터의 핵무기 철수, 북한에대한 핵위협 중단, 대북한 핵 불사용 보장, 국제법에따른 남. 북한 동시 핵사찰이 이루어지면 북한의 핵안전 협정 서명 문제가 해결 될 수 있는 길이 열리게 될 것임.

- 우리는 북한의 핵 안전 협정 체결 문제의 공정한 해결 분위기를 조성하기위해 국제사회가 미국에대해 영향력을 행사해 주기를 희망함. 끝

(대사공로명-국장)

2차

외 무 부

종 별 :

번 호 : AVW-1588 일 시 : 91 1202 2000

수 신 : 장 관(국기,미이)

발 신 : 주 오스트리아 대사

제 목 : 북한 외교부 성명

대:WAV-1363

당지 북한대표부의 요청에 따라 IAEA 사무국은 대호 북한 외교부 성명을 12.2 이사회 INFORMATION 문서로 배포하였음 (IAEA 문서별전 FAX)

첨부: AVW(F)-061 4매.끝.

국기국	장관	1차보	미주국	외정실	분석관	청와대	안기부

PAGE 1

91.12.03 08:52 WI

외신 1과 통제관

0011

EMBASSY OF THE REPUBLIC OF KOREA

Praterstrasse 31, Vienna
Austria 1020 (FAX : 2163438)

No : AVW(F)-061	Date : 11202 2000
To : 장 관(국기, 미이)	
(FAX No :)	
Subject : AVW-1588 첨부	

총 5매

Total Number of Page :

5-1

0012

International Atomic Energy Agency
BOARD OF GOVERNORS

For official use only

GOV/INF/640
2 December 1991

RESTRICTED Distr.
Original: ENGLISH

STATEMENT OF THE MINISTRY OF FOREIGN AFFAIRS
OF THE DEMOCRATIC PEOPLE'S REPUBLIC OF KOREA
ISSUED ON 25 NOVEMBER 1991

The attached Statement of the Ministry of Foreign Affairs of the Democratic People's Republic of Korea on the question of the conclusion of a safeguards agreement pursuant to the Treaty on the Non-Proliferation of Nuclear Weapons, issued on 25 November 1991, is being circulated to members of the Board of Governors at the request of the Resident Representative of the Democratic People's Republic of Korea.

4245280

91-05780

0013

ATTACHMENT

Statement of the Ministry of Foreign Affairs of the Democratic People's Republic of Korea on the question of the conclusion of a safeguards agreement pursuant to the Treaty on the Non-Proliferation of Nuclear Weapons

The removal of the nuclear threat from the Korean peninsula and conversion of the peninsula into a denuclearized zone is a focus of worldwide concern today.

The Government of our Republic has raised the question of the withdrawal of nuclear weapons from south Korea as an indispensable requisite for guaranteed peace on the Korean peninsula and has made tireless efforts for its realization.

When joining the Treaty on the Non-Proliferation of Nuclear Weapons (NPT), it hoped that the United States, with which the Treaty is deposited, would discharge its legal obligations under the Treaty, renounce its nuclear threat against us and respond to the proposal for the denuclearization of the Korean peninsula.

The United States, a nuclear-weapon Power, is under an obligation to refrain from making nuclear threats against the non-nuclear-weapon States which have joined the Treaty. However, it has constantly swerved from its obligation under the Treaty by resorting to continued threats and blackmail with nuclear weapons against our Republic and inciting an atmosphere of nuclear war on the Korean peninsula.

It is entirely due to the United States, which, violating the Treaty in this way, has refused to accept our just demand for the withdrawal of nuclear weapons from south Korea and removal of the nuclear threat, that a solution of the question of concluding a safeguards agreement pursuant to NPT has been delayed since our Republic joined NPT.

Some time ago, United States President Bush published a proposal for the reduction of tactical nuclear weapons, thus admitting the deployment of United States nuclear weapons for a war in south Korea, and made clear the United States stand on their withdrawal. We welcome this step of the United States, regarding it as one opening the way for our concluding a safeguards agreement pursuant to NPT.

5-3

0014

Later, the south Korean chief executive made a "declaration" on the "denuclearization" of the Korean peninsula. We appreciate the fact that the south Korean chief executive, who had opposed the word "denuclearization", made public, though belatedly, a proposal having some points in common with the proposal for the denuclearization of the Korean peninsula already made by us.

If the United States and the south Korean authorities had taken such a stand earlier, the question of our concluding a safeguards agreement pursuant to NPT would not have become as complicated as it is today.

As a signatory of NPT, we have never opposed the conclusion of a safeguards agreement pursuant to NPT; in fact, we have made sincere efforts aimed at its early conclusion. After joining NPT, we said we would conclude a safeguards agreement as required by the Treaty, legitimately demanding that the United States also fulfil its obligations under the Treaty by withdrawing its nuclear weapons from south Korea and removing its nuclear threat against us.

The United States, however, demanded the unilateral inspection of our area, persistently denying the presence of nuclear weapons in south Korea, though they undeniably exist.

Everything is clear now. Had the United States accepted our just demand from the beginning and taken such positive steps as it has made public this time, the question of our concluding a safeguards agreement pursuant to NPT would have been solved long ago and no problem would have arisen.

Whether or not this problem will be resolved smoothly and quickly in the future depends on how sincerely the United States fulfils its commitments regarding the pull-out of nuclear weapons.

As regards the south Korean authorities, they should have accepted our proposal for the denuclearization of the Korean peninsula, not turning it down categorically when we made it.

The north and the south, as the same nation, must not develop nuclear weapons but accept nuclear inspection simultaneously.

Accordingly, the Government of the Democratic People's Republic of Korea (DPRK) declares as follows:

<u>Firstly</u>, we will conclude a safeguards agreement pursuant to NPT when the United States begins to withdraw its nuclear weapons from south Korea;

0015

5-4

<u>Secondly</u>, inspection to verify whether or not United States nuclear weapons are present in south Korea and inspection of our nuclear facilities should be made simultaneously;

<u>Thirdly</u>, DPRK-US negotiations should be held to discuss simultaneous nuclear inspections and removal of the nuclear danger facing us; and

<u>Fourthly</u>, since the north and the south have expressed the same intention, not to develop nuclear weapons and to denuclearize the Korean peninsula, they should hold north-south negotiations for its realization.

The DPRK Government and the Korean people believe that our fair proposal to remove the danger of a nuclear war on the Korean peninsula, to ensure peace and security there and, furthermore, to consolidate peace in Asia and the rest of the world will enjoy active support from the governments and peoples of all countries of the world that love peace.

Pyongyang, 25 November 1991

5 - 5

0016

기 12/3 신

원 본

사본 2 3 2부

관리번호	91-1160

외 무 부

종 별 :

번 호 : AVW-1589 일 시 : 91 1202 2000

수 신 : 장 관(국기)

발 신 : 주 오스트리아 대사

제 목 : IAEA 12월 이사회 의제

대:WAV-1377

금차 IAEA 의 잠정의제 제 4 항은 NPT 권 외에있는 알젠틴과 브라질이 안전조치에 관하여 NPT 당사국이 되지 않은 상태에서 NPT 안전조치 적용을 받도록하는 협정안을 금년 3월이래 3 자간에 교섭한 결과 11.21 브라질, 알젠틴 양국정부와 IAEA 가 최종 협정 문안에 합의함에 따라 금번 12 월 이사회에 상정되었음.(동 안전조치 협정안은 형식상 브라질, 알젠틴 양국 정부가 공동설치한 알젠틴,브라질 핵물질 계량 통제기구및 IAEA 및 브라질, 알젠틴간의 4 자 협정임)

첨부:동의제관련 이사회 문서 주요부문 FAX: AVW(F)-062 2 매.끝.

예 고: 92.6.30 일반.

일반문서로 재분류(19 . . .)

검 토 필(19 91 12. 31.)
직 권 보 관 승 인 (인)

국기국 장관 차관 1차보 미주국 분석관 청와대 안기부

PAGE 1

91.12.03 09:13
외신 2과 통제관 BS

0017

EMBASSY OF THE REPUBLIC OF KOREA

Praterstrasse 31, Vienna
Austria 1020 (FAX : 2163438)

No : AVW(F) - 062	Date : 11202 2000
To : 장 관 (국기) (FAX No :)	
Subject : 첨 부	

표지포함 3매

Total Number of Page : ______

3-1

0018

GOV/2557
25 November 1991

RESTRICTED Distr.
Original: ENGLISH

International Atomic Energy Agency

BOARD OF GOVERNORS

For official use only

SAFEGUARDS

THE CONCLUSION OF SAFEGUARDS AGREEMENTS

An agreement between the Republic of Argentina, the Federative Republic of Brazil, the Brazilian-Argentine Agency for Accounting and Control of Nuclear Materials and the International Atomic Energy Agency for the application of safeguards

Note by the Director General

1. On 28 November 1990, the Presidents of Argentina and Brazil signed at Foz do Iguaçu, Brazil, the Argentine-Brazilian Declaration on Common Nuclear Policy (see INFCIRC/388 and Add.1). In the Declaration, the Presidents decided, inter alia, to establish a Common System of Accounting and Control of Nuclear Materials (SCCC) for the purpose of verifying that nuclear materials in all nuclear activities of the Parties are used exclusively for peaceful purposes, to start negotiations with the Agency for the conclusion of a safeguards agreement, and "to adopt, after the safeguards agreement with the International Atomic Energy Agency is concluded, pertinent measures leading to the full entry into force for both countries of the Treaty for the Prohibition of Nuclear Weapons in Latin America (Treaty of Tlatelolco), including action aimed at updating and improving its text."

2. On 18 July 1991, the Ministers for Foreign Affairs of Argentina and Brazil signed at Guadalajara, Mexico, the Agreement on the Exclusively Peaceful Utilization of Nuclear Energy.1/

3. On the basis of this bilateral agreement, Argentina and Brazil have established the Common System of Accounting and Control of Nuclear Materials (SCCC), and a Brazilian-Argentine Agency for Accounting and Control of Nuclear Materials (ABACC) whose objective is to administer and implement the SCCC.

1/ The Agreement is in the process of being ratified by the Congresses of the two countries. The text of the Agreement is being circulated as an INFCIRC document.

4241206

91-5573

3-2

0019

4. As a follow-up to the Foz do Iguaçu Declaration, the Governments of Argentina and Brazil requested the Director General to arrange for the negotiation of a safeguards agreement between Argentina, Brazil, ABACC and the Agency covering all nuclear materials in all nuclear activities within their territories, under their jurisdiction or carried out under their control anywhere.

5. The Secretariat has negotiated a draft agreement in accordance with Article III.A.5 of the Statute, which authorizes the Agency to apply safeguards, at the request of the parties, "to any bilateral or multilateral arrangement".

6. Negotiation of the draft agreement began in March 1991 and was completed in November 1991. The agreement of the Governments of Argentina and Brazil to the text of the draft agreement was communicated to the Agency on 21 November 1991.

7. The draft agreement is a comprehensive safeguards agreement of a sui generis nature, and it is compatible with the Treaty of Tlatelolco. It covers all nuclear materials in all nuclear activities within the territories of Argentina and Brazil, under their jurisdiction or carried out under their control anywhere. The draft agreement provides for the application of safeguards to exports of nuclear material. The draft agreement also contains a Protocol which amplifies certain provisions and, in particular, specifies the arrangements for co-operation in the application of safeguards.2/

8. It is expected that the application of this agreement would involve the following additional costs: 1992, US$ 400 000 (ad hoc inspections and the negotiation of subsidiary arrangements); 1993, US$ 1 500 000 (ad hoc inspections and equipment); 1992/1993, US$ 850 000 (extra staff). In addition, there would be the cost of installing safeguards equipment at hitherto unsafeguarded installations; this cost cannot yet be estimated.

RECOMMENDED ACTION BY THE BOARD

9. The Board is recommended to authorize the Director General to conclude and subsequently implement the Agreement and the Protocol thereto which are set forth in the Annex.

2/ The Protocol to the draft agreement is similar to the Protocol to the safeguards agreement concluded between the member States of the European Community, EURATOM and the Agency in connection with NPT (see INFCIRC/193 and Add.1-4).

3-3

0020

공 란

공 란

관리 번호	91-1166

원 본

외 무 부

종 별 :

번 호 : AVW-1592 일 시 : 91 1203 1400

수 신 : 장 관(국기,미안,아주국장,아중동국장,외정실)

발 신 : 주 오스트리아대사

제 목 : IAEA 12월 이사회 대책(아세아 그룹)

연: AVW-1558

1. 금차 이사회에서 토의될 IAEA 특별사찰및 설계정보 제공 문서(GOV/2554)에 관련하여 그간 아세아 그룹은 LAVINA 필리핀 대사의 사회(금차 이사회말에 윤번임기종료)로 그룹의 공동입장을 의장 명의로 표시하려고 시도해 왔음.

2. 상기 시도는 주로 이락, 인도, 파키스탄등의 역내 핵금 조약(NPT) 비당사국과 종래의 비동맹권 소속국가들이 필리핀 대사를 앞세워, 12 월 이사회에서의 상기 문서 채택을 막고 지연 전술을 펴나가려는 동기에 비롯하였음.

3. 상기 2 항에 관련하여 필리핀은 아세아그룹의 의장 자격으로 별전(FAX-1)과 같이 IAEA 이사회의장에게 11.20 일자 서한을 송부하였고, 아국은 특히 11.26 일 개최된 G-77 회의에서 동서한의 문제점을 지적하였음.

4. 상기 3 항에 관련하여, 본직은 이사회 의장 앞으로 별전(FAX-2)과 같이 아국의 입장을 전달하였으며, 이사회 개최전에 이사국들이 관례적으로 가지는 의장과의 11.25 면담시에도 아국의 입장을 표시해 두었음.

5. 상기 3 항및 4 항에 관련하여, 당지의 인도대사 BAKSHI 는 별전(FAX-5)과 같이 아세아 그룹의 입장을 의장이 12 월 이사회에 전달하는데 대한 본직의 의견을 물어왔음.

6. 한편 필리핀대사는 본직의 11.27 일자 앞 서한(별전 FAX-4)에 대하여 별전(FAX-5)과 같이 회보하였음.

7. 본직은 상기 5 항에 언급된 인도대사의 입장 (별전 FAX-3)에 대하여 작 12.2(월) 저녁 별전(FAX-6)과 같이 회신하였음(하기 8 항 서한 사본 첨부).

8. 또한 본직은 상기 6 항에 언급된 필리핀 대사의 서한(FAX-5)에 대하여 작 12.2(월) 별전(FAX-7)과 같이 회신하였음.

국기국 장관 차관 1차보 아주국 미주국 중아국 외정실 분석관
정와대 안기부

PAGE 1

91.12.04 02:00
외신 2과 통제관 CD

0023

9. 금 12.3(화) 오전(0915-1020) 개최된 아세아그룹 전체회의는 상기 문제(즉 아세아그룹 의장이 별전 FAX-3 내용으로 성명을 이사회에 전달함)를 협의 하였는데, 회의 개최 직전 본직과 인도대사가 복도에서 가진 절충을 통해 성명 문안을 가급적 간단히하고 이를 아세 그룹에 속하는 이사국중의 하나가 그룹 소속국가들의 일반적 입장 (12 월 이사회에서의 예비적 토의 및 92 년 2 월 이사회에서 필요한 조치 채택)을 전달하는 방식에 합의하였음.

10. 그러나 필리핀은 다른 지역 그룹(라틴 아메리카, 구주 공동체)의 경우에 의장이 성명을 전달하고 있다는 이유를 내세워 고집하였고 이를 파키스탄, 북한이 지지하였음.

11. 본직은 아세아 그룹내에는 다른 그룹 처럼 동질성이 없고 이 문제에 대한 콘센서스가 없기 때문에 동일시 할수 없으며, 회의문서(GOV/2554)에 대한 이견이 그룹내에 상당할 정도로 상존하고 있는 점과 더불어 IAEA 맥락에서는 아세아 그룹의 존재 자체와 역할이 반드시 타당하지 못하다는 점도 지적하였음.

12. 결국 인도대사의 상기 절충안(9 항) 채택 주장에도 불구하고 콘센서스가 성립되지 못함에 따라 아세아 그룹 의장 명으로 회의문서(GOV/2554)에 대한 공동 입장을 밝히려는 시도는 아국의 반대로 좌절되었음.

13. 상기는 지난 9.12 이사회에 북한에 관한 결의안 채택시 기권 또는 반대한 나라들의 입장을 대체로 부영하고 있다고 볼수 있으며, 금주 이사회에서는 물론 내년 2 월 이사회에서도 그러한 경향이 노정될 것으로 보여진다는 측면에서 참고 될수 있을것임.

14. 한편, 미국은 작 12.2(월) 저녁 현재 회의문서(GOV/2554)중 특히 특별사찰 부분은 하등 새로운것이 없고 기존 협정상의 규칙과 제도를 재확인하는 것이므로 별도의 조치가 필요없다는 입장하에 금차 이사회에서 의장의 토의 요약(SUMMING-UP 으로 종결하는 대신 특별 사찰 문제를 다룰 특별반(SPECIAL UNIT)의 예산등 관련 문제를 내년 2 월 이사회에서 다루고 결론을 내린다는 입장을 견지하고 있음.

15. 그러나 금차 이사회에서는 상기 14 항을 포함하여 핵금조약 비당사국에의한 논난이 예상되고, 미국이 NON-PAPER 를 11.8 일자로 회람시켜 12 월 이사회에서의 조치(ACTION) 필요성을 강조한 외교적 서투름과 더불어, 사무국이 특별사찰 문제와 설계정보 제공 문서를 동일 문서에 포함시켜 배포한 기술적 미흡등으로 인하여, 12 월 이사회의 확실한 성과를 기대하기는 어려울 것으로 보임.

PAGE 2

0024

별첨:AVW(F)-063 17 매(표지포함). 끝.
예 고:1992.6.30 일반.

SENT BY:KOREAN EMB. VIENNA ; 3-12-91 ; 3:30PM ; KOREAN EMB→VIENNA→ 02 739 5986 ;# 2/1

(별첨 1)

Pasuguan ng Pilipinas  Embassy / Mission of the Philippines

Vienna

摘 26 Nov '91

20 November 1991

Sir:

It is in my capacity as Chairman of the Asian Group that I write to you about the forthcoming meeting of the Board of Governors of the IAEA on 5th December 1991.

As decided at the previous meeting of the Board, given the availability of time, a very preliminary discussion can take place on the Secretariat papers on "Special Inspections" and "Early Design Information". However, these are significant matters, having far-reaching consequences and involving legal, political and constitutional considerations. These need thorough and detailed study by the respective governments. This would naturally take time.

Any effort therefore to take final decisions at the 5th December meeting will create serious difficulties for the Asian Group.

Very truly yours,

NELSON D. LAVIÑA
Ambassador
Permanent Representative

The Chairman
Board of Governors
International Atomic Energy Agency

0026

17-1

(별첨 2)

PERMANENT MISSION OF THE REPUBLIC OF KOREA
VIENNA

27 November 1991

Mr Chairman,

This is just to inform you that Ambassador Lavina of the Philippines was not mandated to write to you as in his letter dated 20 November 1991. The Asian Group has not taken any decision on GOV/2554 dated 12 November 1991 and no consensus of the Group as a whole has been reached on it.

The contents of his letter do not accurately reflect what happened within the Group and are in part contradictory since it presupposes categorically that "these are significant matters, having far-reaching consequence and involving legal, political and constitutional considerations" while mentioning the need "to take time" in order to make thorough and detailed study.

In this regard, I wish to refrain from any preemptive judgement on the matter and recall your ruling of 23 September 1991 as reflected in GOV/OR.766 issued on 22 November 1991.

With warm regards,

Chang-Choon Lee
Ambassador, Resident Representative
and Governor for the Rep of Korea

Mr Manuel Mondino
Chairman
Board of Governors, IAEA
Vienna

cc : Ambassador Lavina
of the Philippines

0027

17-2

(별첨 3)

URGENT

91.12.2.

From Permanent Mission of India, Vienna
To Permanent Mission of Republic of Korea, Vienna

Ambassador Lee from Ambassador Bakshi (인도 대사)

After you left the Asian Group meeting on Friday, November 29, 1991, it was decided that our Chairman might make a statement to the Board on our behalf. India was asked to prepare a draft, in consultation with some others, summarising the views shared by all. That draft is enclosed. I propose sending it to the Chairman only after it meets with your approval. Please feel free to make any changes that you consider suitable. I look forward to the earliest response, possibly on Monday, December 2, 1991, so that the finalised draft can be sent to the Chairman and can be discussed at the Asian Group meeting at 0900 hrs on Tuesday, December 3, 1991.

'Statute' argumentation? could be as simple and concise as possible!

(Begins)

It is always relevant to remind ourselves of the objectives of the Agency, to which all of us members of the Agency dedicate our energies. These are spelt out in Article II of the Statute as follows:

"The Agency shall seek to accelerate and enlarge the contribution of atomic energy to peace, health and prosperity throughout the world. It shall ensure, so far as it is able, that assistance provided by it or at its request or under its supervision or control is not used in such a way as to further any military purpose."

We have had a full discussion in the TACC and the Board of Governors on the 1992 technical cooperation programme of the Agency. This is as it should be, for as we all know the December meeting of the Board was scheduled at the request of the Group of 77 to facilitate better implementation of the main activity of the Agency.

We are now ready to participate in a preliminary discussion relating to one of the major functions of the Agency in terms of Article III A.5 of the Statute namely the administration of safeguards, specifically on the strengthening of the safeguards system of the Agency. This is in line with the decision taken at the last meeting of the Board in September. The Chairman of the Board had, at that time, summed up its decision in the following terms (and I quote from GOV/OR. 766 and Mod. 1)"

0028

17-3

91.12.2

-2-

"....Clearly if a month were available to examine the documents, it would be possible to have a preliminary discussion of those safeguard issues after the Board had held a thorough debate on the 1992 Technical Cooperation Programme".

The Asian Group of countries attach high importance to the question of strengthening of the safeguards system of the Agency. It considers that document COV/2554 dated November 12, 1991, deserves, and indeed requires, a thorough discussion based on a careful examination of all aspects of the matter. This would naturally require some time, given the far-reaching nature of the document involving legal, political and Constitutional considerations. The Asian Group of countries therefore look forward to a fuller and fruitful discussion in Feb 1992, which could contribute towards a final decision on the matter.

It has fortunately been the tradition in the Board that decisions of important matters have been sought to be arrived at on the basis of consensus. As stated earlier, the present agenda item is a matter of high importance to the Asian group. It therefore hopes that a decision on this matter would be taken by consensus, in keeping with the tradition in the Board of Governors.

(Ends)

0029

91.12.3

(Begins)

It is always relevant to remind ourselves of the objectives of the Agency, to which all of us members of the Agency dedicate our energies. These are spelt out in Article II of the Statute as follows:

"The Agency shall seek to accelerate and enlarge the contribution of atomic energy to peace, health and prosperity throughout the world. It shall ensure, so far as it is able, that assistance provided by it or at its request or under its supervision or control is not used in such a way as to further any military purpose."

We have had a full discussion in the TACC and the Board of Governors on the 1992 technical cooperation programme of the Agency. This is as it should be, for as we all know the December meeting of the Board was scheduled at the request of the Group of 77 to facilitate better implementation of the main activity of the Agency.

We are now ready to participate in a preliminary discussion relating to one of the major functions of the Agency in terms of Article III A.5 of the Statute-namely the administration of safeguards, specifically on the strengthening of the safeguards system of the Agency. This is in line with the decision taken at the last meeting of the Board in September. The Chairman of the Board had, at that time, summed up its decision in the following terms (and I quote from GOV/O R. 766 and Mod. 1)"

"....Clearly if a month were available to examine the documents, it would be possible to have a preliminary discussion of those safeguard issues after the Board had held a thorough debate on the 1992 Technical Cooperation Programme".

The Asian Group of countries attach high importance to the question of strengthening of the safeguards system of the Agency. It considers that document GOV/2554 dated November 12, 1991, deserves, and indeed requires, a thorough discussion based on a careful examination of all aspects of the matter. This would naturally require some time, given the far-reaching nature of the document involving legal, political and Constitutional considerations. The Asian Group of countries therefore look forward to a fuller and fruitful discussion in Feb 1992, which could contribute towards a final decision on the matter.

It has fortunately been the tradition in the Board that decisions of important matters have been sought to be arrived at on the basis of consensus. As stated earlier, the present agenda item is a matter of high importance to the Asian group. It therefore hopes that a decision on this matter would be taken by consensus, in keeping with the tradition in the Board of Governors.

0030

(Ends)

12-1

(번호 4)

PERMANENT MISSION OF THE REPUBLIC OF KOREA
VIENNA

27 November 1991

Dear Colleague,

I would like to refer to the meeting of the Group of 77 held yesterday morning and attach herewith for your information a copy of my letter sent to the Chairman of the IAEA Board of Governors Mr Manuel Mondino.

I look forward to your continued cooperation in the matters of our mutual interest.

With warm regards,

Chang-Choon Lee
Ambassador, Resident Representative
and Governor for the Rep of Korea

Enc.: as stated

HE Ambassador Nelson Lavina
Ambassador and Resident
Representative of the Philippines
Vienna

0031

(별첨 5)

FAX # 2163438

Pasuguan ng Pilipinas — Embassy / Mission of the Philippines

Vienna

11/29 '91

28 November 1991

Dear Colleague,

This is to acknowledge your letter of 27 November 1991 enclosing a copy of your letter to the Chairman of the IAEA Board of Governors.

In your letter to the Chairman, you stated that I had not been mandated to write to him regarding the Asian Group's position on GOV/2554. In this regard, please refer to the attached copy of the minutes of the 5 November Plenary Meeting. Your attention is invited to page 3, item 4 - IAEA matters, which gives an account of the discussions on the safeguards issue.

According to our records, you were present during the Plenary Meeting of the Asian Group on 14 November when the minutes of the 5 November meeting were considered. You requested that corrections be made to your intervention on 5 November but you did not make any comment on item 4 above.

Your attention is further invited to paragraph 4.4 which states that the Group requested the Chairman to convey its position to the Chairman of the G-77 and the Chairman of the IAEA Board.

Very truly yours,

NELSON D. LAVINA
Ambassador
Permanent Representative
Chairman
The Asian Group

Enclosure: as stated

H.E. Ambassador Chang-Choon Lee
Resident Representative
Permanent Mission of the
Republic of Korea

cc: Mr. Manuel Mondino
Chairman, IAEA Board of Governors

0032

1/5

Pasuguan ng Pilipinas  Embassy / Mission of the Philippines

Vienna

11.14 meeting에 배포

No. VN - 225/91

The Chairman of the Asian Group presents his compliments to the members and, with reference to the Fifth Asian Plenary Meeting held on 5 November 1991, has the honor to present hereunder the highlights of the deliberations, as follows:

1. Consideration of the Summary Records of the Third and Fourth Asian Plenary Meetings

1.1 The Meeting adopted the respective Summary Records of the Third and Fourth Asian Plenary Meetings as contained in the Chairman's Note Nos. VN-208/91 and VN-209/91.

1.2 On other matters in VN-208/91, the views expressed by the representatives of Iraq and Korea, concerning IAEA matters were to be reflected in the records of the meeting held on 5 November as follows:

1.2.1 On paragraph 5.1, the representative of Iraq clarified that U.N. Security Council Resolution 687 on Iraq's non-compliance with its safeguards obligation was not discussed in the IAEA Board meeting. Rather, the meeting considered the draft G.A. resolution on the IAEA Annual Report.

1.2.2 The Chairman stated that the Asian Group was merely adopting the minutes of the meeting of the Group on 18 October; it was not discussing anew the issue. At any rate, he explained that the Iraqi question was briefly mentioned in connection with the proposed inclusion of a paragraph in the draft resolution concerning the Agency's implementation of Res. 687. And that fact had to be reflected in the minutes of that meeting.

1.2.3 On the second paragraph concerning the issue of "special inspection", Iraq expressed the view that the IAEA statute referred only to the assistance and materials received from the Agency and that special inspection must be part of the NPT.

⑤ 11/5 회의 속기록에 요청한 우리 입장을 반영 (Consensus 결렬!)

0033

2/5

- 2 -

1.2.4 The representative of the Republic of Korea expressed reservation on the position taken by the Asian Group on the matter of "special inspection". He referred to his delegation's intervention in the Committee of the Whole of the 35th session of the General Conference and that the statute should be interpreted in a constructive and flexible manner. He also stated that his delegation progressive was not present during the discussion of the issue on special inspection and therefore objected to the reference to the "Asian Group" in the summary record.

1.2.5 The Chair stated that what was contained in the summary records regarding special inspection was the decision of the Group at that meeting.

1.2.6 Regrettably, but understandably, the view of any representative absent would not be taken into account in any particular discussion, as in case of any other meeting. The Chair stated that the Group now was merely adopting the minutes of that meeting and not re-opening a debate on the issue.

2. <u>Guidelines for Conciliation Committee</u>

2.1 The Chairman of the Asian Group Task Force presented the text of the draft guidelines on the establishment of Conciliation Committee drawn by the Asian Group as basis of consideration of candidatures for the Vice Presidency and for IDB and PBC during the Third General Conference in November 1989.

2.2 The Meeting agreed that the Asian Group could refer to the guidelines in forming the Conciliation Committee for the Fourth General Conference elections emphasizing that the Committee members should represent the various sub-regions within the Asian Group namely, West Asia, South Asia, South-east Asia, and Far East.

2.3 It was agreed that the Chair would be empowered to consult with delegations which had no candidates and to nominate the members of the Conciliation Committee. It was also agreed that the Chairman of the Committee should be the most senior among representatives.

2.4 The Committee would not be restricted by criteria in the draft guidelines. The principles contained therein should be considered as suggestions. The main purpose was to have a clean slate.

0034

3/5

17-9

3. Guidelines for Vice-President and the Policy Making Organs

3.1 The Meeting agreed to defer consideration of the candidatures for the Vice-Presidency of the Conference and for the policy making organs of UNIDO inasmuch as this would be taken up by by the Conciliation Committee as soon as it was formed.

4. IAEA Matters

Proposals on other safeguards measures

4.1 The Chairman of the Task Force informed the Group that he had invited representatives from the Secretariat to brief the Task Force on the issue of strengthening safeguards, particularly on special inspection and early design information.

4.2 There was general agreement that because of the political and legal implications of the proposals, further study and guidance from national authorities would be necessary. The Meeting therefore was of the view that a final decision on the matter could be taken at a later stage, perhaps in the February 1992 Board meeting.

4.3 The meeting was also informed of the possibility of having a three-day meeting of the Board rather than the one-day meeting it had previously agreed upon. It supported the sentiment expressed at the 23 September Board meeting to consider the safeguards issue only after thourough consideration of the TAC programme and only if time permitted, and not to have an extended meeting.

4.4 The Meeting requested the Chairman of the Asian Group to convey its position to the Chairman of the G-77 with a view to receiving the latter's support. The Chairman of the IAEA Board would likewise be informed.

4.5 The Chairman of the Task Force informed the meeting that the group intends to invite representatives from the Secretariat for a briefing on the Medium Term Plan and on the budget for 1993/94. The Group also intended to discuss the proposal to have a Convention on Nuclear Safety and possible positions on issues to be taken up by the Standing Committee on Civil Liability.

4.6 The Chairman of the Task Force also informed the Meeting that there was still no nomination from the Asian members for Chairmanship of the Informal Working Group on Financing of Technical Assistance.

③ 文書로 한다고 되어 있지도 않고, ④ 文書로 하는 경우에는 文案에 協議 했어야 한다.// ⑤ its position ? G-77 의장에게는 文書로 했나 ? ⑥ 11/29 日字 보각의 언급 등

0035

4/

5. Other Matters

5.1 The Chairman briefed the Meeting on the Luncheon of the various regional chairmen with the Director General concerning the reaffirmation of the objectives of the functions and objectives of UNIDO as well as the prevailing mood on the issue of restructuring which remained to be ambivalent.

5.2 The Chair invited the attention of the Group to consider possible candidates for Main Committee Bureau posts either as Vice Chairman or Rapporteur as well as the need for a replacement to Singapore in the Credentials Committee preferably a country from the same sub-region as the country being replaced; Singapore was not a member of UNIDO. It was agreed that the Chairman would consult on the replacement of Singapore.

5.3 At the suggestion of the Islamic Republic of Iran, the meeting attempted to reach an understanding on the draft resolution of the Asian Group on item 34 Special Trust Funds Project. However, inasmuch as most of the UNIDO representatives had left after the consideration of UNIDO matters, the Meeting felt that this matter be raised at the subsequent Asian Plenary Meeting although the C-77 Task Force was not precluded from discussing the Asian draft should there be no other item to be discussed at the C-77 Task Force Meeting prior to the next Asian Plenary Meeting.

The Meeting was participated in by the representative of Iraq, Qatar, Republic of Korea, Yugoslavia, Lebanon, Oman, Vietnam, Thailand, Saudi Arabia, India, Yemen, Indonesia, Malaysia, Pakistan, Palestine, China, United Arab Emirates, Iran, Kuwait.

The Chairman of the Asian Group avails himself of this opportunity to renew to all members the assurances of his highest consideration.

Vienna, 12 November 1991

0036

5/5

17-11

(별첨 6)

URGENT

PERMANENT MISSION OF THE REPUBLIC OF KOREA
VIENNA

2 December 1991

Dear Ambassador Bakshi,

Regarding your FAX communication which I received this morning, I would like to suggest as follows:

1. It is not desirable for Ambassador Lavina of the Philippines in his capacity as Chairman of the Asian Group to make a statement on behalf of the Group at the December Board meetings. The Asian Group seems to be less appropriate in the context of IAEA, taking into account different regional groupings within the Agency. And the fact that the Philippines is not on the Board adds to such undesirability. In my view, those members on the Boards from Asia should first try to reach consensus on important IAEA matters.

2. Any Asian country on the Board could convey to it the general position of members of the Asian Group in favour of having a preliminary discussion on document Gov/2554 in the December Board meeting and taking action thereon in February 1992.

3. Time constraints can serve as the reason for

HE Mr Kamal Nain Bakshi
Ambassador and
Resident Representative of India
Vienna

... members

0037

17-12

members of the Group to take the position as paragraph 3 above. Otherwise, it must involve differences in the positions of the Member States. The Republic of Korea is basically of the opinion that document GOV/2554 is a mere restatement and clarification of the existing law and system relating to IAEA safeguards.

With warm regards,

Chang-Choon Lee
Ambassador and
Resident Representative

0038

12-13

(별첨 7)

PERMANENT MISSION OF THE REPUBLIC OF KOREA
VIENNA

2 December 1991

Dear Colleague,

As you will transfer the chairmanship of the Asian Group shortly, I take this opportunity to express my appreciation to you for the efforts and contributions you have made over the last three months.

Regarding your letter of 28 November 1991, I would like to state the following for the record :

1. As a regional group for informal consultation and coordination among a large number of countries located in vast areas of the Middle East, the Indian Sub-Continent and the Far East and differing in their political and security interests as well as in their economic and cultural orientation, the Asian Group should, as do the other regional groups, stand on the basis of consensus when it labels a certain issue of interest to its members as the position of the Group as a whole. Your questioned letter of 20 November 1991 sent to the Chairman of the IAEA Board of Governors is short of that consensus, as clearly

HE Ambassador Nelson Lavina
Ambassador and Resident Representative
of the Philippines
Vienna

c.c : Mr Manuel Mondino
Chairman
Board of Governors, IAEA
Vienna

contained in paragraph 1.2.4 of the minutes attached to your letter of 28 November 1991.

2. Before you sent the questioned letter to the Chairman of the Board, you should have consulted with the Member States on its contents at a time when the attention of the world's public at large is focused on the important issue of nuclear safeguards. It is reminded in this regard that the Group customarily adopts its minutes by paragraph-by-paragraph approval even on less important matters. Needless to say, you are well aware that the Republic of Korea as a major international power in the Asian region, especially in the nuclear field, has a keen interest in the strengthening of nuclear safeguards. Under no circumstances, would I compromise important interests of the Philippines--a staunch ally of the Republic of Korea since the Korean war and one of its closest friends toward an age of Asia and the Pacific.

3. As Chairman of the Group, you may well know on what it is probable or improbable for the Asian Group to reach consensus. Any chairperson is required to choose for discussion subjects and areas on which the Group's consensus is likely to emerge. Special attention is brought to my intervention made on the morning of 29 November 1991 in the Asian plenary in which a few ambassadorial participants took part as usual. At the time I pointed out virtual impossibility in forging a common Asian position on the matter under reference in view of the Group's divergent composition :

a. those countries which are parties to NPT and concluded an NPT safeguards agreement

b. those countries which are parties to NPT but have not concluded an NPT safeguards agreement

c. those countries outside of the NPT

Apart from what is said above, I mentioned, on the same morning of last Friday, the desirability of holding informal consultations among Permanent Representatives from Asia on important issues of interest to their countries and raised the question of quarum for the Group's meetings. In case of inability to arrive at a Group's consensus despite exhaustion of every effort on the part of the Group, individual members are obliged to represent their different positions and interests separately at pertinent forums. Inevitably, this remains an essential feature of multilateral diplomacy.

I wish you and the members of your family a merry Christmas and a happy New Year.

With warm regards,

Chang-Choon Lee
Ambassador and
Resident Representative and
Governor from the Rep of Korea

EMBASSY OF THE REPUBLIC OF KOREA

Praterstrasse 31, Vienna
Austria 1020 (FAX : 2163438)

No : AVW(F) - 063	Date : 11203 1400
To : 장관(국기, 미안, 아주국장, 아중동국장, 외정실) (FAX No :)	
Subject : 첨 부	

표지포함 12매

12-12

Total Number of Page :

0042

공 란

공 란

공 란

안전조치제도강화방안(GOV/2554)에 대한 아세아 그룹내 토의 경위

91.12.4. 국제기구과

o 91.11.26. IAEA내 G-77 회의에서 Lavina 필리핀 대사가 아세아 그룹 의장 자격으로 IAEA 이사회 의장 에게 보낸 서한 (11.20자) 사본 배포

(서한내용)

- 사무국이 작성한 특별사찰과 설계정보 조기 제출에 관한 paper 내용은 법적, 정치적 및 현장상 광범위한 영향을 끼칠수 있는 중요한 문제이므로 각국 정부의 완전하고도 구체적 검토가 필요
- 12월 IAEA 이사회 에서 이에 대한 최종 결정 을 내리려는 노력은 아세아 그룹에 심각한 어려움 을 제기

o 11.26. 상기 서한에대해 주오스트리아 이장춘 대사 는 77그룹 회의 에서 아래 요지로 발언

- 안전조치강화 문제에 대해 아세아 그룹내 콘센서스가 없었으며, 의장(필리핀 대사)은 서한 발송 권한을 위임 받지 않았음
- 12월 이사회시 안전조치제도 강화에 대한 토의는 예비적인(preliminary) 성격이며, 이사회 문서(GOV/2554) 내용은 현존 IAEA 규칙과 제도를 해명, 정리(restatement and clarification) 한데 불과하므로 동 이사회 문서가 더 보완되어야 할 것 임

o 11.27. 주오스트리아 대사 , Mondino 이사회 의장(알젠틴) 에게 아래 내용의 서한 발송

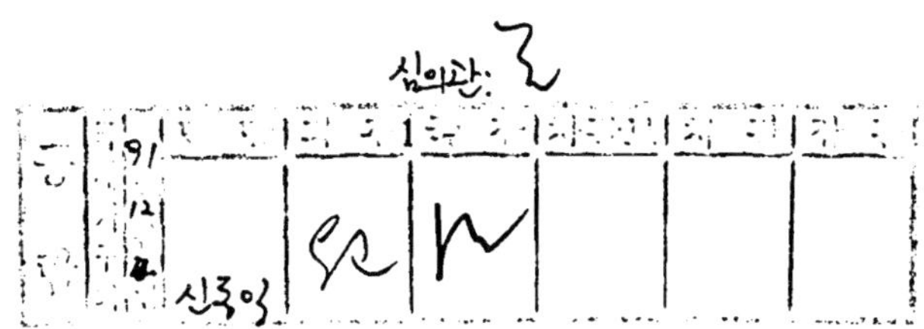

0046

- 11.20자 필리핀 대사의 편지 관련, 필리핀 대사 는 동 편지를 이사회 의장에게 보낼 권한을 위임받지 않았으며 , 이사회 문서(GOV/2554)에 대한 아세아 그룹내 컨센서스가 이루어지지 않았음

- 필리핀 대사의 편지에 사무국 paper 내용이 " 광범위한 영향을 끼칠 수 있는 중요한 문제 "인 만큼 이를 검토하기 위해 " 시간적 여유를 갖자 "고 언급된 것은 일면 앞뒤가 맞지 않는 것 이며, 아세아 그룹내에서 논의된 내용을 정확히 반영시키지 못했음

  * 11.27. 상기 이사회 의장앞 서한 사본을 필리핀 대사에게도 발송

o 11.28. 상기 주오스트리아 대사의 이사회 의장앞 편지 내용관련 Lavina 필리핀 대사 는 아래 내용으로 주오스트리아 대사에게 회신

- 필리핀 대사가 의장자격으로 아세아 그룹 입장에 대해 편지를 쓸 자격이 없다는 주장과 관련 11.5자 아세아 그룹회의 기록(minutes) 내용을 상기시킴

- 동 회의 기록 4항 (IAEA 관련 문제) 의 4 에는 의장이 아세아 그룹의 입장을 77 그룹 의장과 이사회의 의장에게 통보하도록 요청 한다고 되어 있음

- 또한 11.14. 아시아 그룹회의중 11.5자 회의기록 내용에 대한 검토시 이장춘 대사 자신도 참석, 이대사가 11.5. 자신의 발언내용 (특별사찰 관련 아세아 그룹 입장에 대한 유보) 에 대해서만 정정 요청 을 하였을 뿐 상기 4항(의장에 대한 권한부여문제 포함)에 대해 전혀 언급한 바 없음

o 12.2. 상기 필리핀 대사의 11.28자 편지에 대해 주오스트리아 대사 는 필리핀 대사에게 아래 내용으로 회신

- 필리핀 대사 가 금명간 아세아 그룹 의장직을 다른 국가에 넘기는것 과 관련, 지난 3개월간의 노력과 공헌에 대해 사의 표명

- 극동지역부터 중동지역까지를 포함하는 광범위한 아세아 지역 국가들의 이해를 반영시키기 위해서는 아세아 그룹의 공동 입장 표명시 지역국가들간 콘센서스에 기초 를 두어야 함

- 따라서 11.20자 편지 를 IAEA 이사회 의장에게 발송하기 전에 의장은 편지 내용에 대해 그룹 회원국들과 협의를 했어야 함 . 특히 세계적인 관심이 집중되고 있는 안전조치 문제에 대해서는 더욱 그러함

- 한국은 아세아 지역 국가중 특히 핵발전 분야에서 중요한 국가 가 되었으며, 안전조치제도 강화 문제에 첨예한 이해를 갖고 있음 . 또한 어떠한 상황에서 한국전쟁이후 우리의 가장 가까운 우방국인 필리핀의 중요한 이해가 침해 되어서는 안될것 임

- 11.29. 아세아 그룹 회의에서 본인은 안전조치 문제 관련 아세아 그룹 국가들의 다양한 구성 (NPT 및 안전조치협정 체결국, NPT 가입후 안전조치협정 미체결국, NPT 미가입국) 때문에 공동입장을 형성하는 것은 실제로 불가능 하며, 그룹내 콘센서스 도출이 힘들 경우 그룹 회원국별로 각기 다른 입장 과 이해관계를 관련 회의에서 표명 하도록 해야 한다고 지적 한 바 있음

o 12.2. Bakshi 인도 대사 편지 (12월 이사회시 아세아그룹 의장 발표문 초안에 대한 아국 대표의 승인과 의견 요청) 에 대해 주 오스트리아 대사 는 아래 내용으로 답신

- Lavina 필리핀 대사가 아세아 그룹을 대표 하여 입장을 표명하는 것은 IAEA내 다양한 지역그룹이 존재하고 있고(아세아내 3-4개 지역그룹), 필리핀이 현재 이사국이 아니라는 점에서 부적합

- 아세아 그룹의 공동 입장은 콘센서스를 이루어야 하며, 필요하다면 아세아 그룹 이사국중 하나가 12월 이사회에서는 이사회 문서(GOV/2554)에 대한 예비적 토의를 갖고 92.2월 이사회에서 필요한 조치를 취하자는 아세아 그룹의 일반적 입장을 전달할 수는 있을 것임

- 3 -

0048

- 한국은 이사회문서(GOV/2554)가 기본적으로 기존 안전조치제도와 협정내용을 해명, 정리한것에 불과하다는 입장을 견지함

o 12.3. 아세아 그룹회의 에서 상기 문제(의장이 아세아 그룹 공동 입장을 이사회에 전달)에 대해 절충을 시도하였으나, 주오스트리아 대사 는 아세아 그룹이 타 그룹처럼 동질성이 없고 동 문제에 대한 콘센서스를 이루지 못한점을 들어 반대 입장을 계속 표명 합으로써 아세아 그룹의 공동 입장 전달 시도는 실패함

- 필리핀, 파키스탄, 북한, 이라크등이 의장 성명 전달에 지지, 인도는 절충안 제출을 시도하였음. 끝.

공　　　란

공 란

공 란

공 란

공 란

공 란

공 란

공 란

공　　　　란

기 12/5 신

관리번호	91-1172

원 본

외 무 부

(사본 : 송주영)

종 별 :

번 호 : AVW-1607 일 시 : 91 1204 2200

수 신 : 장 관(국기)

발 신 : 주 오스트리아 대사

제 목 : IAEA 12월 이사회(회의 운용 전망)

연:AVW-1592,1546

1. 금 12.4(수) 현재의 잠정의제안은 별전(FAX-1)와 같음.

2. 금일 오전(10:20-10:50) 개최된 77 그룹 회의에서는 안전조치 강화문서(GOV/2554)의 처리를 위요하고(특히 특별사찰 제도) 그룹의 입장을 77 그룹 의장의 성명으로 아래와 같이 전달할 것을 인도가 주장하였으며, 이에 멕시코, 알제리아, 시리아, 큐바, 이라크, 에집트및 필리핀이 동조하는 발언을 하였음.

가. 충분한 연구와 의견의 교환이 있어야 함.

나. 사전 준비의 시간이 없고 본국으로부터의 훈령이 없는 상태이므로 내년2 월 이사회에서 실질적인 토의를 가짐.

다. 금차 이사회에서는 예비적 토의만을 가짐.

라. 상기 문서는 이사회가 채택하는 경우에는 CONSENSUS 에 의해야 함.

3. 상기와 같이 그룹의 입장이 안전조치 문제에 대하여 소극적으로 기울어진 상태에서 알젠틴이 상기 인도대사의 제안을 수락할수 없다는 반응을 보이자 의장은(탄자니아) 그룹의 CONSENSUS 가 없다는 결론을 내리고 대부분의 그룹 회원국(MOST OF MEMBERS OF THE GROUP)들이 그러한 입장을 표시하고 있다는 취지로 성명을 전달하겠다고 말하였음.

4. 이에 인도대사는 '1 개국을 제외한 그룹의 전회원국이 그런 입장을 견지하고 있다'는 형식을 취할 것을 제의하자, 본직은 '1 개국을 제외하고'라는 표현을 사용하는데 반대하였으며, 의장이 상기 3 항과같이 성명을 전달한다는데 원칙적으로 반대하지 않지만, 그 성명의 문안을 사전에 협의할 것을 제의하였음.

5. 이리하여 의장은 '대부분의 그룹 회원국'이라는 표현을 사용하고 성명 문안에 대한 아국의 코멘트를 받기로 하였음.

국기국	장관	차관	1차보	미주국	외정실	분석관	청와대	안기부

PAGE 1

91.12.05 07:34

외신 2과 통제관 BD

0059

6. 본직이 금일 오후 당지의 칠레대사관측과 사전에 협의한 바에 따라 당지의 칠레 대사관은 의장의 성명문안을 아국의 희망에 따라 별전(FAX-2)과 같이 작성해 놓은 상태에 있음.

7. 칠레는 의장으로서 AVW-1558 항에 언급한 바와 같이 서방측에 협조적이며 특히 UNIDO 총회의 마지막날 연호(1546) 1 항 바. 와같이 G-7 의 입장을 칠레의 특별 요청에 따라 발언해 준것을 감사하게 생각하고 있는것에도 칠레의 대아국 협조의 부분적 이유이기도함.

8. 한편, 본직이 작 12.3 SANMUGANATHAN IAEA 사무총장 정책보좌관의 오찬 면담시 파악한 바로는, 금차 회의에서 사무총장이 기술협력및 IAEA 의 재정문제등에 관한 보고를 의제 1,3,5 및 6 항하에서 행하고, 의제 2 항및 4 항 심의시 별도로 보고를 행한다는 이례적인 씨나리오에 입각하고 있다함.

9. 상기 8 항에 비추어 북한관계 발언은 의제 4 항 심의시 행하는것을 순리로 보고 일본등 핵심 우방국과 보조를 맞추려하고 있음(AVW-1585 참조)

10. 한편, 안전조치 강화(의제 2 항) 토의의 결과에 관하여 의장이 어떻게 요약(SUMMING-UP)하느냐를 두고 특히 미국등 서방국가들은 상당한 중점을 두고 있으며, 내년 2 월 이사회에서의 심의 결과와 이를 연계 시키고 있음을 첨언함.

별첨:AVW(F)-064 3 매(표지포함). 끝.

예 고:92.6.30 일반.

검 토 필(1991. 12. 31.)
직 권 보 관 승 인 ㊞

PAGE 2

0060

EMBASSY OF THE REPUBLIC OF KOREA

Praterstrasse 31, Vienna
Austria 1020 (FAX : 2163438)

No : AVW(F) - 064	Date : 11204 2200
To : 장 관(국기) (FAX No :)	
Subject : 전 부	

표지포함 3매

Total Number of Page :

3 - 1

0061

GOV/2555/Rev.1
4 December 1991

RESTRICTED Distr.
Original: ENGLISH

International Atomic Energy Agency

BOARD OF GOVERNORS

For official use only

PROVISIONAL AGENDA

For meetings starting at 10.30 a.m.

on Thursday, 5 December 1991

NOTES: A. The revised provisional agenda is composed of the items as set out in document GOV/2555 and the Addendum thereto, with the addition of item 6, "The financial situation of the Agency", which has been included at the request of Mexico.

B. The documents relating to each item are shown after the title.

- Adoption of the agenda (GOV/2555/Rev.1)

1. Report of the Technical Assistance and Co-operation Committee (GOV/2559)
2. Strengthening of Agency safeguards (GOV/2554)
3. Reactor project (GOV/2552, GOV/2556 and Mod.1)
4. Conclusion of a safeguards agreement with Argentina, Brazil and the Brazilian-Argentine Agency for Accounting and Control of Nuclear Materials (GOV/2557)
5. Iranian loan for the International Centre for Theoretical Physics (GOV/2558)
6. The financial situation of the Agency (GOV/2560)

4180132
91-05818

0062

3-2

91.12.4 16[40]
from Chile

Mr. Chairman,

I have been asked to make the following statement, in relation to Item ..(2) of the Agenda:

Most of G-77 members feel that:

a. Safeguards and special inspections are an important subject requiring a thorough discussion.

b. Due to short notice, lack of time and instructions of many Member States , a full and thorough discussion can take place only in February.

c. Therefore, as decided in September, only preliminary discussions, although serious ones, should take place in December.

d. On this important subject, decisions should be made to a possible extent by consensus as is the tradition of this Board.

3-3

0063

EMBASSY OF THE REPUBLIC OF KOREA

Praterstrasse 31, Vienna
Austria 1020 (FAX : 2163438)

No : AVW(F) - 065	Date : 11205 1030
To : 문동석 국제기구국장 (FAX No :)	
Subject : 전 부	

표지포함 2매

장관	차관	1차보	2차보	기획실	외정실	분석관	의전장	미주국	구주국	중아국	국기국	경제국	통상국	문협국	영교국	총무과	감사관	공보관	연수원	외대	의실	안기부	공보처
											O												

Total Number of Page :

0064

V. TC SHOULD AS A PRIORITY BE GRANTED TO COUNTRIES FULFILLING THEIR INTERNATIONAL OBLIGATIONS

TC for the DPRK should be deferred for the time being until conclusion of the safeguards agreement:

AUSTRALIA, BELGIUM, CANADA, FRANCE, GREECE, JAPAN, REP. OF KOREA, THAILAND, USSR, UK, USA, URUGUAY

EGYPT felt that obligations under the NPT had to be taken into consideration, but this should not be used as a pretext by donor-countries.

CUBA, INDIA, PAKISTAN and MALAYSIA and the PHILIPPINES (speaking under Rule 50), on the other hand, re-iterated the view that TC had to be granted on a non-discriminatory basis. They objected to the singling out of countries and to putting pressure on individual States. Discrimination would violate the Agency's Statute.

N.B. MALAYSIA and the PHILIPPINES, two NPT countries, for the first time made strong statements to the effect that obligations of Member States under NPT should not be linked to the responsibility of the Agency to grant technical assistance.

The DPRK, speaking under Rule 50, urged the Agency to adhere to the Statute which did not contain a link between TC and the NPT. Was ready to conclude the safeguards agreement with the Agency provided the USA would withdraw nuclear weapons from South Korea and would make binding security agreements. South Korea should ask the USA to speedily withdraw its nuclear weapons. This was a demand of all the Korean people.

29-11-91, 09.00

0065

공 란

연합 H1-442 S06 외신 (60)

對北 核 기술협력 중단등 촉구 예정
한국 IAEA이사회에서 1단계제재 일환으로

(빈=聯合) 洪成杓특파원= 정부는 北韓이 핵무기개발 의혹에도 불구하고 핵안전협정체결과 국제핵사찰의 수용을 계속 지연, 기피함에 따라 5일 개막되는 국제원자력기구(IAEA) 이사회를 통해 北韓에 대한 핵기술협력 및 지원의 중단 등 IAEA차원의 1단계 경제제재를 촉구키로 했다.

4일 빈 주재 한국대사관에 따르면 IAEA는 92년도 기술협력 사업의 일환으로 北韓에 ▲우라늄 채광 ▲핵계측 ▲사이클로트론(가속기) ▲방사선 및 방사성 동위원소의 산업적이용 ▲해양방사능 감시 등 5개부문에 31만4천달러의 지원을 제공할 예정이나 韓國은 IAEA 이사국으로서 안전협정체결을 회피하는 北韓에 대한 기술원조가 평화적인 핵이용정신에 위배됨을 지적, 이의 중단을 촉구할 방침이다.

대사관 관계자는 韓國의 이같은 입장은 美國.日本.蘇聯.캐나다 등 다수 핵선진국에 의해 적극적인 지지를 받고 있다고 밝혔다.

IAEA는 핵사찰 등에 불성실한 국가에 대해서는 IAEA 및 각 회원국의 기술.원료제공을 중단하거나 이의 반환 또는 회수를 요구할 수 있다는 규정을 마련해 놓고 있다.(끝)

(YONHAP) 911204 1738 KST

4

0067

원 본

암 호 수 신

외 무 부

종 별 : 지 급

번 호 : AVW-1613　　　　일 시 : 91 1205 2345

수 신 : 장 관(국기,구이,과기처)

발 신 : 주 오스트리아 대사

제 목 : IAEA 12월 이사회 경과(의제 및 의사 질행)

연:AVW-1592

1. 금 12.5(목) 오전 표제이사회는 35 개 이사국및 북한등 20 여개 옵서버국 참석리에 개막되었음.

2. 회의는 기술협력문제, 안전조치 강화문제등 6 개항의 연호 잠정의제(GOV/2555/REV.1)를 채택하는 과정에서 큐바등 일부 개도국들로 부터 12 월 이사회가 전통적으로 기술협력문제를 주로 다루어왔음에 비추어 여타의제들이 많이 포함된데 대한 불만 표시가 있었으며 인니등 다수 개도국의 제의로 토의순서의 조정(의제 2 항 안전조치 강화문제를 의제 3 항 원자로 사업토의후에 가짐)이 있었음.

3. 필리핀이 아세아 그룹 의장 자격으로 기술협력문제에 관한 그룹의 입장을 오전회의 벽두 전달하였는데(연호에서는 핵안전 강화문제에 대한 그룹의 입장전달을 봉쇄하였으나 기술협력에 관해서는 아국이 콘센서스에 동참하였음), 카나다는 이사회가 관련의제를 심의하기도전에 지역 그룹의 의장이 발언하는 것을 시비하였고, 특히 업써버인 필리핀이 발언한것에 불만을 표시하면서, 지역그룹의 콘센서스 입장이 있다면 그 그룹 소속 이사국이 입장을 전달하면 될 것이라고말하였음.

4. 상기 3 항에 관련하여, 일본, 호주, 독일등 선진 이사국들은 카나다의 입장을 지지하였으며, 이란, 파키스탄이 필리핀을 옹호하였음.

5. 금차 이사회는 명 12.6(금) 오후에 폐회할 것으로 보임.끝.

예 고:92.6.30 일반.

국기국 장관 차관 1차보 구주국 외정실 분석관 청와대 안기부
과기처

PAGE 1　　　　91.12.06 13:04

외신 2과 통제관 BS

0068

관리번호 91-1177

원 본

외 무 부

종 별 : 지 급

번 호 : AVW-1614 일 시 : 91 1205 2345

수 신 : 장 관(국기,미안,과기처)

발 신 : 주 오스트리아 대사

제 목 : IAEA 12월 이사회 경과(대북한 기술협력 유보)

연: AVW-1613

1. 금 12.5(목) 오전및 오후에 걸쳐 기술협력위원회의 보고서를 심의한 이사회는 북한에 대한 기술협력 문제와 관련 북한이 핵안전협정을 체결할때까지 대북한 기술협력을 연기해야 된다는 유보를 표명한 국가들이 다수 있었으며 반면 기술협력문제는 차별적으로 다루어서는 안된다는 입장표명도 있었다는 것을 의장의 토의 요약(SUMMING-UP)에 포함 시키면서 동 위원회 보고서를 채택하였음.

2. 상기 심의 과정에서 북한에 대한 기술협력사업 유보문제 관련 미국은 별전(FAX-1)과 같이 발언하였으며, 일본, 카나다, 한국, 호주, 독일, 소련, 태국등이 북한을 직접 거명하거나(미국, 일본, 독일, 한국) 또는 핵안전협정을 체결하지 않는 국가에 대해 기술협력을 제한 해야 한다는 취지의 발언을 하였음.

3. 쏘련은 북한에대한 핵물질및 기술의 제공국으로서 상기 2 항의 동조 발언을 하는것이 좋겠다는 본직의 특별 요청에 따라 호응하였음.

4. 본직은 상기 북한문제 발언 순서로 볼때 네번째로 발언하였는데 금일 오후 회의에서 당초 예상에 없던 독일, 호주등이 상기 2 항과 같이 발언하게되었음(본직의 발언문 별전 FAX-2)

5. ~~JEFOSF LUGHVJSWVSLMHFPTUKAE~~ (한편 기술협력과 안전조치와) NPT 의무를 연계 시켜서는 안되고 회원국들을 차별하여서는 안된다는 국가들은 인도, 파키스탄, 브라질, 큐바, 베트남등이었고, 북한은 옵서버로서 다음 요지로 발언하였음.

가.IAEA 헌장상 기술협력과 NPT 핵안전조치 협정체결 문제를 연개시키는 어떠한 규정도 없음.

나. 기술협력은 비차별적으로 시행되어야 하며, 일국에대한 압력수단으로 사용되어서는 않됨.

국기국 장관 차관 1차보 미주국 외정실 분석관 청와대 안기부 과기처

PAGE 1 91.12.06 13:05

외신 2과 통제관 BS

0069

다.　기술협력문제를　압력　수단으로　사용코자　시도한다면　예기치않은 결과를초래하게 될것임.

라. 미국이 남한내 핵무기 철수를 시작하면 북한은 핵안전조치협정을 서명할것임.

마. 미국은 편중되지 않게 이 문제를 해결해야함.

별첨:AVW(F)-066 3 매.. 끝.

예 고:92.6.30 일반.

검 토 필(1991. 12. 31.)
직권보관승인 ㉿

PAGE 2

0070

EMBASSY OF THE REPUBLIC OF KOREA

Praterstrasse 31, Vienna
Austria 1020 (FAX : 2163438)

No : AVW(五)-066	Date : 11205 2310
To : 장관 (국기, 미안, 과기처) (FAX No :)	
Subject : 천부	

표지포함 4매

Total Number of Page :

0071

대북한 기술협력 문제 미국대표 발언

Mr. Chairman, we appreciate the Agency's planning efforts in providing a forecast of training courses. We also appreciate the diversity of courses and note that the Agency plans quite an ambitious agenda. As shown by the Agency prepared material, the United States remains committed to the Agency's training program, both in providing U.S. facilities and in making lecturers available for courses inside and outside the U.S. We are pleased to host six interregional courses in 1992.

a safeguards agreement has been negotiated with North Korea. However,

Mr. Chairman, the Director General has today reported that no progress has been made by North Korea to sign and implement a that safeguards agreement with the Agency pursuant to its obligations under the NPT. Accordingly, my government would like to express a reservation for the record of this meeting as we did in the recent TACC meeting. We believe that Agency assistance and corresponding funding planned for North Korea should be deferred until the Director General is able to report to the Board that progress has been made in implementing North Korea's full-scope safeguards agreement with the Agency. Based on the program for 1992 as shown in GOV/2553/Add.1 this reservation applies to five North Korean projects for a total expenditure of $324,000.

With this reservation, Mr. Chairman, my delegation otherwise supports the recommendations in paragraph 24 of GOV/2559. We accept fully the recommendations of the TAC Committee given in paragraphs 37, 47, and 58 of their report, GOV/2559.

Thank you, Mr. Chairman.

0072

별첨 II

Remarks by Ambassador Chang-Choon Lee
Governor from the Republic of Korea
at the Meeting of the IAEA Board of Governors
on 5 December 1991, Vienna

Mr. Chairman,

I would like to commend the Director General Dr Blix and his colleagues—Dr Noramly in particular—for the efforts they have made at promoting the Agency's technical co-operation activities over the last year.

As one of the major countries utilizing nuclear power, especially electricity, the Republic of Korea is expanding its nuclear co-operation with developing countries in the context of South-South Co-operation. As a forerunner of developing countries, the Republic of Korea is positively going to participate in the IAEA's technical co-operation projects, particularly in the fields of computer-aided safety analysis and provision of equipment and spare parts.

I take this opportunity to reiterate what I said at the meeting of the Technical Assistance Co-operation committee in regard to paragraph 23 of the Committee's report. The Agency's technical co-operation should be extended primarily to those countries which comply with their international obligations, particularly the provisions of NPT and its safeguards agreement, given the Agency's limited resources base. In this regard, special attention is brought to the Agency's projected technical co-operation with the Democratic People's Republic of Korea. The DPRK has yet to sign and ratify its safeguards agreement with the Agency which the Board of Governors approved last September. North Korea continues to delay the fulfilment of its treaty obligations. As long as North Korea avoids observing its international commitments, it does not deserve to enjoy international co-operation, particularly IAEA co-operation at a time when its failure to carry out NPT obligations is seriously questioned.

Mr Chairman,

IAEA should not be a collaborator for a country like North Korea which continues to defy its NPT commitment while developing nuclear weaponization programmes.

Blind legalism on relations between the Agency and NPT has to be abandoned. And literal constitutional arguments may stand in the way of realizing the objectives of the Agency.

Therefore, the Republic of Korea disapproves of the Agency's technical co-operation with the DPRK for the time being until it signs and ratifies its safeguards agreement with the Agency.

I would like the Secretariat to have second thoughts about the provision of IAEA technical co-operation assistance to North Korea.

With this disapproval and request, the Republic of Korea wishes to endorse the Report of the Committee contained in document GOV/2558.

– The end –

2

관리 번호	91-1383

외 무 부

종 별 : 지 급

번 호 : AVW-1615 일 시 : 91 1205 2345

수 신 : 장 관(국기,미안,과기처)

발 신 : 주 오스트리아대사

제 목 : IAEA 12월 이사회 경과(안전조치 강화)

연:AVW-1614, AVW(F)-064

1. 의제 1 항에 대한 심의를 끝낸 금일 이사회는 오후 원자로(30KW) 문제에대한 심의 7 를 끝내고, 안전조치 강화 문서(GOV/2554)에 대한 심의에 착수 하였음.

2. 77 그룹의장 칠레대사는 그룹 입장을 연호와 같이 전달하였는데, 놀웨이(NORDIC COUNTRIES 대표), 일본, 폴투칼(EC 대표), 호주, 소련은 동 문서의 채택(특별사찰에 대해서는 TAKE-NOTE)에 동의하는 발언을 하였으며, 에집트, 중국,태국, 자이르는 안전조치 강화 필요성은 수긍하나, 이를 충분히 검토할 시간이없고 본국의 훈령이 없다ㄴ [5H본격적으로 논의할것을 주장하였음.

3. 명일 오전 회의에서도 안전조치강화문제를 계속 토의할 예정이며, 그후 브라질과 알젠틴의 안전조치 협정안 승인문제 심의 과정에서 북한에 대한 안전조치 조기 체결촉구가 있을 예정임.끝.

예 고: 92.6.30 일반. 예고문에 의거 일반문서로 재분류됨

국기국 장관 차관 1차보 미주국 외정실 분석관 청와대 안기부
과기처

0075

PAGE 1

91.12.06 13:05
외신 2과 통제관 BS

2257

報 告 畢

長官報告事項

1991. 12. 6.
國際機構局
國際機構課 (62)

題 目 : IAEA 특별사찰 권한에 대한 미국 정부의 분석

> 91.12.3. 주한 미대사관측이 당부에 전달해온 전면 안전조치협정(full-scope safeguards agreement)상 IAEA의 기존 특별사찰 실시권한에 대한 미국정부의 분석내용을 아래와 같이 보고드립니다.

1. 미국측 분석 요지

가. 아직까지 특별사찰을 실시한 선례가 없다는 이유로 전면 안전조치협정 (INFCIRC/153)상 특별사찰 권한에 의문이 제기될 수 없으며, IAEA 특별사찰 실시 권한은 더욱 강화되어야 함

나. 협정상 특별사찰 관련 규정 해석

o 제2조 : 평화적 핵 활동을 위한 모든 핵물질에 대해 안전조치 적용 권리와 의무 가 있음

o 제73조(b) : 당사국이 제공한 정보(일반사찰 결과 획득한 정보포함)가 협정상 책임이행에 적절치 못하다고 판단될 경우 특별사찰 실시 가능

o 제77조(b) : 특별사찰 실시를 위해 당사국과 합의에 따라 추가정보와 장소에 접근할 수 있으며 , 합의가 되지 못할 경우 분쟁조정 절차(제21, 22조)에 따라 해결하되 긴급한 경우 이사회는 당사국에 필요한 조치를 취하도록 요구 (제18조)할 수 있음

- 특별사찰 실시를 위한 IAEA의 핵시설 접근 권한은 실질적으로 무한정

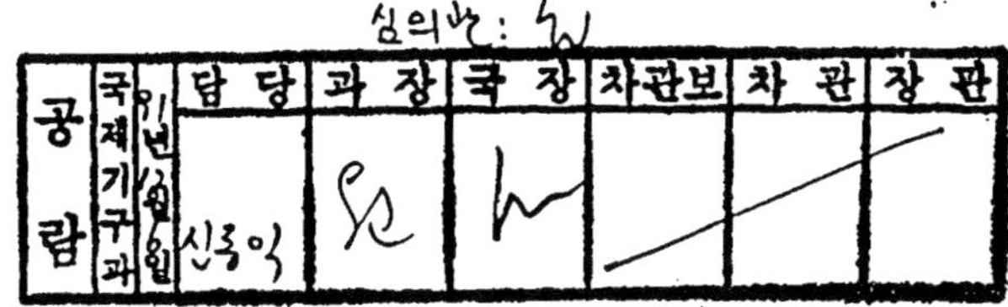

0076

★ IAEA 헌장 12조 A.6. : IAEA는 사찰관을 당사국의 모든 시설 장소에 언제라도 파견할 수 있는 권한 보유

o 제19조 : 이사회는 당사국의 핵물질 전용 사실 검증이 불가능하다고 판단 할 경우, IAEA 헌장 12조(C)에 따라 협정의무 불이행을 회원국, 유엔 안보리 및 총회에 보고 , 일정기한내 당사국이 시정조치를 취하지 않을 경우 협력사업 지원중단, 핵물질 및 장비 반환요구 를 할 수 있음

- 헌장 19조에 의해 회원국의 특권과 회원자격을 중지시킬 수도 있음

2. 미국측 분석 내용에 대한 평가 및 향후 이사회 채택 전망

o 상기 미국측 분석은 안전조치협정 당사국이 신고한 핵시설 및 물질에 대해서만 사찰을 실시한다는 통상적 해석에서 벗어나 IAEA가 이미 미신고 핵시설, 물질 및 장소에 대해 특별사찰을 실시할 수 있는 권한을 갖고 있다는 적극적 해석 에 기초함

- 이러한 분석은 이미 1984년에 이루어진 것으로 IAEA 법률자문 및 사무국장이 동의하고 있다함

o 미국측의 이러한 주장은 91.11.12. IAEA 사무국에 의해 배포된 문서(GOV/2554)에 대부분 반영되어 있으며, 이와함께 IAEA의 정보수집 능력 강화및 설계 정보의 조기제출이 실현되면, 이라크와 같은 미신고 핵개발 위험국가의 출현을 방지하는데 크게 기여 할 것이라는 점에서 우리는 이를 적극 지지 하는 입장임

o 우리나라를 포함한 미국, 일본, 호주등은 안전조치제도 강화 방안에 대해서 금번 12월 이사회부터 이사국들간 예비적 토의를 갖고 92.2월 이사회시 채택을 목표로 하고 있으나 , 인도, 파키스탄, 이라크, 필리핀등 NPT 미가입국 및 비동맹 국가들이 동 문서의 채택을 지연 시키려하고 있어 이사회의 최종 채택시까지는 다소 시간이 걸릴것 으로 전망.

3. 언론대책 : 안전조치강화 방안에 대한 IAEA 사무국 문서내용을 요약, 외무부 출입기자들에게 배포. 끝.

0077

12/7 신

원 본

암호수신

외 무 부

종 별 : 긴 급

번 호 : AVW-1621 일 시 : 91 1206 2230

수 신 : 장 관(국기,미안,과기처)

발 신 : 주 오스트리아 대사

제 목 : IAEA 12월 이사회 (북한의 핵안전 협정 문제)

1. 표제이사회는 ~~12.5(목)~~ 12.6(금) 오후 의제 4 항 IAEA 와 알젠틴, 브라질과의 핵안전 협정 체결 승인문제 토의 과정에서 미국, 일본, 호주, 카나다, 독일, 오스트리아, 소련, 에쿠아돌, 영국, EC(폴투갈이 대변)등이 북한을 거명하여 지체없이 핵안전협정을 체결 할것을 촉구하였음.(미국, 일본 발언문 별전 FAX 참조)

2. 특히 미국, 일본, 호주 3 개국은 내년 2 월까지 북한이 협정을 체결치 않을 경우엔 이사회가 모종의 조치를 취해야 한다는 취지로 말하였음.

3. 한편, 본직은 상기 1 항 국가들의 발언이 있은후 오후 회의 종반에 지난 9 월 이사회가 북한과의 핵안전협정 초안을 승인한지가 이미 85 일이나 경과하였다는 점, NPT 당사국으로서 북한의 핵안전 협정체결문제는 여타 협정 미체결 NPT 당사국의 경우와는 다르다는 점등을 지적하면서 북한이 지난 9 월 이사회시의 대북한 결의를 즉각 이행하여 협정을 체결해야 한다는 점을 강조하였음.

(본직의 발언도중에 큐바의 의사진행 발언으로 본직의 발언이 중단되어 의사진행에 관한 논란이 있었는데 별전을 참조바람)

별첨:상기 미국, 일본 발언문 별전 AVW(F)-068 3 매.끝.

국기국	장관	차관	1차보	미주국	외정실	분석관	청와대	안기부
과기처								

PAGE 1

91.12.07 07:06

외신 2과 통제관 BS

0078

EMBASSY OF THE REPUBLIC OF KOREA

Praterstrasse 31, Vienna
Austria 1020 (FAX : 2163438)

No : AVW(F) - 068	Date : 1206 2230
To : 장관(국기. 미안. 과기처) (FAX No :)	
Subject : 전부	

표지포함 4매

Total Number of Page :

0079

DECEMBER 1991 BOARD OF GOVERNORS MEETING

AGENDA ITEM 4

STATEMENT

(북한관계 미국 발언)

NORTH KOREAN SAFEGUARDS AGREEMENT

The United States is very concerned by the Director General's report that no progress has been made by the DPRK on signing, bringing into force and fully implementing the Safeguards agreement between the IAEA and the Democratic Peoples' Republic of Korea which was approved by the Board last September.

~~As Secretary Baker said during his recent Far East trip,~~ The United States considers the DPRK unsafeguarded nuclear program to be the greatest threat to stability in the Far East. Our concern stems not only from North Korea's reluctance to fulfill its NPT safeguards obligations, but from the nature and pace of its nuclear program. As the United States has mentioned in the Board, North Korea has operated an unsafeguarded 10/30 megawatt reactor of a type suitable for producing plutonium. Available information also indicates it is constructing another, larger reactor and a probable reprocessing plant. The latter may be nearing operational status. Yet, it has not acknowledged that any of these facilities exist.

0080

The DPRK's obligations under the NPT are unconditional. The world community has always rejected Pyongyang's attempts to tie its fulfillment of its IAEA safeguards obligations to the alleged presence of U.S. nuclear weapons in the ROK. In any case, ~~our implementation of~~ President Bush's September 27 initiative has rendered this point moot. ROK President Roh's November 8 declaration forswearing ROK development or acquisition of nuclear weapons and possession of reprocessing and enrichment facilities removes the last scrap of a security pretext for Pyongyang's refusal to fulfill its NPT obligations.

It is critical that the DPRK sign, bring into force, and fully implement its NPT safeguards agreement. We think it is important that this issue be resolved by the time of the February Board meeting.

~~In closing~~, my government ~~would like to express our reservation concerning~~ Agency assistance and cooperation with North Korea. ~~We firmly believe that all such assistance and cooperation should be deferred~~ so long as North Korea has not fully implemented its safeguards agreement. We understand that the Director General will report to the Board in February on ~~North Korea's~~ progress, at ~~which~~ time the Board might consider ~~this matter further~~.

(북한관계 일본 발언)

(2nd draft)

The Conclusion of Safeguards Agreement - DPRK

Thank you, Mr. Chairman. on the implementation of Safeguards Agreement by the DPRK.

~~First of all, our delegation wishes to express its appreciation in receiving the Director General's progress report on the implementation of Safeguards Agreement by the Democratic People's Republic of Korea.~~ However, having learned from ~~this~~ the report that there has been no progress at all towards the implementation of the Safeguards Agreement, our delegation must express its profound regret towards the DPRK for not taking actions to implement the agreement regardless of the various requests made by other Board members, and its continuous violation of the NPT.

We are of the view that the DPRK should implement the agreement as soon as possible in order to make its position clear amid the various suspicions towards its nuclear weapon development plan, including the construction of a reprocessing plant. In this connection, our delegation highly appreciates the recent declaration of a non-nuclear policy made by the Republic of Korea. We sincerely hope that the DPRK will respond positively to this declaration, including such a policy on ~~its~~ reprocessing ~~plant~~.

As we have stated at previous Board meetings, and must ~~once~~ do so once again, our delegation strongly urges the DPRK, according to the resolution which was adopted by an overwhelming majority at the past September Board meeting, to take prompt action to put into effect the agreement, namely, to sign, ratify, and implement the agreement without any pre-conditions and without further delay. In this connection, our delegation expects very much to see that the DPRK will take urgent action to this effect, at the latest, by next year's February Board meeting. Therefore, our delegation remains hopeful that the DPRK will play an important role in the existing non-proliferation regime by sincerely responding to this request. Otherwise, further action might become necessary as stated by Australia.

0082

Thank you, Mr. Chairman.

12/7 신

원 본

외 무 부

종 별 : 긴 급

번 호 : AVW-1624 일 시 : 91 1206 2330

수 신 : 장 관(국기)

발 신 : 주 오스트리아 대사

제 목 : IAEA 12월 회의 경과(의사진행 절차)

연:AVW-1621

1. 알젠틴, 브라질, IAEA 간의 안전조치 협정 체결 승인을 심의하는 과정에서 본직은, 연호에 언급한 나라들의 대북한 촉구 발언이 있은후 마지막에, 발언을 신청하여 상기 안전조치 협정에 대한 승인을 표시하고 북한 문제를 거론하였는데, 발언도중 큐바의 의사진행 발언으로 본직의 발언이 중단되었음.

2. 큐바는, 본직의 북한관계 발언이 의제 밖의 문제이므로 중단되어야 한다고 말하였음.

3. 본직은 이에 다른 이사국들도 북한문제를 거론하였는데 본직의 발언만을중단 시키는 것은 불공평하고 부당하다고 말하였음.

4. 이에 미국과 일본이 가세하여 의장의 사회가 불공평하다고 지적하였음.

5. 이를 위요하고 절차규칙을 위요한 설전이 있었는데, 금일 회의 마감시간(오후 6 시)이 넘게 되어(특히 통역의 결여) 명일 의제 4 항을 다시 거론하기로하였으며, 의장은 본직에게 명일 기타문제 토의시 발언권을 주기로한다는 양해하에 금일 회의를 종료 시켰음(오후 6 시 15 분경).

6. 금차 12 월 이사회는 다른 이사회와 달리 '핵안전 협정의 체결'이라는 별도의 항목이 없으므로(의제 4 항은 브라질, 알제친의 안전조치 협정 체결임) 엄격히 말하면 북한문제로 발언할 경우에 시비의 대상이 될수 있게 되어있음.

7. 본직이 회의 종료후 SANMUGANATHAN 사무총장 보좌관과 접촉한바에 의하면, 상기 문제가 제기된 배경으로서는 본직의 안전조치 문제에 관한 발언 내용이인도등 NPT 비당사국의 반발을 샀고, 북한문제에 대한 9 월 이사회의 결의 채택시 반대표를 던진 큐바가 배후에서 북한과 음모하였을 가능성도 없지 않을것이라는 것임.

8. 상기와 같은 절차문제에 충분히 대비하지 못한 것은 본직의 불찰에

국기국 장관 차관 1차보 구주국 외정실 분석관 청와대 안기부

PAGE 1 91.12.07 08:20

외신 2과 통제관 CA

0083

기인하였다고 할수 있음. 끝.

PAGE 2

0084

全仁燦 빈대사 "美와 쌍무회담"

駐韓핵 철수 公表땐 北韓,안전협정 서명

【빈=高承徹특파원】 북한은 미국이 駐韓핵무기의 철수개시 사실을 공식발표할경우 핵안전협정에 즉각 서명할것이며 그후 미국과의 쌍무회담을통해 핵사찰 실천방안을 논의할 것이라고 全仁燦빈주재국제기구대표부대사가 6일밝혔다.

全대사는 이날 한국기자들과 만나 이같이 말하고 『미국이 핵무기철수 시작을 발표하고 이를 우리에게 공식통보하면 우리는 핵안전협정 서명을 거부할 이유가 없다』고 강조했다.

그는 기자들의『서방측이 의심하는 모든 장소에대한 사찰에 응할것인가』라는질문에 대해『우리가 가진 평화목적용 원자력설비를 공개할것』이라고 답변했으나 핵무기및 설비등의 존재여부에 대해서는 언급을 회피했다.

그는 또 미국과의 협상문제와관련,『미국이 위성촬영사진을 근거로 우리를 의심하고 우리도 駐韓미군 보유의 핵무기를 의심하고 있으니 양자끼리의 朝·美회담이 필요하다』면서『이 회담을통해 사찰의 대상·시기·방법등을 결정해야할 것』이라고 역설했다.

91. 12. 7

경향신문

0085

12월 IAEA 이사회 경과

91.12.7
국제기구과

1. 12.5-6. 비엔나 개최후 12.7(토) 오전 속개 예정

2. 토의 주요 내용

가. 북한의 협정체결 촉구

o 미국, 일본, 호주, 카나다, 독일, 오스트리아, 소련, 에쿠아돌, 영국, EC(폴투갈이 대변)등이 북한을 거명하여 지체없이 핵 안전협정을 체결할것을 촉구 (IAEA와 알젠틴, 브라질과의 핵 안전협정체결 승인 문제 토의시 발언)

o 아국대표는 NPT 당사국으로서 북한의 핵 안전협정체결 문제는 협정 미체결 NPT 당사국의 경우와는 다르다는 점을 지적하면서 북한이 지난 9월 이사회시의 대북한 결의를 즉각 이행하여 협정을 체결해야 한다는 점을 강조하는 발언을 행함

나. 북한에 대한 IAEA의 기술협력지원사업논의

o 5개 사업에 대한 314,000불 규모의 지원사업 승인

o 한국, 미국, 일본, 카나다, 호주, 독일, 소련, 태국등은 핵 안전협정 미체결국에 대한 기술협력은 유보되어야 한다고 발언

다. 핵 안전조치제도 강화방안 논의

o Hans Blix 사무총장의 하기보고 청취

- 현 핵안전조치협정을 적극 해석하여 미신고 핵물질과 시설에 대하여도 특별사찰 가능

- 핵시설의 설계, 개조, 건설등 각 단계에서의 설계정보(disign information)를 조기 제출하는 제안

0086

o 상기 보고에 대하여 아국, 서방(미, 일, 카나다, 호주, 독, 영, 불, 이, 그리스, 폴투갈)과 헝가리등 동구제국은 지지하는 발언 하면서 특별사찰(Special inspection)에 관한 해석을 인정(take note) 하자는 입장 피력

o 반면 제3세계국가(멕시코, 알제리아, 알젠틴, 인도, 큐바, 베트남, 인니, 파키스탄, 이란, 모로코)는 성급한 결론을 내리는데 반대

라. 상기 토의결과 이사회 의장, 토의결과를 하기와 같이 요약

o 특별사찰 관련 IAEA가 기존 권한을 가지고 있다는 기본적인 지지(basic support)가 있었는 바, 내년 2월 이사회에서 긍정적인 결론을 내릴 수 있는 기초가 됨

o 설계정보 제공에 관한 결정은 내년 2월 이사회에서 처리

3. 평가. 관찰

o 금번 12월 이사회에서는 NPT 비당사국인 이사국과 북한동조 제3세계 이사국의 비협조와 반대로 핵안전조치제도 강화 방안중 특별사찰에 관한 사무총장의 적극적인 해석(미신고 핵물질 및 시설 사찰가능)을 수용하지 못함

o 이사회가 상기 이사국 및 서방이사국의 대결 국면을 보임

o 아국 대표의 활발하고 적극적인 발언이 주목되나 어떠한 형태의 효과를 가져올지 불투명

4. 참 고

o 회의 일정을 연장하여 12.7(토) 오전회의 개최

o IAEA의 91년 총회와 91.9.23자 이사회 결정에 따라 IAEA 이사회는 안전조치 강화 방안에 관하여 늦어도 92.2월 이사회까지 심의하도록 되어 있음

o 91.9월 이사회 채택 결의에 따라 북한의 협정 체결 문제도 92.2월 이사회시 사무총장이 보고할 예정. 끝.

0087

	분류번호	보존기간

발 신 전 보

번 호 : WAV-1415 911207 1302 DW 종별 : 암호송신

수 신 : 주 오스트리아 대사. 총영사

발 신 : 장 관 (국기)

제 목 : IAEA 12월 이사회

대 : AVW-1621

대호 3항 [illegible] 발언내용 text를 지급 fax 송부바람. 끝.

~~(장 관)~~
(국제기구국장)

보안통제	

앙고재	91년 12월 7일	국제기구 과	기안자 성명		과 장	심의관	국 장		차 관	장 관
			신중익							

외신과통제

0088

발 신 전 보

	분류번호	보존기간

번 호 :　　　　　　　　　　　　　　　　종별 : 암호송신

수 신 : 주 수신처참조　　　　대사. 총영사

발 신 : 장 관 (국기)

제 목 : 12월 IAEA 이사회

91.12.5-6간 개최된 표제회의 토의 경과를 아래 통보하니 귀관 업무에 참고 바람. (기타 문제 토의를 위해 12.7. 오전까지 회의가 연장됨)

1. 금번 회의 의제는 기술협력 및 지원문제, 안전조치제도 강화 방안, 원자로 계획승인 및 알젠틴, 브라질의 안전조치협정체결등이었음

2. 기술협력 관련 의제토의시 한국, 미국, 일본, 카나다, 호주, 독일, 소련, 태국등은 핵 안전협정 미체결국(북한을 지칭)에 대한 기술협력의 유보를 주장하였고, 북한, 인도, 파키스탄, 브라질, 큐바, 베트남등은 IAEA 기술 협력과 NPT 핵 안전협정 체결 문제를 연계 시켜서는 안된다고 발언함
   - 의장은 상기 유보내용을 토의 요약(summing-up)에 포함시키면서 북한에 대한 기술협력사업($314,000)을 승인

3. 안전조치제도 강화 방안 의제 토의시 하기 사무총장 보고 내용에 대하여 한국, 일본 및 서방제국(미국, 카나다, 호주, 독일, 영국, 불란서, 이태리, 그리스, 폴투갈등)과 헝가리 대표는 지지한 반면, NPT 비당사국 또는 비동맹국가(멕시코, 알제리, 알젠틴, 인도, 큐바, 베트남, 인니, 파키스탄, 이란, 모로코등)들은 성급한 결론을 내리는데 반대 입장을 표명함

보안 통제	(서명)

/계속...

앙 고 재	91년 12월 7일	국제기구과	기안자 성명		과 장	심의관	국 장		차 관	장 관
			신동익		(서명)	(서명)	전결 (서명)			(서명)

외신과통제

0089

~~(H. Blix 사무총장 보고내용)~~

o 현 핵안전조치협정을 적극 해석하여 미신고 핵물질과 시설에 대해서도 특별사찰 가능

o 특별사찰은 일반사찰 결과 및 외부(언론 및 여타 회원국)로 부터 제공받는 모든 가능한 정보에 기초하여 실시 가능

o 핵시설의 설계, 건설, 가동등 각 단계별로 설계정보(disign information)의 조기 제출방안 제안

4. 한편 IAEA~~의~~ 알젠틴, 브라질과~~의~~ 핵 안전협정~~체결 승인 문제 토의~~ 과정에서 미국, 일본, 호주, 카나다, 독일, 오스트리아, 소련, 에쿠아돌, 영국, EC(폴투갈이 대변), 한국등이 북한을 지명하여 지체없이 핵 안전협정체결할 것을 촉구함

- 특히 미국, 일본, 호주 3개국은 내년 2월까지 북한이 협정을 체결하지 않을 경우 이사회가 모종의 조치를 취해야 한다고 언급. 끝.

(국제기구국장 문 동 석)

수신처 : 주알제리, 불가리아, 에쿠아돌, 그리스, 멕시코, 노르웨이, 파키스탄, 루마니아, 자이레, 알젠틴, 호주, 오스트리아, 벨기에, 브라질, 카메룬, 카나다, 프랑스, 독일, 인도, 인니, 이란, 일본, 모로코, 폴투갈, 태국, 소련, 영국, 미국, 우루과이, 유엔, 제네바 대사

주북경 대표, 주이집트 총영사

0090

WAG-0376 외 별지참조

WAG-0376 911207 1415 ED

WBL -0583	WEQ -0241	WGR -0388	WMX -1201	WNR -0378
WPA -0738	WRM -0642	WZR -0500	WAR -0679	WAU -0937
WAV -1416	WBB -0618	WBR -0587	WCM -0331	WCN -1437
WFR -2578	WGE -1924	WND -1056	WDJ -1324	WIR -0777
WJA -5538	WMO -0403	WPO -0419	WTH -1851	WSV -3909
WUK -2224	WUS -5598	WUR -0197	WUN -4205	WGV -1788
WCP -2230	WCA -0770			

0091

외 무 부

종 별 : 긴 급

번 호 : AVW-1626 일 시 : 91 1207 1840

수 신 : 장 관(국기,미안,과기처)

발 신 : 주 오스트리아 대사

제 목 : IAEA 12월 이사회(본직의 의사진행및 북한문제에 관한 발언)

연:AVW-1624(의사진행 절차)

1. 본직과 MANUEL MONDINO(알젠친 원자력위원장) 이사회 의장이 금 12.7(토) 오전 9 시 의장실에서 작일의 의사진행상의 소란을 타결함에 따라 속개된 금일 오전의 이사회는 본직의 별전(FAX) 의사진행 발언에 이어 의제 4 항에 대한 심의를 종결하였으며(의장의 요약 별전 참조), 의제 5 항및 6 항에 대한 토의도 12 시 10 분경 완료하였음.

2. 이리하여 금일회의는 의제에는 없으나 관례대로 사무총장의 보고에 관련된 토의를 진행하는 과정에서 본직에게 발언의 기회를 의장이 주기로 약속한 바에 따라, 본직은 12 시 10 분경 첫 발언자로서 별전(FAX)와 같이 북한문제에 대한 본직 연설문의 핵심 요지와 절차상의 해명을 담은 발언을 행하였음.

3. 그런데 상기 본직의 발언은 금차 이사회가 금일 오전회의를 마지막으로 종료함에 따른 시간적 제약과 작일 절차문제를 위요한 소란의 여파가 금일회의에미칠수 있는 것을 감안하여 요지형태로 행하되, 별전(FAX) 전문(FULL TEXT)을 자세히(IN EXTENSO) 의사록에 실어 달라는 본직의 발언 벽두 요청을 의장이 수락함에 따라 두가지 형태를 취하게 되었음.

별첨:AVW(F)-070 10 매.끝.

국기국	장관	차관	1차보	미주국	외정실	분석관	청와대	안기부
과기처								

PAGE 1

91.12.08 07:43

외신 2과 통제관 FI

0092

EMBASSY OF THE REPUBLIC OF KOREA

Praterstrasse 31, Vienna
Austria 1020 (FAX : 2163438)

No : AVW(F)-070	Date : 11207 1840
To : 장 관(국기, 미안, 과기처) (FAX No :)	
Subject : 첨 부	

표지포함 10 매

Total Number of Page :

10-1

0093

별전 1

Remarks made by
HE Ambassador Chang-Choon Lee
on the Right of Intervention
at the Meeting of IAEA Board of Governors
on 7 December 1991, Vienna

Mr Chairman,

This important meeting today has imposed me to cancel my earlier engagement and convey to the Board a serious message from the Government of the Republic of Korea with regard to the Director General's report on North Korea which was presented to the Board the day before yesterday.

In compliance with your ruling yesterday and your advice this morning, I wish to continue my interrupted intervention of yesterday after the Board has completed its deliberation of the agenda item 6.

10-2

0094

별전 2

Statement by HE Ambassador Chang-Choon Lee
Governor from the Republic of Korea
on North Korea's Nuclear Safeguards Agreement
and a Procedural Clarification
at the IAEA December Board Meeting
on 7 December 1991 in Vienna

Mr Chairman,

Regarding the report by the Director General which was made the day before yesterday with respect to North Korea's failure to comply with the resolution the Board adopted on 12 September as contained in document GOV/2543, the Republic of Korea would like to make a statement. Under the time constraint, I wish to only underline the main points of my statement very briefly and limit my self to a short procedural clarification if you could agree to my suggestion that the text of the statement to be submitted to the Secretariat can appear in extenso on the Official Records of the Board meetings.

Thank you for your agreement.

The main points of the statement are as follows :

Regarding the report by the Director General which I mentioned, the Republic of Korea wishes to request the Director General to review the advisability of reporting to the Security Council of the United Nations, under the relevant provisions of the Statute, about the present state of the North Korean case.

This report would be a first important step to be taken in preparing for a series of actions under the United Nations system in case when North Korea's nuclear weaponization is believed to jeopardize the maintenance of international peace and security under the Charter of the United Nations.

Mr Chairman,

Before concluding, I would like to make a procedural clarification in connection with disorder which took place yesterday evening.

As you recall, I was mentioning, in order, the conclusion of a safeguards agreement for Argentina, your country, and Brazil, and a safeguards agreement with South Africa and a safeguards agreement with North Korea as were doing many other Governors.

In fact, these three safeguards agreements must be important components of the Agency's safeguards activities and efforts in recent years, particularly in the case of North Korea. Taking into account that North Korea's delay in the conclusion of its safeguards agreement with the Agency poses potentially a serious problem to the regime of nuclear safeguards in general and to the security of my country in particular, I was going to emphasize the importance of safeguards agreements the Agency concludes and the urgency of its agreement with North Korea.

However, it was very unfortunate that I was treated by the Cuban representative in an unfair and unkind manner at this august body—

the IAEA Board of Governors which is proud of its traditional decency and decorum.

As an Oriental gentlemen and a newcomer in this Board, I wish to express my regret at the trouble caused yesterday against my original, genuine intention. Thank you !

1025

0097

별전 3

Statement by HE Ambassador Chang-Choon Lee
Governor from the Republic of Korea
on North Korea's Nuclear Safeguards Agreement
at the IAEA December Board Meeting
on 7 December 1991 in Vienna

Mr Chairman,

Regarding the report by the Director General which was made the day before yesterday with respect to North Korea's failure to comply with the resolution the Board adopted on 12 September as contained in document GOV/2543, I cannot conceal my strong disappointment and dismay with Pyongyang's unchanging tactics of delay.

Eighty five days since the September Board's approval of North Korea's NPT safeguards agreement with the Agency may appear to be not enough for Pyongyang to take its necessary internal procedures to sign and ratify the agreement. And renewed calls for North Korea to immediately implement the said resolution of the Board may sound superfluous considering the fact that many other NPT countries have not yet signed an NPT safeguards agreement. It took just over two months for South Africa to commit itself to NPT safeguards as soon as it became a party to NPT only last July. In the case of North Korea, it took nearly twenty eight months to finalize the text of its NPT safeguards agreement with the Agency—virtually the same as the IAEA's standardized text. In fact, North Korea should have had the agreement in question entered

- 1 -

0098

10-6

into force almost four and a half years ago.

At this juncture, many members of the Board are suspicious of whether North Korea has ever had the intention to carry out its NPT obligation from the beginning. This suspicion is augmented by North Korea's blatant and erratic conditioning of fulfilment of its legal commitment on preposterous, extraneous matters. Over the last seventeen years, North Korea must have conspired to enjoy both bilateral and multilateral nuclear cooperation under cover of its membership to the Agency and its status as a party to NPT. North Korea's continued denial of IAEA safeguards under NPT must be an indication of existence of its unsafeguarded nuclear facilities and of pursuance of its nuclear weaponization programmes. Otherwise, North Korea would not need to be urgently urged by the whole international community to subject its nuclear material and installations to IAEA inspections. This is why the case of North Korea should be dealt with differently from the other countries which have not yet become a party to an NPT safeguards agreement.

Mr Chairman,

Development of nuclear weapons by North Korea poses a serious threat to peace and security in Northeast Asia. The world's public at large and many governments' leaders are worried that the Korean peninsula might be entangled in an imbroglio which would lead to the most dangerous security crisis since the end of the Korean war in 1953 as North Korea is attempting to manufacture nuclear weapons. The ironical and anachronistic development in Northeast Asia which is created by North Korea's unwarranted nuclear ambitions in a post-cold-war age should be deterred by all means. Unless North Korea is prevented from developing nuclear weapons, peace and security in the entire region of Northeast Asia will be endangered. This is by no means local affairs. This must be one of the gravest security issues of the world.

Being seriously concerned about potential gravity of the situation, President Bush of the United States made an epoch-making statement on nuclear weapons on 27 September with special reference to removal of tactical weapons. And President Roh Tae Woo of the Republic of Korea made a three-point declaration of non-nuclear Korean peninsula peace initiatives on 8 November 1991 as contained in document GOV/INF/638 dated 13 November 1991. The main points of President Roh's declaration are as follows :

1. The Republic of Korea will not manufacture, possess, store, deploy or use nuclear weapons ;
2. The Republic of Korea will continue to subject all its nuclear material and facilities to IAEA inspections and will not possess reprocessing and enrichment facilities ;
3. The Republic of Korea will actively participate in international efforts toward a total elimination of chemical and biological weapons.

10-8

0100

Up until now, North Korea has not positively responded to the historic peace initiative of the President of the Republic of Korea. Responses from Pyongyang so far have not indicated an iota of earnestness. Instead, it continues propaganda ploys by offering a gimmick on the one hand and replacing a set of conditions with another on the other hand. By now, the highest authorities in North Korea should have positively reacted to the moves of the Presidents of the United States and the Republic of Korea if Pyongyang had been serious about the country's NPT obligation and its apparently plausible denuclearization proposal for the Korean peninsula.

Mr Chairman,

The question of North Korea's development of nuclear weapons calls for urgent action on the part of the Agency as time is running out. The attention of the world's public in general is presently focused on how this Board deals with the question of North Korea as they have been appalled to know that the Agency safeguards system was almost helpless in the case of the Iraq's violation of its safeguards agreement. Although the two cases are different in law and fact, they must have detrimental bearings on the confidence in the Agency as far as its primary responsibility as an instrument of nuclear safeguards is concerned. Depending on how the Agency demonstrates its role in the control of fugitives from international nuclear safeguards, it will be able to survive as a viable institution or doomed to endless confidence crisis.

- 4 -

0101

10-9

Having said the above, I would like to request the Director General to review the advisability of reporting to the Security Council of the United Nations, under the relevant provisions of the Statute, about the present state of the North Korean case. This report would be a first important step to be taken in preparing for a series of actions under the United Nations system in case when North Korea's nuclear weaponization is believed to jeopardize the maintenance of international peace and security under the Charter of the United Nations.

Before concluding, I wish to appeal to North Korea to sign and ratify its safeguards agreement with the Agency without further delay. The next Board meeting in February will have to take concrete action on North Korea unless Pyongyang fulfils its treaty obligation by then. North Korea should know that it could not escape from taking all responsibility arising from non-compliance with its legal commitment under NPT and from the pursuit of its reckless nuclear ambitions.

10 - 10

공 란

공 란

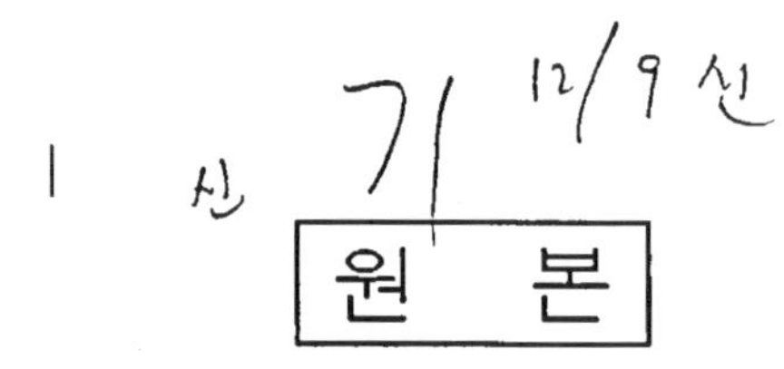

외 무 부

종 별 :

번 호 : AVW-1629 일 시 : 91 1207 2050

수 신 : 장 관(국기,과기처)

발 신 : 주 오스트리아 대사

제 목 : IAEA 12월 이사회경과(국제이론 물리학센터에대한 이란의 차관)

1.표제회의는 금 12.7(토) 10:00에 속개브라질,알젠틴과의 안전조 치 협정 체결에관하여 사무총장으로 하여금 양국과 IAEA 간에합의한 문안대로 체결토록 결정하고,이어 이태리트리에스테 소재 국제이론 물리학 센터에 대한이란의 무이 자 차관 접수여부에 대해 토의를하였는바, 동 센터의 긴급 운영자금으로이란정부가 제안한 무이자 차관 300만불을 이태리정부가 91년도 기여금을 지불하면 상환키로 하고 이를수락하도록 승인하였으며, 사무총장으로 하여금 동센터의 사업계획및 재정 조달 문제등운영전반에 관한 검토 보고를 행정,재정위원회를통해(92.5월 개최 예정) 92.6월 이사회에 보고토록하였음.

2.국제이VEAF 물리학 센터는 IAEA 와 UNESCO 가공동으로 운영하고 있으며, 소재지 국가인 이태리정부가 동 센터 운영자금의 18프로를 부담하고있는바, 이태리 정부가아직까지 91년도 분담금30억 리라(2,439천미불 상당)를 의회 승인 절차가완료되지 않아 지불하지 못하고 있어 심각한재정위기에 봉착하고 있다함을 첨언함.끝.

국기국 과기처

PAGE 1

91.12.08 08:41 FO

외신 1과 통제관

0105

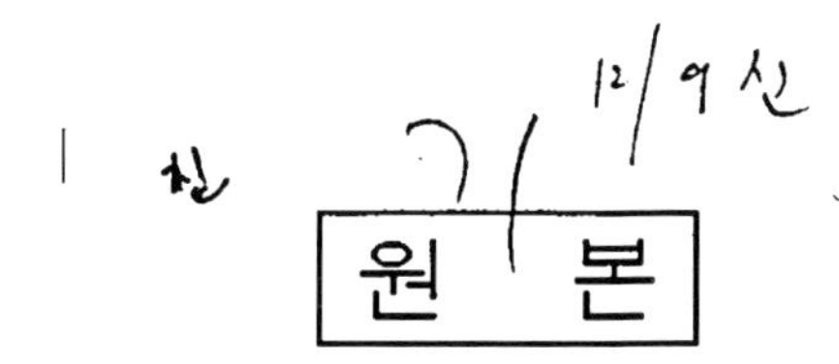

외 무 부

종 별 :

번 호 : AVW-1630 일 시 : 91 1207 2050

수 신 : 장 관(국기,과기처)

발 신 : 주 오스트리아 대사

제 목 : IAEA 12월 이사회 경과(재정문제)

1.표제회의는 12.7(토) 오전 의제 5항에 이어 12.4멕시코 제안으로 새로이 의제에 추가된 의제 6항IAEA 재정문제 토의하였는바, 동 문제를92.2월 이사회 의제 1항으로 다룰 것을 결정하고,사무총장으로 하여금 92.2월 이사회에 사업별 집행운선 순위를 포함한 IAEA 재정운용에 대한보고토록 하였음.

2.IAEA 는 회원국들의 정규예산 분담금및기술원조 협력기금(TACF)에 대한 자발적기여금서약액 미납으로 최근 재정상태가 극히 악화되어92년도 예산을 13프로 감액집행할 예정인바,금번 이사회에서 개도국들은 예산 감축이 기술협력사업에 영향을 미치지 않아야 할것을주장하고, 선진국들도 SAFEGUARDS 등 IAEA 의주요 사업 수행이 예산 감축 운영으로 지장을받아서는 안된다는 입장을 견지함.

3.또한 상기 토의 종료후 의장은 재정및 기술원조WORKING GROUP 의 의장으로 EUGENIO ANGUIANO 당지주재 멕시코대사를 지명하였으며, 이사회는 이를승인하였음.끝.

국기국 과기처

PAGE 1 91.12.08 08:42 FO

외신 1과 통제관

0106

신 21

관리번호	91-1181

원 본

외 무 부

종 별 : 긴 급

번 호 : AVW-1631 일 시 : 91 1207 2130

수 신 : 장 관(국기,미안,과기처)

발 신 : 주 오스트리아 대사

제 목 : IAEA 12월 이사회(북한대사 발언요지)

연:AVW-1627

전인찬 북한대사는 금 12.7(토) 이사회에서 아래요지로 말하였음.

1. 북한문제가 금차회의 의제에 포함되어 있지 않음에도 불구하고 일부 이사국들은 압력을 넣으려고 하고 있으며 이사회를 정치목적에 사용하고 있음.

2. 핵무기 국가가 북한에 대한 핵위협이 되고 있으며 일본은 핵무기를 개발하고 있음.

3. 미국의 핵무기 철수가 개시되면 안전조치 협정에 서명할 것이라고 하면서 북한 외교부의 7.30 자및 11.25 자 성명 내용을 되풀이 하였음.

4. 노대통령의 비핵화선언 비핵정책 발표에 대해 늦은감은 있지만 북한의 비핵지대 제안과 공통점이 있는것은 평가함.

5. 동시사찰을 강조하면서 남북총리 회담에서의 진전을 저해하지 않아야 함.끝.

예 고:92.6.30 일반.

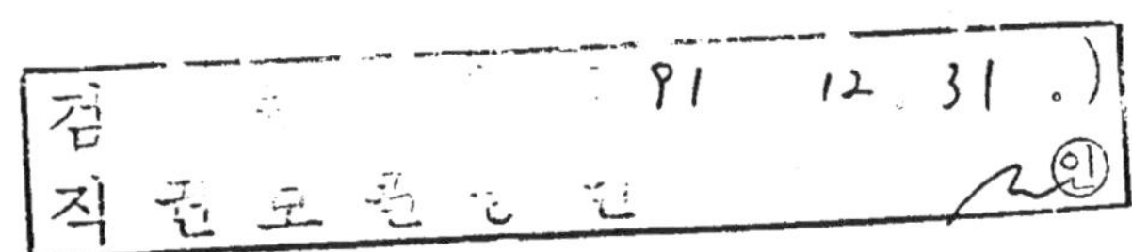

검 91 12. 31.
직

국기국 장관 차관 1차보 미주국 외정실 분석관 청와대 안기부
과기처

PAGE 1

91.12.08 07:48
외신 2과 통제관 FI
0107

공 란

공 란

공　　　란

공　　　　란

공　　란

공 란

WAG-0379 외 별지참조

WAG-0379 911209 1416 FL

WBL -0586	WEQ -0244	WGR -0391	WMX -1204	WNR -0382
WPA -0742	WRM -0644	WZR -0502	WAR -0683	WAU -0942
WAV -1421	WBB -0620	WBR -0588	WCM -0332	WCN -1441
WFR -2586	WGE -1928	WND -1058	WDJ -1325	WIR -0779
WJA -5547	WMO -0404	WPO -0422	WTH -1853	WSV -3921
WUK -2229	WUS -5611	WUR -0198	WUN -4213	WGV -1793
WCP -2231	WCA -0774			

0114

공 란

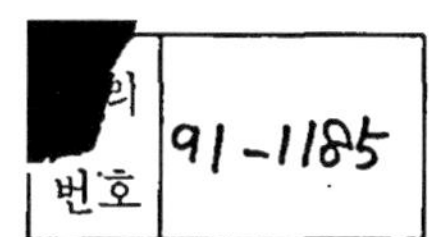

분류번호	보존기간

발 신 전 보

번 호 : WAV-1425 911209 1850 FL 종별 : 지급

수 신 : 주 오스트리아 대사. 총영사

발 신 : 장 관 (국기)

제 목 : 한-알젠틴 외상 회담

M. Ditella 알젠틴 외상이 91.12.11-14간 방한 예정인 바, 알젠틴이 현 IAEA 이사회 의장국인 점을 감안, 표제 회담에서 IAEA 이사회에서의 북한 협정체결 문제 취급 관련 우리가 알젠틴측에 협조를 요청할 사항이 있으면 지급 보고 바람. 끝.

예 고 : 91.12.31 일반

(국제기구국장 문 동 석)

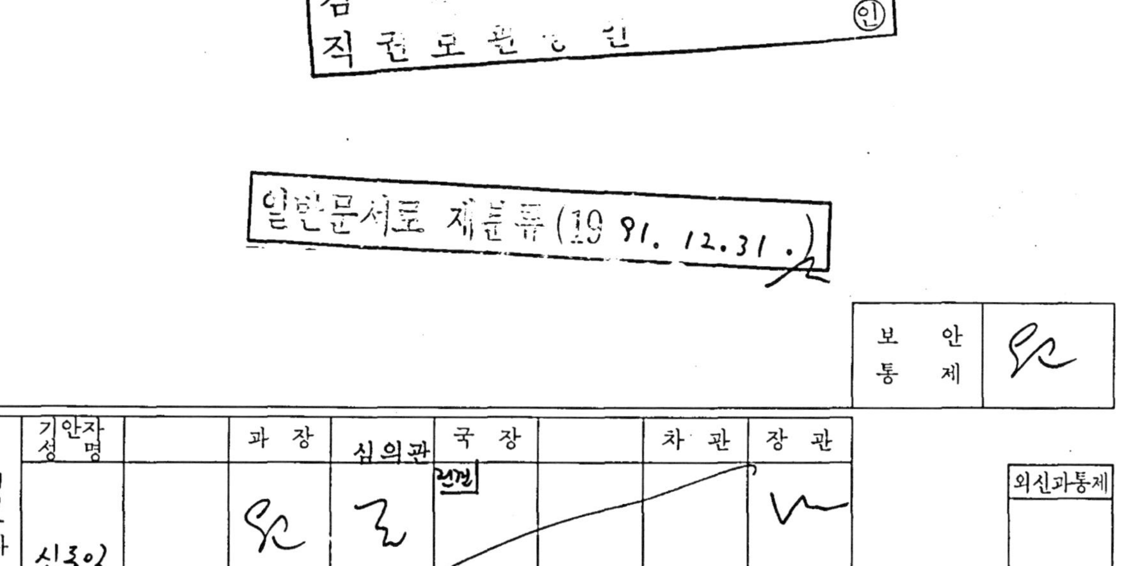

검 토 필 (91 12.31.) ⓔ
직 권 보 관 ⓔ 인

일반문서로 재분류 (1991. 12.31.)

보안 통제	

앙 고 재	91년 12월 9일	국제기구과	기안자 성명		과 장	심의관	국 장		차 관	장 관
			신동익				전결			

외신과통제

0116

관리 번호 91-1188

원 본

외 무 부

종 별 :

번 호 : AVW-1639 일 시 : 91 1209 1930

수 신 : 장 관(국기)

발 신 : 주 오스트리아 대사

제 목 : 한.알젠친 외상 회담

대:WAV-1425

연:AVW-1627

1. 연호 6 항과 같이 알젠친이 12.7(토) 이사회에서 대북한 촉구 발언을 한것은 남미국가로서 브라질, 큐바등과 대조를 이루어 아측에 상당히 도움이 되었던 점을 참고하여, 동국의 외상에게 사의를 표하기 바람.

2. 그리고 내년 2 월 이사회에서도 아측과 긴밀히 협조하여 지원해 줄것을 요청바람.

3. 당지의 TAIANA 대사와도 협조가 잘되고 있는점을 유의하여, 부에노스 아이레스 외무성이 그를 이점에 관해 격려해 주도록 선처 바람. 끝.

예 고:92.6.30 일반.

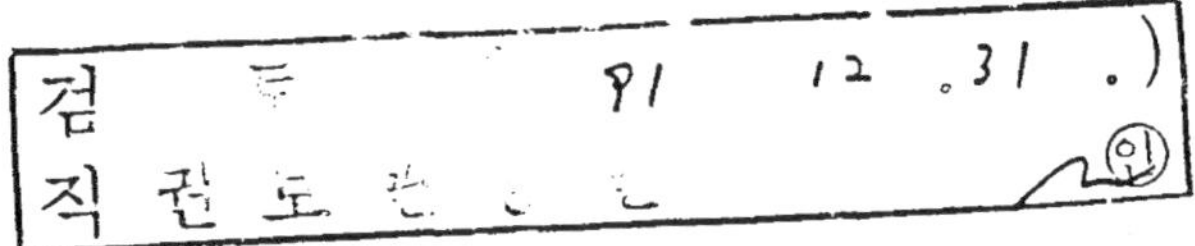

국기국 장관 , 미주국 배부.

PAGE 1

91.12.10 05:55

외신 2과 통제관 FM

0117

공 란

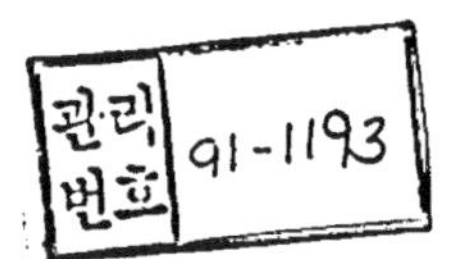

외 무 부

110-760 서울 종로구 세종로 77번지 / (02)720-2336 / (02)720-2686

문서번호 국기 20332- 1317
시행일자 1991.12. 9.( )

취급		장 관
보존		
국 장	전 결	
심의관		
과 장		
기안	신 동 익	협조

수신 수신처참조

참조

제목 북한의 핵 안전협정체결문제 관계 자료

귀주재국이 91.9. IAEA 총회에서 이사국에 새로 선출(임기2년)되었는 바, 92. 2.25-27개최 IAEA 2월 이사회등에서 북한의 핵안전협정체결촉구관련 귀주재국 정부에 대한 외교교섭에 대비하여 관계자료를 별첨 송부하니 이를 숙지하여 업무에 활용하시기 바랍니다.

첨 부 : 상기자료 1부. 끝.

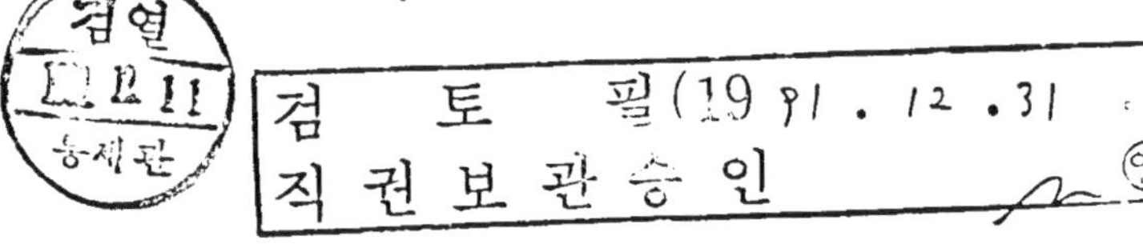

예 고 : 92.12.31 일반

외 무 부 장 관

수신처 : 주알제리아, 불가리아, 에쿠아돌, 그리스, 멕시코, 노르웨이, 파키스탄, 루마니아, 자이레 대사

0119

공 란

공　　　　란

공 란

공 란

공　　　란

공 란

신 71 12/11

관리 번호	91-1194

원 본

외 무 부

종 별 :

번 호 : CNW-1615 일 시 : 91 1210 1400

수 신 : 장 관(국기)

발 신 : 주 캐나다 대사

제 목 : 12 월 IAEA 이사회

대 : WCN-1446

대호 관련 외무부에 확인한바, 주재국에서는 표제회의에 LEE 주 오지리 대사가 수석대표로 참석하였고, 외무부 본부에서는 아무도 참석치 않았다고 함. 표제 회의 분위기등에 대한 주재국 평가등은 파악되는대로 보고 예정임.끝

(대사-국장)

예고문: 92.6.30. 일반

검 토 필(1991 .12 .31 .)
직권보관 ...

일반문서로 재분류(1992. 6.30.)

국기국 차관 미주국

PAGE 1

91.12.11 07:29

외신 2과 통제관 BS

0126

원 본

외 무 부

종 별 : 지 급

번 호 : USW-6098 일 시 : 91 1210 1616

수 신 : 장 관(북미과 홍석규 서기관)

발 신 : 주 미대사(조태열)

제 목 : 업연

대: USW(F)-0880

대호 자료 1페이지 도표중 약자로 표기된 용어(ICR,PIL, MBR 및 PIE) 의 의미및FULL TITLE을 지급 회보바람. 건승 기원.끝.

post-Irradiation Examination

(조사후 시험시설)

Fabrication Fa..

핵연료 가공시설

PIT

[illegible]

미주국

0127

91.12.11 07:30 WH

외신 1과 통제관

외 무 부

번 호: WUSF-0880 911209 1050 DQ 년월일: 시간:

수 신: 주 미 대사(~~총영사~~)

발 신: 외무부장관(미 일)

제 목: 핵사찰 실적

보 안 통 제	기.
외신과 통 제	

총 4 매 (표지포함)

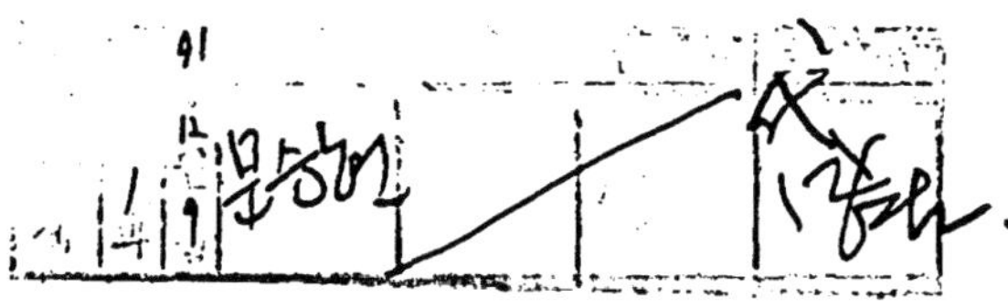

0128

IAEA SAFEGUARDS

- Reports : over 300 ICR, PIL, MBR reports during '88-'91

- Inspection

Facilities	Frequency (man-days)				
	'86	'87	'88	'89	'90
Research Reactors	6	4	6	4	4
Power Reactors	78	94	100	114	153
Fabrication Facilities	6	4	11	35	32
PIE Facility	3	4	10	10	9
Total	93	106	127	163	198

0129

< 참 고 1 >

안전조치 관련 대 IAEA 및 외국 보고사항

보 고 사 항 (Reports)	관련규정 (Related Agreement)	보 고 내 용 (Contents)	보 고 기 한	
			IAEA(외국포함)	과기처
가. IAEA o 설계정보서(DIQ) - Design Information Questionnaire	협정 제42-44조 보조약정 3.1	신규 핵시설에 대한 설계정보	핵물질 최초반입 예정일로 부터 180일전까지	3개월전
o 방사선피폭정보 - Information on Radiological Protection	협정 제44, 88조	아국담당 기구사찰관 방사선 피폭량	년 4회 중대한 방사선 피폭시는 가능한 조속히	-
o 핵물질재고변동 보고서 (ICR) - Inventory Change Report	협정 제63, 65조 보조약정 3.4	핵물질재고변동내용	재고변동발생 월말로부터 30일 이내	15일이내
o 물자재고조사 (PIL) 일정 - Physical Inventory Listing	협정 제46(c)	년 1회 시행 물자재고 조사 일정	물자재고조사시행 예정일로부터 30일이내	40일이내
o 물자재고목록 (PIL) 및 물질 수지보고서(MBR) - Material Balance Report	협정 제68, 97조 보조약정 3.4	물자재고조사 시행 결과 물자재고목록 및 수지현황	물자재고조사 시행후 30일이내	〃
o 특별보고서 - Special Report	협정 제68, 97조 보조약정 3.5	핵물질의 손실이 규정된 한계초과시, 또는 국제운송도중 비정상적인 상황, 기타 특별 사건 발생시 그내용	사전 또는 상황 인지후 즉시 (텔렉스, 전화, 케이블활용필요)	좌동
o 핵물질국제이전에 관한 정보 - Information on international transfers	협정 제92-96조 보조약정 3.6	한국내 또는 밖으로 정량 1EKg이상의 핵물질이 반입 또는 반출시에 그 내용	반입 : 포장해체 1주 전 반출 : 선전완료 2주 전	3주 전 3주 전
나. 핵물질 공급국				
o 한·카 연례 보고서 Annual Report to Canada	한·카 원자력 협정 제 2조 연례보고 제2조	카나다원산 핵물질 및 관련장비의 당해년도 이동현황 및 재고목록	차기년 3개월이내	2개월 이내
o 한·호 연례 보고 Annual Report to Australia	한·호 원자력 협정 제9.3조 행정약정 제 8.4조	호주원산 핵물질의 당해년 이동현황 및 재고목록	o 차기년 1월이내	1월15일까지

0130

참 고 2 >

안전조치 대상시설 및 사찰횟수

단위 : Man-days (횟수/년)

시 설 명	물질 수지 구역	시설부록 발효일자	최 대 사 찰 허용치	실 제 사 찰 횟 수				
				'86	'87	'88	'89	'90
TRIGA Mark II & III	KO-A	76. 2. 12	4	4	2	4	2	3
고리원자력 1호기	KO-C	76. 2. 12	15	8	10	9	12	14
경희대 교육용원자로	KO-D	77. 2. 1	1	2	2	2	2	1
중수용핵연료가공시설	KO-E	82. 9. 22	20	6	4	7	8	12
월성원자력 1호기	KO-F	82. 8. 1	45	32	34	33	26	45
고리원자력 2호기	KO-G	84. 7. 25	15	7	10	10	11	14
고리원자력 3호기	KO-J	84. 7. 25	15	9	11	9	11	13
고리원자력 4호기	KO-K	88. 5. 30	15	10	10	9	11	14
조사후 시험시설	KO-L	88. 22. 9	20	3	4	10	10	12
영광원자력 1호기	KO-M	88. 5. 30	15	7	7	10	10	15
영광원자력 2호기	KO-N	88. 5. 30	15	5	8	8	13	15
울진원자력 1호기	KO-O	88. 11. 9	15	-	4	10	11	11
울진원자력 2호기	KO-P	88. 11. 9	15	-	-	2	11	12
경수용핵연료가공시설	KO-R	88. 11. 9	70	-	-	4	27	12
계	14 시설		280	93	106	127	163	203

0131

	분류번호	보존기간

발 신 전 보

번 호 : WUS-5653 911211 1709 DW 종별 :

수 신 : 주 미 대사. 총영사 (조태열 서기관)

발 신 : 장 관 (미일 홍석규)

제 목 : 업 연

대 : USW - 6098

연 : USW(F) - 0880

대호 용어 의미 및 Full Title은 아래이며 계속 건승 기원함.

ICR(Inventory Change Report) : 핵물질 재고 변동보고서

PIL(Physical Inventory Listing) : 물자재고 조사일정

MBR(Material Balance Report) : 물질수지 보고서

PIE(Post Irradiation Examination) : 조사후 시험. 끝.

보 안 통 제	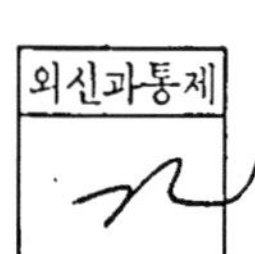

앙 고 재	91년 12월 11일	북미 1과	기안자 성 명	과 장		국 장		차 관	장 관

외신과통제

0132

신 기 12/11

외 무 부

암호수신

종 별 :

번 호 : ARW-1048 일 시 : 91 1210 1600

수 신 : 장 관(미남,국기)

발 신 : 주 아르헨티나 대사

제 목 : IAEA-아르헨티나.브라질간 핵안전협정체결

대:WAR-679

1. 아르헨티나와 브라질 정부는 공동으로 IAEA 와 핵안전협정을 서명할 예정임.

2. 동 협정 서명을위해 메넴 대통령은 12.12. 비엔나향발 예정임.

(대사 김해선-국장).

미주국 국기국

PAGE 1

91.12.11 04:13
외신 2과 통제관 FI
0133

원 본

외 무 부

암 호 수 신

종 별 :

번 호 : AVW-1652 일 시 : 91 1211 1930

수 신 : 장 관(국기)

발 신 : 주 오스트리아 대사

제 목 : 알젠친,브라질을 위한 4자간 핵안전조치 협정 서명

연:AVW-1589

금일(12.11) 오후 회람된 별전(FAX) 통첩에 의하면 지난주 이사회에서 승인된 표제 협정의 서명에 즈음하여 브라질과 알젠친 대통령은 12.13 IAEA 를 방문하여 IAEA 특별 이사회(12.13 11:30)에서 연설을 행할 예정임.

첨부:AVW(F)-072 1 매.끝.

(Argentine 대통령
Brazil 대통령)

국기국 장관 차관 1차보 미주국 분석관 청와대 안기부

PAGE 1

91.12.12 08:11

외신 2과 통제관 BS

0134

EMBASSY OF THE REPUBLIC OF KOREA

Praterstrasse 31, Vienna
Austria 1020 (FAX : 2163438)

No : AVW(万)-0 8 2	Date : 11 2 11 1 9 3 0
To : 장 관 (국기) (FAX No :)	
Subject : 첨 부	

표지포함 2매

Total Number of Page :

2 - 1

0135

GOV/2562
11 December 1991

International Atomic Energy Agency

BOARD OF GOVERNORS

RESTRICTED Distr.
Original: ENGLISH

For official use only

NOTICE OF A MEETING OF THE BOARD OF GOVERNORS

1. A meeting of the Board of Governors is herewith convened by the Director General pursuant to Rule 11(b) of the Board's Provisional Rules of Procedure for 11.30 a.m. on Friday, 13 December 1991.

2. The meeting will take place in the UNIDO Boardroom on the fourth floor of Building C at the Vienna International Centre (VIC).

3. The subject of the meeting will be:

Addresses by the Presidents of Argentina and Brazil

The President of the Republic of Argentina, His Excellency Dr. Carlos Saúl Menem, and the President of the Federative Republic of Brazil, His Excellency Dr. Fernando Collor, will address the Board on the occasion of the signing of the Agreement between the Republic of Argentina, the Federative Republic of Brazil, the Brazilian-Argentine Agency for Accounting and Control of Nuclear Materials and the International Atomic Energy Agency for the Application of Safeguards, the conclusion of which the Board approved on 7 December 1991. The Agreement will be signed immediately before the Board meeting.

The Presidents' addresses will be followed by statements by the Chairman of the Board, Dr. Manuel Mondino, and the Director General, Dr. Hans Blix.

4. Pursuant to Rule 21 of the Board's Provisional Rules of Procedure, the Board may wish to hold this meeting in public so as to allow representatives of the news media to be present.

5. It is requested that Governors and Resident Representatives be seated by 11.15 a.m.

6. All Governors and Resident Representatives attending the Board meeting are invited to a reception after the conclusion of the meeting. The reception will be held in the lounge on the fourth floor of Building C.

4271296

91-05919

0136

2-2

공 란

공　　　란

공 란

공 

공 란

공 란

공 란

공 

12/14 신

기

원 본

외 무 부

종 별 :

번 호 : AVW-1664 일 시 : 91 1213 1700

수 신 : 장 관(국기)

발 신 : 주오스트리아대사

제 목 : 알젠틴과 브라질을 위한 4자간 핵안전 협정서명

연:AVW-1692

1.표제 협정서명에 즈음하여 금 12.13 오전 IAEA 특별이사회에서 행한 브라질및알젠틴 대통령과 BLIX IAEA 사무총장의 연설문을 별전(FAX) 송부함.

2.블릭스 총장은 금일 연설에서 IAEA 안전조치를 다른 핵비확산 체제에 적용(ADAPTABILITY) 할수 있다는 것을 명시하고 있다고 언급하였음. ?

별첨: AVW(F)-074 20 매.끝.

국기국 장관 1차보 외정실 분석관 청와대 안기부

PAGE 1 91.12.14 03:54 DQ

외신 1과 통제관

0145 28

EMBASSY OF THE REPUBLIC OF KOREA

Praterstrasse 31, Vienna
Austria 1020 (FAX : 2163438)

No : AVW(万) - 024	Date : 11-13 1700
To : 장 관 (국 기) (FAX No :)	
Subject : AVW - 1664 첨부	

표지포함 21 매

Total Number of Page :

21-1

0146

1

DISCURSO DEL SEÑOR PRESIDENTE DE LA NACION, DR. CARLOS SAUL MENEM EN LA SESION ESPECIAL QUE CELEBRARA EL 13 DE DICIEMBRE LA JUNTA DE GOBERNADORES DEL ORGANISMO INTERNACIONAL DE ENERGIA ATOMICA (OIEA) CON MOTIVO DE LA FIRMA DEL ACUERDO DE SALVAGUARDIAS ENTRE DICHO ORGANISMO, ARGENTINA, BRASIL Y LA AGENCIA BRASILEÑO-ARGENTINA DE CONTABILIDAD Y CONTROL DE MATERIALES NUCLEARES (ABACC).

SEÑOR PRESIDENTE DE LA REPUBLICA FEDERATIVA DEL BRASIL,
SEÑOR DIRECTOR GENERAL DEL ORGANISMO INTERNACIONAL DE ENERGIA ATOMICA,
SEÑOR PRESIDENTE,
SEÑORES GOBERNADORES.

EL ACUERDO FIRMADO HOY ES UN HITO TRASCENDENTAL DE UN PROCESO DE INTEGRACION Y TRANSPARENCIA NUCLEAR INICIADO HACE VARIOS AÑOS POR LA ARGENTINA Y EL BRASIL.

3

UN PROCESO, AL QUE CON MI COLEGA Y AMIGO, EL PRESIDENTE COLLOR, DIERAMOS UN IMPULSO DECISIVO CON LA DECLARACION DE FOZ DE IGUAZU, EL 28 DE NOVIEMBRE DE 1990.

EN ESA OCASION, ESTABLECIMOS UNA POLITICA NUCLEAR COMUN CON MIRAS A CONSOLIDAR NUESTRO COMPROMISO DE UTILIZAR LA ENERGIA NUCLEAR CON FINES EXCLUSIVAMENTE PACIFICOS.

DECIDIMOS QUE TODAS LAS ACTIVIDADES NUCLEARES DE CADA PAIS SERIAN ACCESIBLES AL OTRO.

4

Y RESOLVIMOS OTORGAR A NUESTROS PROGRAMAS EN ESTA MATERIA PLENA ■ TRANSPARENCIA ANTE LA COMUNIDAD INTERNACIONAL MEDIANTE LA CELEBRACION DE UN ACUERDO DE SALVAGUARDIAS OMNICOMPRENSIVAS CON EL OIEA.

EN EL BREVE LAPSO DESDE FOZ DE IGUAZU HEMOS DADO DOS PASOS CONCRETOS Y FUNDAMENTALES.

EL 18 DE JULIO PASADO CONCLUIMOS UN ACUERDO BILATERAL PARA EL USO EXCLUSIVAMENTE PACIFICO DE LA ENERGIA NUCLEAR, QUE CONSOLIDO JURIDICAMENTE UN SISTEMA COMUN DE CONTABILIDAD Y CONTROL.

0149

21-4

5.

HOY, HEMOS SUSCRIPTO EL ACUERDO DE SALVAGUARDIAS CON EL OIEA.

AMBOS PAISES HEMOS INVERTIDO AÑOS DE ESFUERZOS E IMPORTANTES RECURSOS HUMANOS Y MATERIALES PARA ALCANZAR UN SIGNIFICATIVO DESARROLLO NUCLEAR.

6

CREO QUE HABER ACEPTADO VOLUNTARIAMENTE LA APLICACION DE SALVAGUARDIAS OMNICOMPRENSIVAS, INCLUSO SOBRE ACTIVIDADES DESARROLLADAS SIN AYUDA EXTERNA, REPRESENTA UNA CONTRIBUCION CONCRETA ARGENTINA Y BRASILEÑA AL OBJETIVO DE LA NO PROLIFERACION Y LA PAZ Y LA SEGURIDAD INTERNACIONALES.

EN LO QUE RESPECTA A AMERICA LATINA, ESTAS MEDIDAS, JUNTO CON OTRAS QUE HEMOS EMPRENDIDO, COMO EL COMPROMISO DE MENDOZA SOBRE PROSCRIPCION DE ARMAS QUIMICAS Y BIOLOGICAS, CONSTITUYEN UN APORTE SUSTANCIAL A LA ESTABILIDAD DE LA REGION.

0150

21-5

7

DE CONFORMIDAD A LO PREVISTO EN LA DECLARACION DE FOZ DE IGUAZU, UNA VEZ QUE EL ACUERDO FIRMADO HOY ENTRE EN VIGOR, INICIAREMOS JUNTOS LAS ACCIONES TENDIENTES A PROCURAR LA PLENA VIGENCIA DEL TRATADO DE TLATELOLCO.

ARGENTINA Y BRASIL PROPONDREMOS ALGUNAS MEJORAS AL ACUERDO QUE, SIN ALTERAR EN FORMA ALGUNA SU FILOSOFIA Y OBJETIVOS, CONTRIBUIRAN A SU MEJOR OPERATIVIDAD.

8

ESTAMOS SEGUROS QUE CONTAREMOS CON EL APOYO DE NUESTROS HERMANOS LATINOAMERICANOS, LO QUE PERMITIRA QUE EN UN FUTURO PROXIMO SE HAGA REALIDAD LA ZONA LIBRE DE ARMAS NUCLEARES PREVISTA EN EL TRATADO.

SEÑOR PRESIDENTE:

LOS ACONTECIMIENTOS INTERNACIONALES DESDE LA DECLARACION DE FOZ DE IGUAZU, DEMOSTRARON LA IMPORTANCIA DE CONTAR CON UN SISTEMA INTERNACIONAL EFICAZ DE SALVAGUARDIAS EN MATERIA NUCLEAR.

0151

5-1-6

9

LO SUCEDIDO EN IRAQ ES CLARA PRUEBA DE QUE ES NECESARIO QUE TODOS LOS ESTADOS PRESTEN SU MAYOR RESPALDO AL FORTALECIMIENTO DEL SISTEMA DE SALVAGUARDIAS DEL O.I.E.A.

ES IMPRESCINDIBLE QUE EL ORGANISMO PUEDA CUMPLIR CON SU MISION DE VERIFICAR QUE NO EXISTEN DESVIACIONES DE MATERIALES PARA FABRICAR ARMAS NUCLEARES. ES VITAL GARANTIZAR LA NO PROLIFERACION EN DICHA ESFERA.

10

POR LO TANTO, LA ARGENTINA HA RECIBIDO CON EL MAYOR INTERES LAS IMPORTANTES PROPUESTAS CONCRETAS DEL DIRECTOR GENERAL EN ESTA MATERIA.

ES IMPORTANTE DESTACAR QUE UN SISTEMA EFICAZ DE SALVAGUARDIAS, AL GARANTIZAR EFECTIVAMENTE LA NO PROLIFERACION, BENEFICIA DIRECTAMENTE A PAISES COMO LA ARGENTINA Y EL BRASIL, CUYOS PROGRAMAS NUCLEARES TIENEN FINES EXCLUSIVAMENTE PACIFICOS.

0152

21-7

NECESITAMOS DE UN MECANISMO IDONEO QUE NOS BRINDE SEGURIDADES CONCRETAS SOBRE LAS INTENCIONES PACIFICAS DE LOS DEMAS.

HOY ESTAMOS CONVENCIDOS QUE LA PROMOCION DE LA PAZ Y LA SEGURIDAD INTERNACIONALES TIENE ABSOLUTA PRIORIDAD.

EN UN MUNDO CRECIENTEMENTE INTERDEPENDIENTE, NO HAY MAS ESPACIO PARA ACTITUDES AISLACIONISTAS.

12

EN ESE MISMO CONTEXTO, UNA DE LAS PREOCUPACIONES TRADICIONALES RESPECTO A LAS SALVAGUARDIAS OMNICOMPRENSIVAS DEL OIEA ERA COMO CONCILIAR ESE MECANISMO CON LA NECESIDAD DE PRESERVAR LOS CONOCIMIENTOS TECNOLOGICOS E INDUSTRIALES ADQUIRIDOS CON ESFUERZO PROPIO.

EN EL ACUERDO FIRMADO HOY FUE POSIBLE INCORPORAR UNA FORMULACION SATISFACTORIA QUE, PENSAMOS, PODRIA SERVIR DE PRECEDENTE PARA OTROS ACUERDOS. y regiones del Mundo.

0153

21-8

13

EN REALIDAD, COMO QUEDARA REFLEJADO EN EL RECIENTE DEBATE DE LA JUNTA DE GOBERNADORES, NUMEROSOS GOBIERNOS PIENSAN QUE EL ACUERDO EN SU CONJUNTO PODRIA CONSTITUIR UN BUEN MODELO PARA OTRAS REGIONES DEL MUNDO.

SEÑOR PRESIDENTE:

COMO ES SABIDO, EN LA APLICACION DE ESTE ACUERDO JUGARA UN PAPEL MUY IMPORTANTE LA "AGENCIA BRASILEÑO-ARGENTINA DE CONTABILIDAD Y CONTROL DE MATERIALES NUCLEARES" (ABACC), ENCARGADA DE APLICAR EL SISTEMA BILATERAL.

14

AMBOS GOBIERNOS NOS COMPROMETEMOS A DOTARLA DE LA CAPACIDAD Y LOS MEDIOS NECESARIOS PARA SU EFICAZ FUNCIONAMIENTO, DE CONFORMIDAD CON LOS ADELANTOS TECNICOS MAS AVANZADOS.

QUIERO DESEAR EL MEJOR DE LOS EXITOS AL SECRETARIO DE LA ABACC, DR. JORGE COLL, QUIEN HOY FIRMARA EL ACUERDO CON NOSOTROS.

21-9

0154

ESTE INSTRUMENTO SE SUMA A ALENTADORES AVANCES EN EL CAMPO DEL DESARME NUCLEAR, EN PARTICULAR EL ACUERDO ENTRE LOS ESTADOS UNIDOS Y DE LA UNION SOVIETICA SOBRE REDUCCION DE SUS RESPECTIVOS ARSENALES NUCLEARES.

ASI SE CONSOLIDA UNA POSITIVA TENDENCIA QUE ABRE HORIZONTES PROMISORIOS PARA EL PROGRESO, EL BIENESTAR Y LA SUPERVIVENCIA DE LA HUMANIDAD.

DEBEMOS COMPROMETERNOS TODOS A CONTINUAR Y PROFUNDIZAR ESTE CAMINO.

16

POR ESO MISMO, EXHORTO A LAS ENTIDADES POLITICAS QUE SURJAN DE LA TRANSFORMACION DE LA ANTIGUA UNION SOVIETICA Y QUE DISPONGAN DE ARMAMENTOS NUCLEARES, A QUE RESPETEN ESCRUPULOSAMENTE LAS OBLIGACIONES INTERNACIONALES EN MATERIA DE CONTROL DE ARMAMENTOS Y NO PROLIFERACION.

LA SEGURIDAD DE TODOS ESTA EN JUEGO Y ES INNEGABLE QUE EXISTE UNA GRAN PREOCUPACION EN LA COMUNIDAD INTERNACIONAL POR LA FLUIDEZ E INCERTIDUMBRE DE ALGUNOS DESARROLLOS EN ESA REGION DE EUROPA.

0155

21 -10

17

EN ESE SENTIDO, NOS SENTIMOS ALENTADOS POR LAS SEGURIDADES QUE HASTA AHORA HEMOS RECIBIDO DE AUTORIDADES INVOLUCRADAS.

SEÑOR PRESIDENTE:

EN OTRAS OCASIONES SEÑALE QUE UNO DE LOS DESAFIOS DEL MUNDO CONTEMPORANEO ES LA NECESIDAD DE ASEGURAR LA EXISTENCIA DE FUENTES DE ENERGIA PERDURABLES Y LIMPIAS.

18

DEBERIA PRIVILEGIARSE EL DESARROLLO Y LA PRESERVACION DEL MEDIO AMBIENTE, AFECTADO DE DIVERSOS MODOS POR EL USO DE CIERTAS FUENTES DE ENERGIA CONVENCIONALES.

LA UTILIZACION PACIFICA DE LA ENERGIA NUCLEAR REPRESENTA UNA ALTERNATIVA DE ENORME SIGNIFICACION Y POTENCIAL.

ESTOY CONVENCIDO QUE EL OIEA JUGARA UN PAPEL AUN MAYOR EN EL FUTURO PARA PROMOVER LA COOPERACION EN ESTE CAMPO Y HACER ACCESIBLES SUS BENEFICIOS A TODOS LOS PUEBLOS DE LA TIERRA.

0156

21 — 11

19

LA ARGENTINA Y EL BRASIL CONTINUAREMOS AVANZANDO EN NUESTRA POLITICA NUCLEAR COMUN, ESTABLECIDA EN EL MARCO AMPLIO DEL PROCESO DE INTEGRACION EN MARCHA ENTRE AMBOS ESTADOS.

DESARROLLAREMOS LOS USOS PACIFICOS DE ESTA SENSITIVA FUENTE DE ENERGIA PARA EL BENEFICIO DE NUESTROS PUEBLOS Y DE TODA AMERICA LATINA.

YA ES HORA QUE LAS DOCTRINAS QUE DURANTE GENERACIONES CONTEMPLARON EL CONFLICTO COMO UN CAMINO PARA ALCANZAR OBJETIVOS NACIONALES, ABRAN PASO A LA PAZ, LA COOPERACION Y EL PROGRESO COMO VALORES EXCLUYENTES.

NOSOTROS, DESDE NUESTRA AMERICA DEL SUR, NOS COMPROMETEMOS A TRABAJAR EN ESE SENTIDO.

PORQUE ES LA HORA DEL DESARROLLO DE UN MUNDO CON CUERPO Y ALMA.

PORQUE ES LA HORA DE LA INTEGRACION.

PORQUE ES LA HORA DE LA SENSATEZ.

PORQUE ES EL NUEVO TIEMPO, PARA CONSTRUIR UN MUNDO NUEVO, QUE MEREZCA SER VIVIDO.

MUCHISIMAS GRACIAS.

0158

21-13

SPEECH DELIVERED BY PRESIDENT FERNANDO COLLOR AT THE INTERNATIONAL ATOMIC ENERGY AGENCY

(VERSION 3, 12.12.91, 11:00HS)

President Carlos Menen,

Mr. President,

Mr. Director General, Dr. Hans Blix,

Representatives and Observers to the Board of Governors of the International Atomic Energy Agency,

Ladies and Gentlemen,

It is a great honor to address this Board of Governors immediately after the signing of the Agreement by Argentina, Brazil, the Brazilian-Argentine Agency for Accounting and COntrol of Nuclear Materials and the International Atomic Energy Agency, calling for the implementation of Safeguards.

Today Brazil and Argentina write one more page of the history not only of their fraternal and promissing bilateral relations, but also of the relations among all the countries determined to live in prosperity and in peace.

The signing of this Safeguard Agreement expresses the recognition culmination of the technical capacity, credibility and political independence of the IAEA, an organization which is a central stage for us to voice our convictions to the international scene.

0159

página - 5

In today's ceremony. Brazil and Argentina give new thrust to the disarmament process on a world scale.

At a moment in which important changes occur in the international scene. peace can not be the simple absence of war.

Peace is indeed a dynamic process of fostering harmony among nations through the strengthening of mutual trust and understanding, which is born of a shared vision of equality and justice in international relations. This initiative contributes to the hastening and improvement of this process.

Ladies and gentlemen.

The peace without weapons must be an universal proposal, engaging all peoples.

Nations and regions that have renounced ownership of nuclear weapons or other arms of mass destruction may, with the necessary authority, demand acceleration of the process of global disarmament, particularly in the nuclear area.

They can demand, with legitimacy, a broad debate on the real causes of international instability.

Disarmament is a necessary step, but one that will be small and limited if it is not also accompanied by the true pursual of more social justice. thus releasing resources into a generalized effort for development. in order to redeem human dignity and to overcome inequalities.

0160

With the authority of the country I represent. one which. in repudiation of nuclear artifacts. has unilaterally renounced even peaceful testing, I call forward the beginning of a new stage od relations among men. founded upon trust. justice and solidarity.

Ladies and Gentlemen,

The existence of nuclear arsenals has always represented a terrible threat to the environment.

What we do here now is. therefore. linked to the great process of reflection that will take place in June 1992. in Rio de Janeiro, during the United Nations Conference on the Environment and Development.

As the process of disarmament transforms the premises and conditions of international security. ecological awareness and the certainty that there are limits to the development obligate us to implement daring reformulations of the relations between progress and the environment.

We stand before a need for broad debate. in which a new vision of relations in society is generating a new development model in which the primary objective must be the overcoming of inequalities.

A world of social injustice will never be a healthy planet.

0161

Ladies and Gentlemen,

Humanity has arrived at a stage of technological development in which most of the fundamental questions are global in nature .

However, technology itself is an essential part of the response to the new problems that are arising.

Although the developed nations easily recognize the worldwide scope of matters related to the environment and human rights. it is time they accepted the fact that the same principle applies to the fields of the economy. technology. above all. social reality.

On the international agenda, the same priority must be given to development and access to new forms of knowledge.

In practical terms, security and prosperity are universal needs: they are to exist for a few. they must exist for all.

May God help us in this quest for peace. in a environmentally sound planet, for social justice and prosperity for all humanity.

0162

STATEMENT BY THE DIRECTOR GENERAL IN THE BOARD OF GOVERNORS

13 December 1991

May I begin by thanking President Collor of Brazil and President Menem of Argentina for their encouraging statements on this momentous occasion. Argentina and Brazil, the IAEA and the world community have every reason to welcome the safeguards agreement between their countries, ABACC and the IAEA. It is an important contribution to the efforts to move the world decisively away from nuclear weapons. Argentina and Brazil are showing that peace and national security come about not through confrontation, but through commitment to close co-operation.

I want to pay tribute to Presidents Menem and Collor personally because they have had the political will and determination to bring about the nuclear co-operation between their countries and the openness to international inspection that confirm their commitment to an exclusively peaceful use of nuclear energy. Without this will and determination the process would not have been so swift. It was only a year ago, on the occasion of the signing of the Foz do Iguaçu Argentine-Brazilian Declaration on Common Nuclear Policy that President Menem emphasized "the need to offer the region, and indeed the world as a whole, control mechanisms for technologies which are extremely important to social development but are also capable of being misused for non-pacific ends". This sentiment was echoed by President Collor who said "Without having gone through the cruel apprenticeship of war or the sterility of military competition, our peoples will show that they know that science and technology do better service in the cause of peace than in the cause of war".

The conclusion of the safeguards agreement today with the Governments of Brazil and Argentina is the culmination of the process of bilateral integration of Argentina and Brazil in the field of nuclear co-operation. This process began in 1985 with the joint declaration of their intention to co-operate closely in all fields of the peaceful application of nuclear energy, affirming their mutual commitment to its exclusively peaceful development.

As a natural outgrowth of this commitment, the States sought to establish a mechanism which, in the words of President Menem, was "capable of demonstrating the exclusively peaceful aims of [their] nuclear programmes and, at the same time, respecting industrial property and technological achievements". They invited the IAEA to conclude an agreement for international verification compatible with the bilateral mechanism.

With exceptional speed by most standards for international treaty making, Brazil and Argentina were able to establish a system of mutual inspection to be carried out by the Brazilian-Argentine Agency for Accounting and Control of Nuclear Materials (ABACC) and, together with the IAEA, to reach agreement on the application of Agency safeguards in co-ordination with ABACC and its bilaterial safeguards.

These actions reflect the clear and conscious commitment on the part of the two States to carry out nuclear activities only for peaceful ends, and the importance they attributed to international verification as an additional confidence-building measure.

0164

21-19

The agreement itself demonstrates the adaptability of the IAEA's system of safeguards and its ability to meet the requirements of different non-proliferation commitments, be they regional as in the present case or universal.

The purpose of comprehensive safeguards is to create confidence that the nuclear programme of a country is devoted exclusively to peaceful purposes. To achieve this verification must be credible and to be credible it must be thorough and effective. It must also be transparent, be applied in an objective manner and take into account the legitimate concerns of protection of commercially sensitive information. It must not hamper the efforts of the inspected country in its effort to use nuclear energy for its development. Our experience is that these requirements are entirely compatible. Indeed credible safeguards facilitate international nuclear co-operation and development. Inadequate safeguards will have the opposite effect. I am satisfied that the present agreement responds to the demand that President Collor made before the United Nations General Assembly when he said that, "we should look for formulas which serve to reconcile two basic interests: avoiding the possibility that such technologies are used for weapons of mass destruction, and ensuring that access to such technologies remain open".

The actions of Argentina and Brazil raise the hope that the Tlatelolco Treaty - which in fact preceded the Non-Proliferation Treaty - might soon become binding for all Latin American and Caribbean States and effectively make this region a nuclear weapon free zone. They also reinforce the importance of Agency safeguards in the context of regional and global verification of non-proliferation. Let me express the hope that they will serve to inspire other countries and regions to use Agency safeguards to build confidence, to facilitate regional and international co-operation and to promote an accelerated nuclear disarmament.

0166

21 - 21

공 란

공 란

공 란

공　　란

공　　　란

공 

공 란

관리번호	91-576

외 무 부

종 별 :

번 호 : AVW-1676　　　　일 시 : 91 1216 1900

수 신 : 장 관(국기,구이)

발 신 : 주 오스트리아 대사

제 목 : 아시아 그룹회의(IAEA 특별사찰 문제)

공람	안보정책과	년 월 일	담 당	과 장	심의관	국 장	차 관

금 12.16(월) 오전 당지 아시아 그룹전체회의(신임의장국 카타르 주재)에서IAEA 12 월 이사회 결과에 따른 후속대책(특별사찰 문제)에 관한 의견교환 있었는바(조창범공사 참석), 특기사항 아래보고함.

1. 인도, 이란은 12 월 이사회시 개진했던 자국의 입장을 기초로 IAEA 사무국문서(GOV/2554)가 의도하고 있는 SPECIAL UNIT 의 설치및 개별 국가의 정보기관에 의한 제공 정보활용을 제도화하는 것은 IAEA 의 정보기구화를 초래하거나 이들 정보가 특정국가의 정책목표에 따라 선별적으로(SELECTIVE BASIS) 악용될 우려가 있으며 또한 위성정찰등 적절치 않은 정보수집 활동을 제도적으로 합법화시켜 주게되고 주권침해의 문제점도 있다는 점을 강조하면서 신중론을 개진하였음.

2. 특히 인도는 여사한 특별사찰 제도의 문제점과 관련 아시아 그룹의 2 월이사회 대책일환으로 아시아 그룹을 대표하는 특별 소그룹(SMALL SPECIAL GROUP)을 구성하여 사무국측과 협의에 임하도록 할것을 제의하였으며 이에대해 북한도 특별사찰 제도의 주권침해 우려등 문제점을 지적하면서 특별 소그룹 구성안을찬성하였음.

3. 상기 관련 아국은 과번 12 월 이사회 토의과정에서 밝힌바 있는 특별사찰 제도에 관한 아국입장을 상기 시킨후 아시아 그룹 회원국간에 동 문제에 관한입장에 상호 차이가 있으며 아시아 그룹 전체로서 공동입장을 취할수있는 사안이 있고 그렇지 못한 사안이 있다는 점, 일부 국가의 경우 본국의 입장 검토에 충분한 시간이 필요하다는 주장이 있는 점 등을 지적, 동 문제에 관한 아시아 그룹의 공동입장이 없는 상황속에서 아시아 그룹의 모자를 쓴 특별 소그룹을 구성 사무국과 접촉토록 하는것은 그룹내 각 회원국의 의견을 충분히 반영치 못할 우려가 있어 바람직스럽지 않다고 반대하였음.

4. 이에따라 인도측의 아시아그룹대표 특별 소그룹 구성안은 무산되고 이락및

국기국　장관　차관　1차보　구주국　외정실　분석관　청와대　안기부

0174

PAGE 1　　　　91.12.17　05:56

외신 2과　통제관 CA

태국측의 제의로 동 특별사찰 제도와 관련 제기된 문제점에 관하여 우선 아시아 그룹이 차후 회의시 사무국 관계관을 그룹회의에 초청하여 사무국의 의견을 청취해 보도록 하는 선에서 대처키로 결론이 남.

5. 금일 회의에서 인도, 이란, 이락등은 특별 사찰제도에 관한 자국의 소극적인 입장을 아시아그룹내에 적극 PROMOTE 하여 이를 아시아 그룹의 이름을 빌어앞으로 2 월이사회에 대비한 견제수단으로 활용코저하는 의도가 분명하다고 봄.(북한도 앞으로 이러한 움직임에 적극 편승예상). 끝.

예 고:92.6.30 일반. 검 토 필(1992.12.31)

검 토 필(1992.6.30)

1992.6.30.에 예고문에 의거 일반문서로 재 분류됨.

PAGE 2

0175

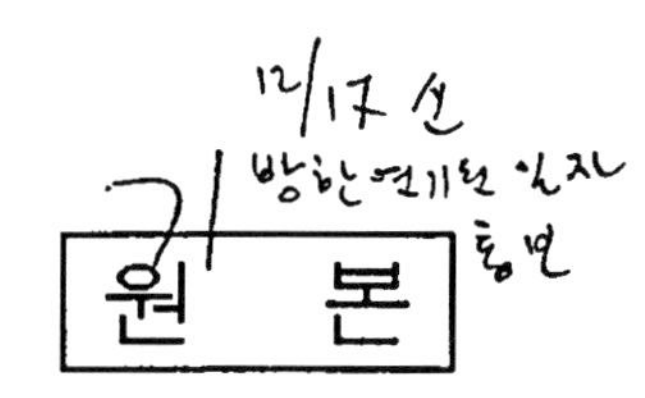

관리번호	91-1211

원 본

외 무 부

92 고전하는 연기

종 별 :

번 호 : AVW-1677 일 시 : 91 1216 1900

수 신 : 장 관(국기,아서) 사본:주인도대사(본부중계필)

발 신 : 주 오스트리아 대사

제 목 : 인도 외상 방한

대:WAV-1440

연:AVW-1676

1. 인도는 지난 9.12 IAEA 이사회가 북한에 대하여 핵안전협정 체결을 촉구하는 결의안을 채택할때에 중공, 알젠친, 브라질, 이락, 이란과 더불어 기권한 6 개국에 속하였음.

2. 지난 12 월 이사회 기간중 특별사찰 제도 강화를 심의하고 북한에 대한 촉구발언을 할때에도 인도는 특별사찰에 부정적이며 북한을 지원하는 취지로 발언하였고, 연호와 같이 내년 2 월 이사회를 앞두고 아세아 그룹의 간판하에 특별사찰 문제에 대하여 시비를 거는 선봉적 역활을 수행하고 있는 나라임.

3. 상기를 감안할때 앞으로 IAEA 사찰의 화살이 인도로 날라 갈것을 우려하고 있는 인도로 부터 아국이 협조를 기대하는 것은 대단히 어려울것으로 보여지나, 차기 IAEA 이사회에서 북한문제를 거론할때에 인도가 자제해 즐것을 인도 외상의 방한시 요청할 것을 건의함.

4. 인도가 현재 NPT 권 밖에 있는것과는 달리 북한은 NPT 의 당사국으로 법적 의무가 있다는 점을 인도가 북한에 대하여 설명하고 그 의무를 당장 이행하도록 요구할것을 인도외상에게 요청하는 것도 좋을것으로 봄.

5. 당지의 BAKSHI 인도대사는 12 월 이사회 기간중 별전(FAX) 인도 신문기사를 본직에게 수교하였음을 참고 하시기 바람.

별첨:AVW(F)-074 1 매.끝.

예 고:92.6.30 일반.

일반문서로 재분류(1992. 6.30.)

국기국	장관	차관	1차보	아주국	외정실	분석관	청와대	안기부
중계								

PAGE 1

91.12.17 05:58

외신 2과 통제관 CA

0176

EMBASSY OF THE REPUBLIC OF KOREA

Praterstrasse 31, Vienna
Austria 1020 (FAX : 2163438)

No : AVW(F)-074	Date : 11216 1900
To : 장관(국기. 아서) 사본: 주인도대사 (FAX No :)	
Subject : 첨부	

표지포함 2매

Total Number of Page :

0177

ㅡ-/

인도 대사로부터 入手 (1991.12.5)

S. Korea supports India on NPT

HT Correspondent

NEW DELHI, Nov. 20

South Korea fully supports the Indian stand that a nuclear weapon free zone would neither be practical nor effective without global assurance from all the nuclear powers.

It also holds the view that although the NPT has some deficiencies, the signatories to the treaty can in no way avoid the solemn obligation to observe its provisions, South Korean Ambassador Joung-Binh Lee told reporters here today.

The Indian position is applicable not only to the Indian sub-continent but also to the Korean peninsula. "I personally believe there will be some ways in which India and Korea can cooperate to bring about positive results to dissuade North Korea from her going-nuclear policy", he said.

He regretted that North Korea had not responded positively to President Roh Tae Woo's proposals to prevent it from developing nuclear weapons.

About Indo-Korean relations, Mr Lee said he was quite optimistic about the future prospects for greater business and trade cooperation between the two countries.

The new economic policies of India, coupled with her tremendous potentiality, both in resources and markets and Korean developmental experience will certainly bring our economies much closer to mutual benefits. "We can move forward by forging better understanding about each other's economies through the diversified activities both at Government and private levels," Mr Lee said.

These include the conclusion of governmental agreements to ensure and expedite smooth commercial transactions, such as, air transport agreement, active participation in the trade fairs sponsored by either of the two countries, the holding of symposium or seminars to highlight the ample scope for bilateral economic cooperation and the more frequent exchanges between our business circles.

Global meet on toxicology

NEW DELHI, Nov. 20 (HTC)

World toxicologists, who are converging here for the week-long second Congress of Toxicology in Developing Countries would adopt a "Delhi Declaration" incorporating recommendations and guidelines for handling and disposal of hazardous chemicals and toxic wastes, Dr P. K. Ray, president of the organising committee, told newspersons here today.

0178

2-2

공 란

공 란

공　　　란

공　　　란

공 란

71 12/18신

관리번호	91-1214

원 본

외 무 부

종 별 :

번 호 : JAW-7049 일 시 : 91 1217 1038

수 신 : 장관(국기,아일,정특)

발 신 : 주 일 대사(일정)

제 목 : 12월 IAEA 이사회

대:WJA-5567

당관 남공사는 작 12.16(월) 오따 과학기술심의관을 접촉, 대호건 타진한바동인의 언급 내용 아래 보고함.

1. 개요

0 금번 12 월 이사회는 기술 협력 , 안전조치 제도강화 및 북한의 핵안전협정 체결 문제가 주된 회의 였음.

2. 안전 조치 강화문제

0 금번 이사회에서는 전반적으로 안전조치 제도 강화의 필요성을 인식하는 분위기 였음.

0 2 월 이사회에서 안전 조치제도 강화와 관련, 특별사찰은 기존 규정을 TAKE NOTE 함으로써 채택하고, 설계정보 조기제출제도는 사무총장안(계획, 설계,건설, 가동으로 구분하여 4 회에 걸쳐 정보제공)이 다소 변경될지 알수없으나 조기제출 제도 자체는 채택될 것으로 전망됨.(CONSENSUS 가 바람직하지만, 그렇지 않을 경우에는 부표에 의한 다수결로 채택될것이라함)

3. 대북한 핵안전 협정 체결 촉구

0 12 월 이사회에서 상당수국가가 북한의 협정 서명 및 사찰수용을 촉구하였는바, 시기 및 SUBSTANCE 면에서 볼때 92.2 월이사회에서는 북한이 서명해야할것으로 보며, 그렇지 않을경우 제재조치를 감수해야 할것임.

- 금년 6 월 이사회에서 북한이 서명용의를 표명하였으나, 이후 동시사찰 제의를 새로이 하면서 서명하지 않는 것은 납득이 안감.

- SAFEGUARDS AGREEMENT 와 미군핵은 별도문제인데 불구하고, 내용에 있어 실현성이 없는 동시사찰을 북한이 제안했던 것은 단지 핵사찰 수용을 지연시키려는데

국기국 장관 차관 1차보 2차보 아주국 외정실 분석관 청와대 안기부

PAGE 1 91.12.17 18:15

외신 2과 통제관 CD

0184

그 목적이 있었던것 같음. 금번 남. 북 총리회담에서의 한국의 타당성 있는동시사찰 제안에 대해 북한이 어떻게 대응할 것인지 궁금함.

0 9 월 및 11 월의 한. 미 양국 대통령원핵정책선언, 금번 12 월 남북총리회담시 한국의동시사찰제안, 금후 92.1 월 와타나베외상의 방중, 부시대통령 방한, 방일 및 미야자와총리 방한,6 차 일북수교회담,2 월중순 남북총리회담 개최 예정등 북한의핵문제 관련 협의가 예정되어 있어 북한이 협정서명을 거부하기가 점점 더 어려운 입장에 놓여질것으로 봄.

4. 기타

0 북한은 한국에 비해경제력에서 열위에있으므로 , 핵무기 제조, 보유를 통해군사적 우위를 점하려는 의도였던 것 같음. 끝

(대사 오재희-국장)

예고:92.6.30 일반

기 12/18 신 회신

원 본

관리번호	91-1213

외 무 부

종 별 :

번 호 : AVW-1684 일 시 : 91 1217 1930

수 신 : 장 관(국기,조약)

발 신 : 주 오스트리아 대사

제 목 : 북한의 조약 비준절차

일부 IAEA 이사들간의 관심사항이오니 아래에 관하여 회시바람.

1. 북한 헌법상 형식상 입법부의 비준 동의를 요하는 조약및 협정(열거적, 예시적 또는 개괄적)

2. 형식상 입법부가 개회되는 년중의 정기 회의기간

3. 형식상 입법부의 부정기 회의 소집 절차및 소요기간

4. 지난 2 년간의 조약 협정에 대한 비준 동의 실적(조약별, 일자별)

5. IAEA 와의 핵안전 협정이 형식상 입법부의 비준 동의를 필요로 하는가의 여부.끝.

예 고:92.6.30 일반.

국기국 조약국 외교정책기획실

PAGE 1

91.12.18 07:03
외신 2과 통제관 BS

0186

관리번호	91-1219

외 무 부

110-760 서울 종로구 세종로 77번지 / (02)720-2336 / (02)720-2686

문서번호 국기 20332- 1219

시행일자 1991.12.18.( )

수신 수신처참조

참조

취급		국제기구국장
보존		(서명)
국 장	전결	
심의관	(서명)	
과 장	(서명)	
기안	신 동 익	협조

제목 북한의 조약 비준 절차

1. 주오스트리아 대사관 발신전보(AVW-1684, 91.12.18자) 관련입니다.

2. 상기 전보상 문의사항중 귀실(국) 소관사항에 대하여 조사후 결과를 가능한한 91.12.26까지 당국에 통보하여 주시기 바랍니다.

예 고 : 92.6.30 일반

일반문서로 재분류 (19

국 제 기 구 국 장

수신처 : 외교정책기획실장, 조약국장

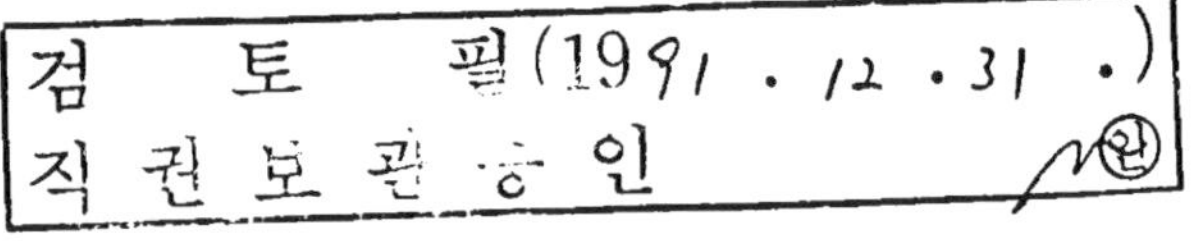

검 토 필(1991 . 12 . 31 .)
직권보관승인

0187

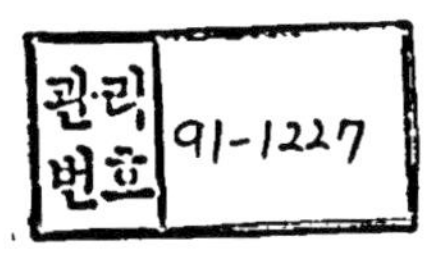

외 무 부

110-760 서울 종로구 세종로 77번지 / (02)720-2336 / (02)720-2686

문서번호 국기 20332-1349
시행일자 1991.12.18.( )

수신 수신처참조
참조

취급		장 관
보존		
국 장	전 결	
심의관		
과 장		
기안	신 동 익	협조

제목 북한의 조약 비준절차

북한의 핵 안전조치협정체결 관련 내년 IAEA 2월 이사회 대책 준비를 위해 현지(주오스트리아) 대사의 요청이 있으니 아래 사항에 대하여 귀원(부)가 파악하고 있는 내용을 당부에 조속히 통보하여 주시기 바랍니다.

1. 북한의 헌법상 입법부의 비준동의를 요하는 조약 및 협정
2. 형식상 입법부가 개회되는 년중의 정기 회의기간
3. 형식상 입법부의 부정기 회의 소집절차 및 소요기간
4. 지난 2년간의 조약 및 협정에 대한 비준동의 실적(조약별, 일자별)
5. IAEA와의 핵 안전조치협정이 형식상 입법부의 비준동의를 필요로 하는지 여부. 끝.

예고 : 92.6.30 일반

외 무 부 장 관

수신처 : 통일원장관, 국가안전기획부장

0188

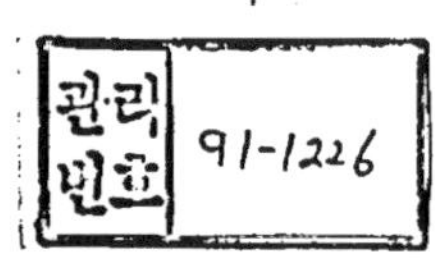

외 무 부

110-760 서울 종로구 세종로 77번지 / (02)720-2336 / (02)720-2686

문서번호 국기 20332- 1350
시행일자 1991.12.18.( )

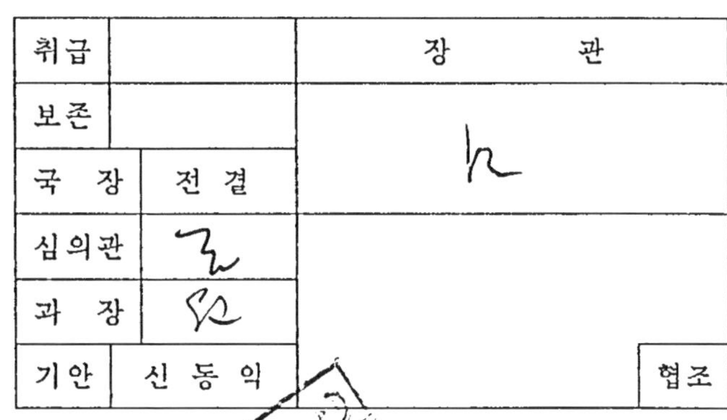

취급		장 관
보존		
국 장	전 결	
심의관		
과 장		
기안	신 동 익	협조

수신 국가안전기획부장
참조

제목 북한 핵개발증거 자료

1. 내년 2월 IAEA 이사회 대책준비를 위해 현지(주오스트리아)대사는 북한으로부터 망명한자들로 부터 파악한 북한의 핵개발 현황 관련 문서상의 증언록이나 녹음 tape등이 있으면 IAEA에 제출하는 방안을 건의해 왔는 바, 당부로서도 이는 이사회 대책상 필요한 조치로 평가하고 있습니다.

2. 상기에 관하여 귀부에서 검토하여 주시고 적절한 자료가 있으면 동 자료들을 당부에 송부해 주시기 바랍니다. 끝.

예 고 : 92.6.30 일반

외 무 부 장 관

0189

관리 번호	91-1222

원 본

외 무 부

종 별 :

번 호 : AVW-1690 일 시 : 91 1218 1930

수 신 : 장 관(국기,아동) 사본:주말레이지아대사-중계필

발 신 : 주 오스트리아대사

제 목 : 말레이지아 수상 방한

대:WAV-1447

연:AVW-1651,1653,1558,1559

1. 말레이지아는(NORDIN 과학관) 지난 11.27 IAEA 기술협력 위원회에서 북한에 대한 원조제공 문제를 토의하는 과정에서 IAEA 기술원조협력이 비차별적으로 전제조건없이 제공되어야하며, NPT 상의 의무와 연계되어서는 아니된다는 취지로 말하면서 인도와 파키스탄의 입장을 지지한다고 옵서버 자격으로 발언하였음.

2. 상기 토의에 관련하여 사무국은 비공식의 토의결과 요록에서 NPT 국가인 말레이지아와 필리핀이 처음으로 상기 1 항과 같이 발언한 것을 유의하는 주석을 달았음.

3. 상기에 대하여 본직은 TAN KOON SAN(북한을 방문한 일이 있다고 함) 말레이지아 대사에게 주의 환기하였으며, 12 월 이사회에서 말레이지아는 이에 관하여 발언한 일이 없음(그러나 말레이지아대사는 상기 2 항에 언급된 사무국의 비공식 문서에 대하여 불만을 표시하는 일방, 상기 1 항의 발언이 말레이지아의 국가정책의 범위내에서 이루어진 것이라고 본직에게 서한으로 통보하여 왔음.)

4. 옵서버 국가들의 발언 효과에는 한계가 있으나 아세아 그룹과 G-77 에서의 여론 조성에 그들의 언동이 영향력을 발휘한다는 점과, 아태국가로서 태국과 인도네시아가 북한의 핵문제에 관하여 아국에 협조하고 있는 것과는 달리 필리핀과 말레이지아(HALIN 전대사 재임시에는 협조적이었음)가 인도및 파키스탄등의 비 NPT 권과 보조를 맞추는 것은 바람직스럽지 못하므로 이에 관해 조치를 취할 필요가 있다고 봄.

5. 상기를 참고하여 마하티르 수상의 체한기간중 말레이지아가 북한의 핵문제의 심각성을 이해하고 IAEA 차원에서 앞으로 이를 다룰때 아국의 입장을 지지하며,

국기국 장관 차관 1차보 아주국 외정실 분석관 청와대 안기부
중계

PAGE 1 91.12.19 07:31

외신 2과 통제관 BS

0190

본의는 아니더라도 결과적으로 북한을 비호하게되는 언동을 삼가해 줄것을 요청하기바람. 끝.

예 고:92.6.30 일반.

검 토 필(1991. 12. 31.)
직 권 보 관 중 인 (인)

長 官 報 告 事 項

報 告 畢

1991. 12. 19.
國際機構局
國際機構課 (66)

題 目 : 북한의 핵 안전협정서명후 사찰실시 과정

> 북한이 핵 안전조치협정에 서명하는 경우 일반사찰을 받기 시작할 때 까지의 과정을 아래와 같이 보고드립니다.

1. 북한-IAEA간 협정문안 합의 및 서명
   - o 91.7.16. 북한-IAEA간 협정문안에 합의, 91.9월 이사회의 승인을 득함
     - 영어, 노어 및 조선어 3개 언어로 정본 작성
   - o 협정서명은 통상 IAEA 사무국이 비엔나에서 먼저 서명한 후 협정당사국은 자국 수도에서 서명
     - 그러나 협정서명 자격있는 북한대표가 언제 어디서나 서명가능
2. 협정비준 및 발효
   - o 북한 헌법(제96조)상 조약의 비준은 주석(President)이 하도록 규정
   - o IAEA에 대한 북한의 협정비준서 기탁 일자에 협정발효
3. 보조약정서 체결
   - o 북한은 핵안전협정에 규정된 절차의 시행방법과 사찰대상 시설을 구체적으로 명시하는 보조약정(subsidiary arrangement)을 안전조치협정 발효후 90일 이내 발효시켜야 함
   - o 사찰대상이 될 모든 핵 물질에 관한 최초 보고서(initial report)는 협정 발효 해당월의 마지막날로부터 30일 이내에 IAEA에 제출
     - IAEA는 최초보고서에 포함된 내용을 확인하기 위해 임시사찰(ad hoc inspection) 실시가능
4. IAEA 일반사찰 실시
   - o 북한은 IAEA가 임명하는 사찰관에 대하여 30일 이내에 수락여부 회보
   - o IAEA는 사찰관 수락회보 접수후 북한에 사전통보(24시간 내지 1주일전)함으로써 일반사찰 실시
5. 언론조치사항 : 상기 과정에 대한 출입기자 문의에 설명

첨 부 : 상기 협정체결 과정표 1부. 끝.

0192

〈첨 부〉

핵확산 방지조약(NPT)에 의한 핵 안전조치협정체결 과정

① 협정안 합의, 가서명
↓
② IAEA 이사회의 승인
↓
③ 협정서명
↓
④ 당사국의 비준
↓
⑤ 협정의 발효 (NPT 가입후 18개월 이내)
↓

---

⑥ 당사국은 사찰대상이 될 모든 핵물질에 대한 보고서를 IAEA에 제출(최초 보고) (협정발효후 30일이내)
↓
⑦ IAEA에 의한 보고내용 확인(임시사찰 : ad hoc inspection)
↓
⑧ 당사국이 기존 핵관련 시설에 대한 설계정보를 IAEA에 제출
↓
⑨ IAEA에 의한 설계정보 확인
↓
⑩ 보조 약정서 작성. 발효 (협정발효후 90일이내)

↓

일반 사찰 실시(routine inspection)

0193

관리 번호	91-1228

	분류번호	보존기간

발 신 전 보

번 호 : WAV-1468 911220 1052 DU 종별 :

수 신 : 주 오스트리아 대사. 총영사

발 신 : 장 관 (국기)

제 목 : 북한의 조약 비준 절차

대 : AVW-1684

연 : WAV-0718(91.7.3)

대호 관련사항에 대해서 현재 관계기관에 문의중인 바, 구체적 내용을 접수하는 대로 귀관에 통보 예정임. 끝.

예 고 : 92.6.30 일반

일반문서로 재분류(1992.6.30.)

(국제기구국장 문 동 석)

검 토 필(1991 . 12. 31 .)
직권보관승인

보안 통제	

앙 고 재	91년 12월 20일	국제기구과	기안자 성명		과 장	심의관	국 장		차 관	장 관
			신동익							

외신과통제

0194

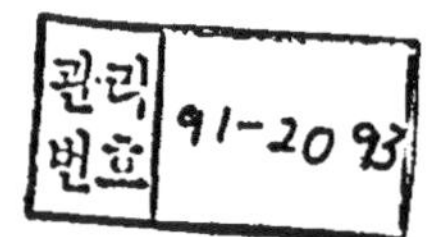

통 일 원

우 110-760 서울 종로구 세종로 1가 77 / 전화 (02) 720-2141 / 전송 720-2432

문서번호 일분 02240-80
시행일자 1991. 12. 23

수 신 외무부 장관
참 조 국제기구국장

선결			지시	즉오 회신
접수	일자 시간	. . :	결재·공람	
	번호			
처리과		기		
담당자		신		

제 목 북한의 조약 비준절차에 관한 회신

1. 국기 20332 - 1349('91.12.18) 관련입니다.

2. 귀부에서 조회해온 북한의 조약 비준절차에 관해 아래와 같이 회신합니다.

- 아 래 -

가. 북한은 조약의 체결권은 정무원이, 비준권은 국가주석이 보유하고 있으며(헌법 제96조), 입법부인 최고인민회의는 조약의 비준동의권이 없음.

- 따라서 입법부의 비준동의를 요하는 조약 및 협정은 없고(물음 1)
- 지난 2년간의 조약 및 협정에 대한 비준동의 실적도 없으며(물음 4)
- IAEA와의 핵 안전조치협정은 입법부의 비준동의를 필요로 하지 아니함. (물음 5)

나. 최고인민회의 정기회의는 1년에 1-2차, 최고인민회의 상설회의가 소집하는 바(헌법 제77조)

- 통상 매년 4월중 이틀간 일정으로 개최되며(물음 2)
- 전년도 예산 결산 및 당해년도 예산승인 등의 사안을 다룸.

다. 임시회의는 최고인민회의 상설회의가 필요하다고 인정할 때 또는 대의원 전원의 3분의 1이상의 요청이 있을 때 소집됨 (물음 3). 끝.

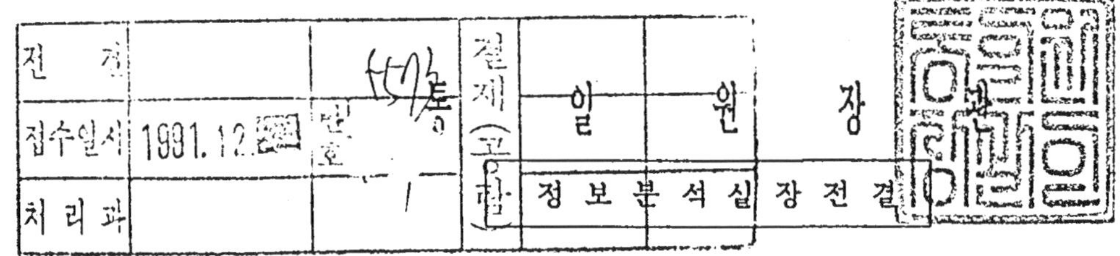

전결		결재(공람)	통 일 원 장
접수일시	1991. 12.	번호	
처리과		협	정보분석실장 전결

0195

관리번호	91-1231

외 무 부

110-760 서울 종로구 세종로 77번지 / (02)720-2337 /(02)720-4094

문서번호 조약20400- 356

시행일자 1991.12.24. ( )

수신 국제기구국장

참조

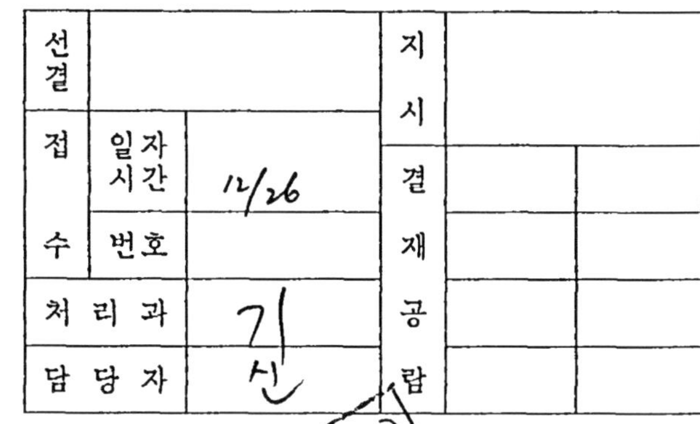

선결		지시		
접수	일자 시간	12/26	결재		
	번호				
처리과		기	공람		
담당자		신			

제목 북한의 조약비준절차

대: 국기 20332-1219

대호 문의사항에 대한 당국 검토내용을 별첨 통보합니다.

첨부: 표제검토내용 1부. 끝.

일반: 92.6.30. 일반

조 약 국 장

12/24.

0196

북한의 조약비준절차

1. 입법기관의 비준여부 및 비준사례

   o 북한의 초기헌법 규정에 따르면 최고인민회의 상임위원회가 외국과의 조약을 비준토록하고 있으나 1972년 개정헌법은 국가주석이 조약에 대해 비준을 하도록 규정하고 있음.

   o 또한 개정헌법은 최고인민회의 산하 외교위원회를 폐지하고 중앙인민위원회에 대외정책위원회를 두고있기 때문에 최고인민회의는 외교에 관한 심의활동을 못하고 있음.

   o 상기관련, 입법기관인 북한의 최고인민회의가 조약체결관련 국내절차 추진에 있어 국가주석의 비준에 형식적이나마 동의등 관여하고 있는지 여부는 현실적으로 파악이 어려움.

   o 다만 북한이 체결한 협정중 일부 정치.군사관계 조약이나 협정들의 경우 비준서교환을 규정한 사례가 있음.

     - 예: 1. 북-소간 경제수역 및 대륙붕경제에 관한 조약(86)

       2. 북-소 협력 및 상호원조조약(61.7.)

2. 북한 최고인민회의의 회기

   o 헌법상 연1-2회 최고인민회의를 개최토록 규정하고 있으나, 연1회 2-4일 정도 개최하고 있음.

   o 최고인민회의 휴회중에는 최고인민회의 상설회의가 운영되며, 임시 최고인민회의는 상설회의가 필요하다고 인정하는 경우 또는 대의원의 1/3이상의 요청이 있을 경우 개최토록 되어 있으나 실제로 개최된것은 전무한 실정임.

0197

3. 핵안전협정에 대한 입법기관의 비준동의 필요여부

o 북한이 IAEA와 핵안전협정 체결하는 경우 비준을 요하는 성질의 협정인지는 상기언급한바 북한헌법등 관계법령에 조약체결 절차가 명시되어 있지 않아 단정적으로 말할 수 없으나 동 협정이 군사. 안보면에서 중요하다고 판단, 비준을 요구할수도 있을것임.

o 더우기 협정서명후 비준등 국내절차의 완료를 빌미삼아 협정의 발효를 연장시키려는 정치적인 술책을 전혀 배제할수 없을 것임. 끝.

0198

7 12/24 선

관리 번호	91-1229

원 본

외 무 부

종 별 :

번 호 : NDW-2115 일 시 : 91 1223 1930

수 신 : 장 관(국기,아서,정안,미이) 사본:주오지리대사-중계필

발 신 : 주 인도 대사

제 목 : 북한의 핵문제에 대한 인도의 입장

대:WND-1078(AVW-1677)

연:NDW-1945

1. 대호관련, 본직은 주재국 외무부의 핵문제 관련 주무국장인 SREENIVASAN 유엔국장을 지난 주말 접촉한 기회에 주재국 대표가 최근 비엔나 IAEA 이사회 토의시 핵문제와 관련, 북한의 입장에 동조하는 듯한 발언을 하게 된 경위를 문의하고 관련사항에 대한 주재국입장을 타진하였음.

2. 이에 대해 동 국장은 다음요지 언급함.

가. IAEA 주재 인도대사에게 IAEA 에 의한 특별사찰제도를 도입하는데 반대한다는 인도정부의 기존입장을 시달한 바는 있지만 북한의 입장에 동조하도록 지시한바는 없음.

나. 북한은 NPT 가맹국으로서 비가맹국인 인도와는 근본적으로 달리하고 있으므로 IAEA 주재 인도대사가 북한입장을 적극적으로 지지하는 발언을 할 필요는없었을 것으로 판단되는 바, 동 대사의 발언내용은 확인해 보겠음.

다. 인도정부로서는 북한이 NPT 가맹국으로서의 의무를 이행해야 한다는 데이론의 여지가 없다고 봄. 북한측이 핵문제에 대한 자신들의 입장을 설명하기 위해 군축담당 외교부부장을 12 월중 인도에 파견하겠다는 제의를 해 왔으나 인도 외무부로서는 북한측의 핵관련 관심사항은 인.북한간의 양자관계가 아닌 다자관계에서 다루어져야 할 사안임을 이유로 이에 응하지 않고 있음.

3. 동 국장은 최근 미국 BARTHOLOMEW 국제안보담당 국무차관의 방인시 서남아지역 비핵지대화 제의협의를 위해 관련 5 개국 회의(미, 소, 중, 인, 파)를 92 년중 워싱턴에서 개최하는 방안을 미국측이 제시하고 인도측의 참가를 종용한 바있지만, 현 NPT 조약의 문제점과 서남아지역 비핵지대화 제의의 비현실성을 이유로 인도측은 이를

(일반문서로 재분류 (1992.6.30))

국기국 장관 차관 1차보 아주국 미주국 외정실 분석관 청와대
안기부 중계

PAGE 1

91.12.24 13:17
외신 2과 통제관 BS

0199

수락할수 없음을 분명히 하였으며, 최근 이붕중국수상의 방인시에도 이와같은 인도측의 유보적 입장을 확실히 전달하였다고 함.

4. 본직은 북한의 핵문제와 관련, 노대통령의 11.8 자 한반도 비핵화와 평화구축을 위한 선언및 12.18 자 핵부재선언내용을 상세히 설명하고 북한의 핵사찰수용을 위한 국제적인 여론이 비등하고 있는 시점에서 북한으로서는 이에 응할수 밖에없는 상황에 처해 있는 만큼 핵문제에 대한 인도의 입장이 북한을 비호하거나 동조하는 듯한 분위기를 조성해서는 안될 것임을 강조함. 또한 본직은 북한의 핵문제에 대한 남북한간 논의사항과 한반도 주변관련국의 입장등을 고려, 2 월에 개최되는 IAEA 이사회에서는 인도측이 신중한 태도를 취해 줄 것을 각별히 요청한 바, 동국장은 불필요한 오해를 받을수 있는 행동은 자제하겠다고 하였음.

5. 북한의 핵문제등 관련사항에 대한 본직의 주재국 언론과의 회견요지등에대해서는 연호로 기보고한 기사내용 참조바람.끝.

(대사 이정빈-국장)

예고:92.6.30 일반

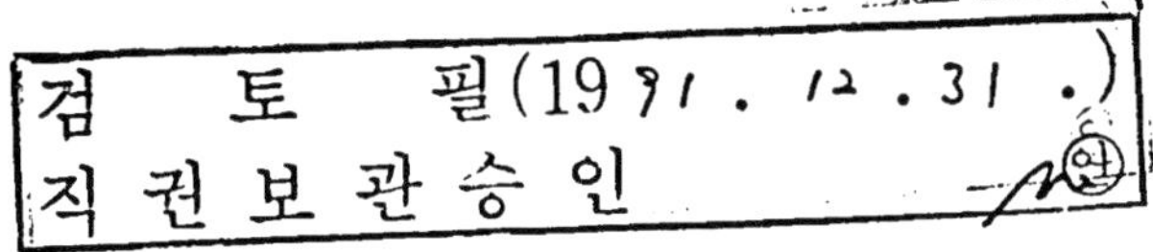

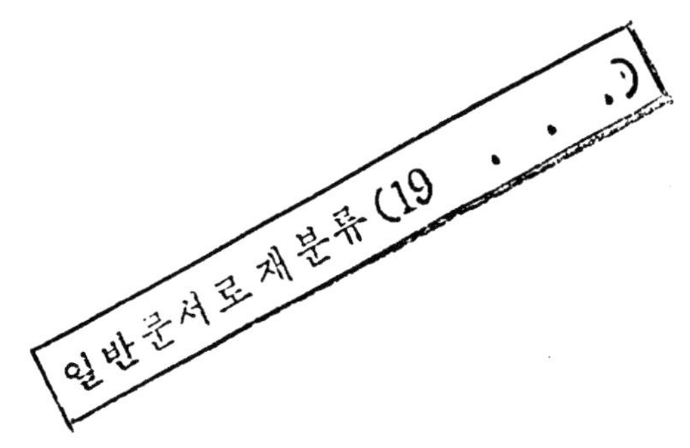

PAGE 2

0200

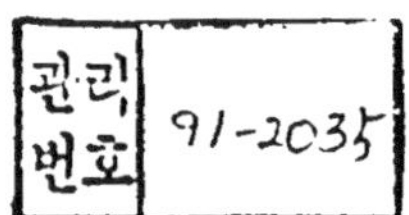

長 官 報 告 事 項

검 토 필 (1991.12.31)

1991.12.31.에 예고문에 의거 일반문서로 재 분류됨.

報 告 畢

1991. 12. 25.
國際機構局
國際機構課 (60)

題 目 : IAEA 안전조치제도 강화방안

91.10.23. IAEA 사무국이 작성 배포한 안전조치제도(Safeguards System) 강화방안관련 paper의 주요내용을 아래와 같이 보고합니다.

1. 특별사찰 강화

o IAEA의 안전조치 검증 활동이 신고되지 않은(undeclared) 핵시설 및 물질에도 적용되야 함.

o 특별사찰 실시결과 미신고 핵시설 및 물질이 발견되거나 특별사찰이 적절히 실시 될수 없는 경우 (당사국의 거부나 관련시설 은폐등), IAEA 이사회는 동 문제를 헌장12조(C)에 따라 IAEA회원국, 유엔 안보리 및 총회에 보고

2. 정보에의 접근

o IAEA 사무총장은 미신고 핵활동 관련 정보를 수집.평가하기 위해 사무총장 직속으로 소규모 특별반(small unit)을 설치

o 미신고 핵활동 관련 정보 외에 첨단장비와 비핵물질 수출관련 정보 도 회원국들이 자발적으로 IAEA에 제공할것을 권고

- 1 -

0201

- IAEA사무국은 범 세계적 핵물질 보고제(universal reporting of nuclear material) 도입도 제안

o 미신고 핵활동 존재 가능성을 평가하기 위해 IAEA 사찰관들 은 당사국에 의해 접근이 거부되고 있는 핵시설 장소 및 설계내용을 관찰할 수 있어야함

3. 설계정보의 제공 및 활용

o 핵시설의 평화적 이용에 관한 신뢰강화를 위해 당사국은 핵시설 건설이 실제 시작되기전 에 설계정보를 IAEA 에 보고 하도록 함

※ 현재는 핵물질을 공급받기 180일전에 시설관련 완전한 정보제공

4. 사무국 paper에 대한 우리의 일반적 검토 의견

o 대이라크 핵사찰 실시과정에서 나타난 안전조치제도 문제점을 해결, 또다른 핵개발 위험 국가의 출현 가능성을 방지하기 위한 IAEA의 적극적인 노력

- 미신고 핵시설, 물질 및 장소에 대한 특별사찰 실시 와 미신고 핵관련 정보수집. 평가 를 위한 IAEA내 특별반 설치운영 은 안전조치 강화를 위한 효과적인 방법

★ 북한은 아직 안전조치협정 미체결국이므로 안전조치제도 자체를 적용 할수 없음

o 현재 과기처에서 기술적 문제등 세부내용 검토중

5. 언론대책 : 해당사항 없음. 끝.

91. 12. 26 〈동아〉2면

核안전협정 서명위해 IAEA와 접촉시작

北유엔대사

【東京=李洛淵】北韓의 駐유엔대사 許鍾은 26일자 日本 요미우리(讀賣)신문과의 회견에서 북한의 담당관이 核안전협정 조인을 전제로 국제원자력기구(IAEA)당국자와의 협의에 들어갔다고 밝혔다.

許대사는 또 핵안전협정에 대한 북한의 입장은 美國의 「한국에서의 핵不在선언을 기대는 하지만 전제조건으로는 하지 않는다고 말해 미국의 입장표명 有無에 관계없이 핵안전협정을 早期체결할 것임을 시사했다.

그러나 許대사는 실제적인 핵사찰 수용에 관해서는 핵사찰 수용촉구결의안을 채택한 지난9월의 IAEA이사회와 같은 사태가 생길 경우 「이 문제는 파산될 것」이라고 말해 유엔등 국제압력의 가능성에 경고하면서 핵안전협정과 핵사찰수용의 분리방침을 내비쳤다.

北韓 핵사찰문제 日, 유엔상정추진

결의안 내기로

【東京=李洛淵】日本정부는 北韓에 대해 핵안전협정의 무조건 서명과 이행을 촉구하기 위해 이 문제를 유엔 안보리에 제기하자는 결의안을 내년2월 국제원자력기구(IAEA)이사회에 제출키로 했다고 도쿄(東京)신문이 26일 보도했다.

0203

관리번호	91-1232

	분류번호	보존기간

발 신 전 보

번 호 : WJA-5788 911226 1542 DW 종별 :

수 신 : 주 일 대사. 총영사 (사본 : 주호주대사) WAU -0986

발 신 : 장 관 (국기)

제 목 : 92.2월 IAEA 이사회

91.12.26자 도쿄 신문은 일본정부가 북한의 핵 안전협정 촉구를 위해 이 문제를 유엔 안보리에 제기하자는 결의안을 표제 이사회에 제출하기로 했다고 보도하였는 바, 동건관련 내용을 귀주재국 외무성에 확인 보고 바람. 끝.

예 고 : 92.6.30 일반

일반문서로 재분류 (1992.6.20)

(국제기구국장 문 동 석)

검 토 필 (1991. 12. 31.)
직권보관 (인)

보안통제	

앙고재	91년 12월 26일	국제기구과	기안자 성명		과장	심의관	국장		차관	장관
			신동익				전결			

외신과통제

0204

관리번호	91-1233

분류번호	보존기간

발 신 전 보

번 호 : WAV-1483 911226 1541 ED 종별 :

수 신 : 주 오스트리아 대사. 총영사

발 신 : 장 관 (국기)

제 목 : 북한의 조약비준 절차

연 : WAV-1468

대 : AVW-1684

대호 문의사항에 대한 통일원측의 회신내용을 아래 통보함

가. 북한은 조약의 체결권은 정무원이, 비준권은 국가주석이 보유하고 있으며 (북한 헌법 제96조), 입법부인 최고인민회의는 조약의 비준동의권이 없음

- 따라서 입법부의 비준동의를 요하는 조약 및 협정은 없고(물음 1)
- 지난 2년간의 조약 및 협정에 대한 비준동의 실적도 없으며(물음 4)
- IAEA와의 핵 안전조치협정은 입법부의 비준동의를 필요로 하지 아니함. (물음 5)

나. 최고인민회의 정기회의는 1년에 1-2차, 최고인민회의 상설회의가 소집하는 바(헌법 제77조)

- 통상 매년 4월중 이틀간 일정으로 개최되며(물음 2)
- 전년도 예산결산 및 당해년도 예산승인등의 사안을 주로 다룸

다. 임시회의는 최고인민회의 상설회의가 필요하다고 인정할 때 또는 대의원 전원의 3분의 1이상의 요청이 있을 때 소집됨(물음 3). 끝.

예 고 : 92.6.30 일반

일반문서로 재분류(1992.6.30)

검토필(1992.6.30)

보안통제	

앙고재	91년 12월 26일	국제기구과	기안자 성명		과 장	심의관	국 장	차 관	장 관
			신경이				전결		

외신과통제

0205

관리 번호	91-1237

분류번호	보존기간

발 신 전 보

번 호 : WAV-1490 911227 1140 WG 종별 : 지급

수 신 : 주 오스트리아 대사. 총영사

발 신 : 장 관 (국기)

제 목 : 제1차 남북대표 접촉

연 : WAV-1487

연호, 표제회담에서 북측은 "IAEA와의 핵안전협정및 핵사찰 수용등을 가능한 빠른 시일내에 마칠것이며 협정 서명 계획을 이미 IAEA에 통보했다"고 밝혔다 하는바, 귀지에서의 북한측동향을 예의주시하여 특이사항 있을시 지급 보고바람. 끝.

예 고 : 92.6.30 일반

일반문서로 재분류 (1992. 6. 30.)

(국제기구국장 문 동 석)

검 토 필 (1991. 12. 31.)
직권보관승인 (인)

보안 통제	

앙 고 재	91년 12월 27일	국제기구과	기안자 성명		과 장	심의관	국 장		차 관	장 관
			신동익				전결			

외신과통제

0206

공 란

공 란

기 12/28 신 5항 문의

관리 번호	91-1238

원 본

외 무 부

종 별 :

번 호 : AVW-1724 일 시 : 91 1227 1930

수 신 : 장 관(국기,미이,정특) 사본:안기부장,통일원장관,청와대 외교수석비서

발 신 : 주 오스트리아 대사 관 주미,유엔대사(본부중계필)

제 목 : 북한의 서명 계획설

대:WAV-1490

1.HANS BLIX 사무총장에 의하면 IAEA 는 북한으로 부터 대호에 언급된 서명계획을 통보받은바 없다고 함.

2. 상기는 ENDO 일본대사가 금 12.27(금) 오후 4 시 크리스마스 휴가중인 BLIX 사무총장을 오래전의 선약에 따라 비엔나 시내에서 접촉한 결과로 밝혀졌음.

3.BLIX 사무총장은 어제 오후 이후 상기 1 항의 '서명계획'에 대한 문의를 받고 있는데(당관이 신문보도에 기하여 미국대표부에 문의한바에 따라 미국이 IAEA 에 물은것으로 간주됨) IAEA 당직 수위(SECURITY OFFICER)를 통해 알아 보았으나 연휴중 상기 1 항의 동정은 없었다고 말하였음.

4. 다만, 북한이 연휴중 팩스밀리를 통해 무슨 통보를 IAEA 에 했을 가능성에 비추어 본직이 SANMAGANATHAN 사무총장 정책보좌관에게 확인한 바에 의하면 연휴중 잠겨있는 팩시밀리 통신실을 첵크하지는 않았지만 당지 북한대표부가 통상적으로 IAEA 에 사무연락을 해 왔음에 비추어 그럴 가능성은 지극히 희박하다고 말했다함.

5. 대호 북측이 '이미 IAEA 에 통보했다고 밝혔다 하는바'로 되어 있는데 북한대표단의 누가(WHO) 언제(WHERE) 누구에게(TO WHOM) 어디에서(OCCASION) 무슨 애기를 할때 (TOPIC) 그렇게 밝혔는지를 지급 회신바람. 끝.

예 고:92.6.30 일반.

(1992.6.30 일반문서로 재분류)

검 토 필(1991. 12. 31 .)
직권보관 용 인

국기국	장관	차관	1차보	████	미주국	외정실	분석관	청와대
안기부	통일원	중계						

PAGE 1 91.12.28 08:00

외신 2과 통제관 CA

0209

관리 번호	91-1240

	분류번호	보존기간

발 신 전 보

번 호 : WAV-1505 911230 1815 DW 종별 :

수 신 : 주 오스트리아 대사. 총영사

발 신 : 장 관 (국기)

제 목 : 북한의 서명 계획설

연 : WAV-1490

대 : AVW-1724

연호, 북한의 서명계획 통보설은 12.26. 제1차 남북대표회담후 아측 이동복 대변인이 기자회견 석상에서 밝힌 내용이나, 공식회담중에는 동 내용이 언급되지 않았다함을 참고 바람. 끝.

일반문서로 재분류 (1991.12.31.)

예 고 : 92.6.30 일반

(국제기구국장 문 동 석)

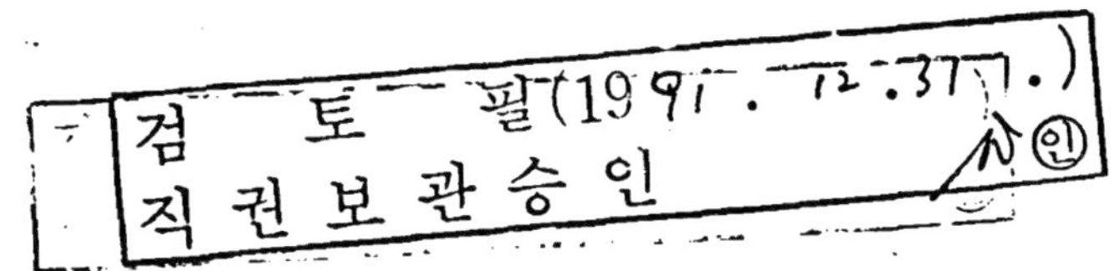
검 토 필 (1991. 12. 31.)
직 권 보 관 승 인

보안 통제	

앙 고 재	91년 12월 30일	국제기구과	기안자 성명		과 장	심의관	국 장		차 관	장 관
			신종익				전결			

외신과통제

0210

12/31 신

기

원 본

관리번호	91-1241

외 무 부

종 별 :

번 호 : AVW-1735 일 시 : 91 1230 1830

수 신 : 장관(국기,미이,정특)사본:안기부장,통일원장관,청와대 외교수석배서관

발 신 : 주 오스트리아 대사 사본:주미,주유엔대사-중계필

제 목 : 북한의 서명 계획설

연:AVW-1724

1. 당관이 알아본바에 의하면(본직과 BLIX 사무총장과의 통화 포함) 금 12.30(월) 현재 북한으로부터 협정서명에 관하여 아무런 통보가 없다고함.

2. 아국 특파원들은 금일 북한이 협정에 서명하리라는 풍문을 듣고 당관을 괴롭히고 있음. 끝.

예 고:92.6.30 일반.

일반문서로 재분류 (1992.6.30.)

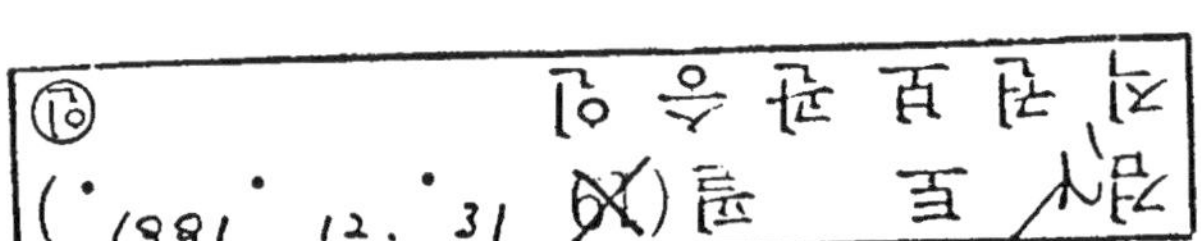

국기국	장관	차관	1차보	미주국	외정실	분석관	청와대	안기부
통일원	중계							

PAGE 1

91.12.31 03:29

외신 2과 통제관 BS

0211

정 리 보 존 문 서 목 록					
기록물종류	일반공문서철	등록번호	2020040097	등록일자	2020-04-10
분류번호	726.62	국가코드		보존기간	영구
명 칭	북한.IAEA(국제원자력기구) 간의 핵안전조치협정 체결, 1991-92. 전15권				
생 산 과	국제기구과/국제연합1과	생산년도	1991~1992	담당그룹	
권 차 명	V.12 1992.1월				
내용목차	* 1.30 핵 안전조치협정 서명 - IAEA 사무총장, 홍근표 북한 원자력공업부 부부장				

0001

공　　란

공 란

71/6 신
3 노 보안

관리 번호	92-4

외 무 부

종 별 : 긴 급

번 호 : AVW-0009 일 시 : 92 0105 2020

수 신 : 장 관(국기,미이,정특,구이)

발 신 : 주 오스트리아 대사

제 목 : 북한의 핵협정 관련 기자회견

1. 당지 북한대사 전인찬은 북한의 핵안전협정 문제 관련 1.7(화) 10:00 당지 북한대사관에서 기자회견 예정이라함.

2. 북한대사관측은 상기 취지의 초청장을 1.5(일) 당지 주재 기자단에 팩스밀리로 배포하였음.

3. 상기는 당지 동아일보 특파원(최맹호)의 제보 내용임. 동 특파원이 FAX 초청장 접수후 북한대사관측에 협정서명에 관한 것인지를 전화 문의한바 직명미상의 직원이 '기자회견하는 이유가 뭐겠읍니까'라면서 협정서명계획에 관한 것임을 시사했다함.

4. 관련 초청장 전문 별첨 FAX 송부함.

첨부: AVW(F)-002 1 매.끝.

예 고:92.6.30 일반.

일반문서로 재분류 (1992.

국기국 미주국 구주국 외정실 분석관 청와대 안기부

PAGE 1

92.01.06 05:21

외신 2과 통제관 FM

0004

EMBASSY OF THE REPUBLIC OF KOREA

Praterstrasse 31, Vienna
Austria 1020 (FAX : 2163438)

No : AVW(F) - 002	Date : 20/05 2020
To : 장 관(국기. 미이. 정특. 구이) (FAX No :)	
Subject : 첨 부	

표지포함 2매

Total Number of Page :

2-1

0005

05-05 '92 16:59 DONG A VIENNA

5 Jan 92 17:58 Nr.005 P.01

PERMANENT MISSION OF THE
DEMOCRATIC PEOPLE'S REPUBLIC OF KOREA
TO THE INTERNATIONAL ORGANIZATIONS IN VIENNA
Beckmanngasse 10-12, A-1140 Vienna, Austria tel. 894 23 11/13, Fax: 894 31 74

No. Pub.1005/9201 | 6 January 1992

I N V I T A T I O N

The Permanent Mission of the Democratic People's Republic of Korea to the International Organization in Vienna presents its compliments to the Press Representatives accredited in Vienna and has the honour to invite them to the press interview of the Resident Representative of the Democratic People's Republic of Korea H.E. Mr. Chon In Chan.

Date: 7 January 1992
Time: 10 a.m.
Place: Beckmanngasse 10-12, A1140 Vienna
Subject: NPT Safeguards Agreement of the DPR of Korea.

Please be kind to inform us on your intention to participate.
With best regards,

Press Representatives in Vienna

2-2

0006

01/06/92 18:03 004

주 카 나 다 대 사 관

번 호 : CNW(F) - 0005 일 시 : 920106 1750

수 신 : 장관 (해신, 미이)

발 신 : 주카나다대사

제 목 : 북한 핵사찰 서명 예고기사 크리핑 송부

북한이 화요일(1. 7) 핵시설 사찰을 허용하는 IAEA 협정에 서명할 것이라는 서울발 로이터 통신 전재 Ottawa Citizen 1. 6자 기사 크리핑을 별첨 송부함.

(대사 - 국장)

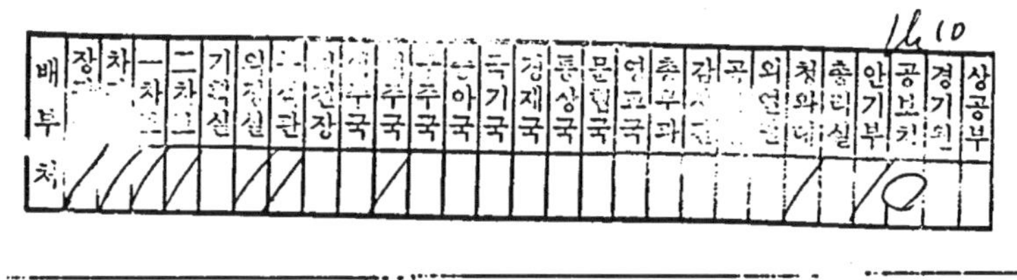

배부처	장관	차관	一차보	二차보	기획실	의전실	[illegible]	[illegible]	[illegible]	[illegible]	[illegible]	[illegible]	국기국	경제국	통상국	문협국	영교국	총무과	[illegible]	공[illegible]	외연원	청와대	총리실	안기부	공보처	경기원	상공부
	/	/	/	/		/	/			/												/		/	O		

표지포함 총 2 매

1/2

0007

27-3

N. Korea to allow neutral inspection of nuclear plants

SEOUL (Reuter) — North Korea will sign an agreement allowing international inspection of its nuclear facilities by Saturday at the latest, a South Korean foreign ministry official [illegible].

North Korea's ambassador to Austria will hold a news conference in Vienna, home of the International Atomic Energy Agency, Tuesday to announce Pyongyang's decision, he said.

"North Korea is expected to sign the agreement by Saturday at the latest," the foreign ministry official said.

Ottawa Citizen
92.1.6. page A-7

CN 05 - 2/2

0008

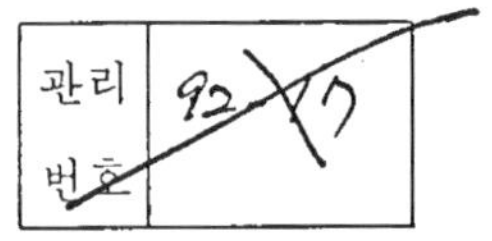

분류번호	보존기간

발 신 전 보

번 호 : WAV-0011 920106 1700 FL 종별 : 긴 급

수 신 : 주 오지리 대사. 총영사 (친전)사본: 주 UN, 중 . 소대사 WUN -0026, WSV -0026, WCP -0022

발 신 : 장 관 (미이,국기)

제 목 : 제3차 남북 대표 접촉

대 : AVW-0009

연 : WAV-1511, WUN-4426, WCP-2400, WSV-4166

1. 연호 관련, 아래 내용을 추가로 통보하니 귀관 참고로만 하고 대외 보안 유지 바람.

19 . 6. 30.에 예고문에 의거 일반문서로 재분류됨

- 아 래 -

가. 92. 1. 7자로 우리정부는 팀스피리트 '92 훈련을 중단하는 결정을 공식 발표할 예정이며 북측은 1. 7. 10:00시 외교부 성명을 통해 최단 시일내 IAEA 와의 핵안전협정에 서명, 비준하고 사찰을 수용한다는 성명을 발표할 예정임.

나. 북측은 외교부 성명에서 "최단 시일내"로 표현하여 발표하지만, 제6차 남북고위급회담 개최(92. 2. 18) 이전에 핵안전협정 서명 및 비준.발효 조치를 취한다는 것을 아측에 구두로 확약해 왔음. (대외보안 要)

2. 귀지 북한대사는 대호 기자회견시 북한의 핵안전협정 서명 및 발효조치, 사찰수용 등 계획을 발표할 것으로 사료되며 동 기자회견과 관련 아국 언론사 특파원들이 다수 귀지를 방문할 것으로 예상되는 바, 북한의 협정 서명 등 계획이

/계속/

국제기구국장 :

보 안 통 제	

앙 고 재	92년 1월 6일	북미 2과	기안자 성 명		과 장	심의관	국 장	1차관보	차 관	장 관

외신과통제

0009

발표될 경우 아측 특파원을 상대로 한 귀직의 논평이 필요시에는 하기 본부 준비 논평 내용을 참고하여 적의 대처하기 바람.

가. 북한이 IAEA와 핵안전조치협정에 서명 및 발효 조치를 취한다는 것은 늦게나마 다행스러운 일로서 우리는 이를 환영함.

나. 그러나 우리는 북한이 더 나아가 조속한 시일내에 그들이 보유하고 있는 모든 핵물질과 시설에 대한 IAEA의 핵사찰을 받음으로써 NPT 당사국으로서의 의무를 완전 이행하여 핵무기 개발 의혹을 불식시키게 될 것을 기대함.

3. 북한측 기자 회견 내용은 입수되는 즉시 유선 및 전문 보고 바람. 끝.

예고 : ~~92. 6. 30 일반~~

19 . . . 에 예고문에
의거 일반문서로 재분류 됨

(장관 이상옥)

0010

기 1/7 신

관리번호	92-6

원 본

외 무 부

종 별 : 긴 급

번 호 : AVW-0010 일 시 : 92 0106 1620

수 신 : 장 관(국기,미이,정특,구이)

발 신 : 주 오스트리아 대사

제 목 : 북한 핵안전협정 서명계획(북한대사 IAEA 사무총장 면담)

연:AVW-0009

1. 금 1.6(월) IAEA 측으로부터 탐문한바에 의하면 당지 북한대사 전인찬은금 92.1.6(월) 10:30 BLIX 사무총장을 방문 면담하고, 북한이 1 월말 이전에 IAEA 와의 핵안전 협정에 조건없이 서명할 것이라고 통보하였다하며, 서명일자로는 우선 잠정적으로 1.29(수) 또는 1.30(목)을 북한측이 제시, 잠정 합의하였다함.

2. 또한 북한측은 상기 협정서명을 위해 평양으로 부터 대표단이 당지를 방문할 예정이라 하였다함(대표단 구성은 미정이나, 지난 35 차 IAEA 총회시 북한측 수석대표로 참석한 오창림 본부대사가 올 가능성이 있다함). 끝.

예 고:92.6.30 일반.

일반문서로 재분류(1992. 6. 30.)

국기국	장관	차관	1차보	미주국	구주국	외정실	분석관	청와대
안기부								

PAGE 1 92.01.07 04:11

외신 2과 통제관 FM

0011

1/7 신

기

관리번호	92-8

원 본

외 무 부

* 관계 재외공관에 참고통보

종 별 : 긴 급

번 호 : AVW-0012 일 시 : 92 0106 1940

수 신 : 장 관(국기,미이,정특,구이)

발 신 : 주 오스트리아 대사

제 목 : 북한 핵안전협정 서명계획

연:AVW-0010

1. 연호 1.6(월) 북한대사 전인찬의 BLIX 사무총장 면담관련 IAEA 측으로부터 추가 파악한바에 의하면 북한측은 비준문제에 관하여는 구체적 시기에 관한 언급없이 서명이후 조속 비준이 기대된다(EARLY RATIFICATION IS EXPECTED)라고 하였다함.

2. 또한 IAEA 관계관은 북한측이 서명일자를 잠정적으로 1.29(수) 또는 30(목)로 제시한 배경엔 서명을 위한 대표단 파견준비(대표단 선정, 신임장준비, 항공일정, 비자수속등)및 한반도 비핵화 공동선언 합의문 서명교환 절차등에 대한 고려도 있는것같다는 사견을 비추었음.

3. 북한측은 대표단 구성및 상기 양일중 확정적인 서명식 일자에 관해 추후IAEA 사무국에 다시 통보해 주기로하였다 하며 IAEA 측으로서는 관례에 따라 BLIX 사무총장이 협정에 서명케 될것이라함. 끝.

예 고:92.6.30 일반.

일반문서로 재분류 (1992.6.30.)

국기국	장관	차관	1차보	미주국	구주국	외정실	분석관	청와대
안기부								

PAGE 1

92.01.07 04:16

외신 2과 통제관 FM

0012

종

EMBASSY OF THE REPUBLIC OF KOREA

Praterstrasse 31, Vienna
Austria 1020 (FAX : 2163438)

"긴급"

No : AVW(F)-003	Date : 92. 1. 6
수신: 장관 (국기, 미이)	
(FAX No :)	
발신: 주오스트리아 대사	
Subject : 북한 핵협정 관련 APA 통신 보도 및 IAEA 프레스리리스	

표제자료 표지 포함 3 매. 끝.

배부	장관실	차관실	一차보	二차보	기획실	의정실	분석관	의전장	아주국	미주국	구주국	중아국	국기국	경제국	통상국	문협국	영교국	총무과	감사관	공보관	외연원	청와대	총리실	안기부	공보처	경기원	상공부
처	/	/	/	/		/	/			/	/		0									/		/			

Total Number of Page : 3

0013

3-1

27-8

북한핵협정관련 APA통신보도내용

APA231 3 AL 0175 06.Jän 92

** E I L T

Nordkorea/IAEO/Atomanlagen

IAEO: Nordkorea wird Atom-Inspektionsabkommen unterzeichnen

Utl.: Pjöngjangs Vertreter zu IAEO-Chef Blix: Unterschrift bis Ende Jänner =

Wien (APA) - Nordkorea ist bereit, ein Abkommen über Atom-Inspektionen zu unterzeichnen. Dies hat der ständige Vertreter Pjöngjangs bei den Internationalen Organisationen, Chon In Chan, dem Generaldirektor der Internationalen Atomenergie-Organisation (IAEO), Hans Blix, am Montag in Wien mitgeteilt. Wie es in einer Presseaussendung der IAEO weiter heißt, werde Nordkorea bis Ende Jänner das Abkommen unterzeichnen. ****

IAEO-Sprecher Hans Meyer teilte gegenüber der APA mit, daß der Vertrag von Nordkorea nach der Unterzeichnung erst ratifiziert werden müsse. Botschafter Chon In Chan habe aber versichert, daß dies baldigst geschehen werde. Einen Monat nach der Ratifizierung werde die IAEO mit der Inspektion der Anlagen begonnen.

Das geplante Standardabkommen im Rahmen des Atomsperrvertrags regelt die Modalitäten für die Inspektion von Anlagen, in denen spaltbare Materialien gelagert sind. Unter anderem wird in dem Vertrag die Häufigkeit der Besuche in diesen Anlagen und die Verpflichtung zu Informationen über die Verwendung von Geräten festgelegt. Außerdem muß der Unterzeichnerstaat der IAEO eine Inventurliste vorlegen.
(Schluß) za

APA231 1992-01-06/17:34

0014

3-2

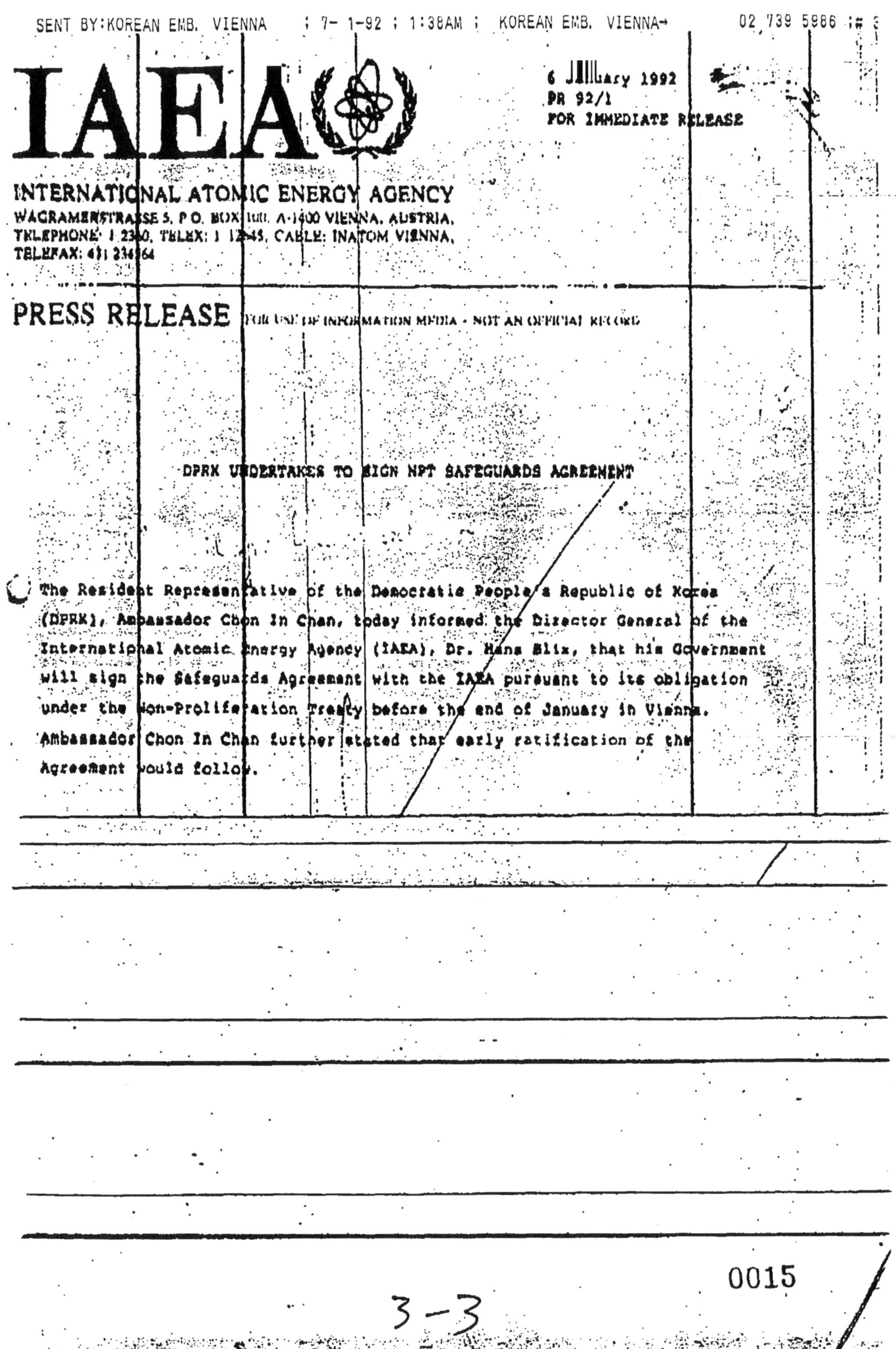

SENT BY:KOREAN EMB. VIENNA ; 7- 1-92 ; 1:38AM ; KOREAN EMB. VIENNA→ 02 739 5986 ;# 3

IAEA

INTERNATIONAL ATOMIC ENERGY AGENCY

WAGRAMERSTRASSE 5, P.O. BOX 100, A-1400 VIENNA, AUSTRIA, TELEPHONE: 1 2360, TELEX: 1 12645, CABLE: INATOM VIENNA, TELEFAX: 431 234564

6 January 1992
PR 92/1
FOR IMMEDIATE RELEASE

PRESS RELEASE FOR USE OF INFORMATION MEDIA - NOT AN OFFICIAL RECORD

DPRK UNDERTAKES TO SIGN NPT SAFEGUARDS AGREEMENT

The Resident Representative of the Democratic People's Republic of Korea (DPRK), Ambassador Chon In Chan, today informed the Director General of the International Atomic Energy Agency (IAEA), Dr. Hans Blix, that his Government will sign the Safeguards Agreement with the IAEA pursuant to its obligation under the Non-Proliferation Treaty before the end of January in Vienna. Ambassador Chon In Chan further stated that early ratification of the Agreement would follow.

0015

3-3

관리 번호	92-25

원 본

외 무 부

종 별 :

번 호 : UKW-0021 일 시 : 92 0106 1730

수 신 : 장관(정특,국기,구일)

발 신 : 주 영 대사

제 목 : 북한 핵안전협정 서명

북한이 늦어도 금주말까지는 IAEA 핵안전협정에 서명할 것임을 1.7. 밝힐것이라는 외신보도와 관련(당지 언론사에서도 IAEA 사무국에 확인하였다함), 동 보도가 사실일 경우 팀스피리트 훈련취소등 북한측의 요구사항에 대한 아측 대응입장에 관하여 당지 언론계등의 문의가 있어 본직은 원칙적인 입장을 설명하였으나추후 설명을 위한 본건관련 본부지침 및 참고사항 회시바람. 끝

(대사 이홍구-국장)

예고: 92.12.31 일반

검토필 (1992. 6. 30.)

외정실 구주국 국기국

PAGE 1

92.01.07 04:53

외신 2과 통제관 FM

0016

외 무 부

종 별 :

번 호 : GHW-0016 일 시 : 92 0106 1710

수 신 : 장관(정특,미이,아프일,정보)

발 신 : 주 가나 대사

제 목 : 북한 핵안정 협정서명

당지 일간지 DAILY GRAPHIC은 1.6.자 외신면에 서울발 AFP 통신을 인용,표제하1단 기사로 아래와 같이 보도했음.

-북한은 금주내 핵안정협정에 서명할것이며 한국도 이에 상응,금년도 한-미 팀스프리트훈련을 중지할 것이라고 정부소식통을 인용,중앙일보가 보도했음.

-중앙일보는 북한이 최근 한국당국에게 금주에 핵안전협정에 서명할 것이라고 통보했다고 보도하였는바,정부 소식통에 의하면,북한은 수요일경 서명할 것이 예상되며,한국은 동일자로 한미 팀스피리트 훈련의 중지를 발표할 것이라고 보도했음.끝.

(대사 오 정일 - 외정실장)

외정실 1차보 미주국 중아국 외정실 분석관 안기부

0017

PAGE 1 92.01.07 07:43 DQ

외신 1과 통제관

'01 '92 20:58 ☎5053067 KOREA BEIJING 001

주 북 경 대 표 부

긴급

CPW(F) : 008 시간 : 20107 1945

수 신 : 장 관 (미이. 아이. 국기. 정특)

발 신 : 주북경대표

제 목 : 중국외교부 대변인 논평
(북한핵사찰수락및 팀스피리트훈련 중지 관련)

(출처 : 1.7.19:00 CCTV뉴스)

- 금 1.7 오전 조선정부는 핵협정에서명하고 핵사찰을 수락하겠다고 발표하였으며 이와동시에 남조선 국방부대변인도 금년봄에 거행예정인 '92 한·미 군사연습을 중지하겠다고 발표하였다.

- 이러한 조치는 조선북남쌍방이 기울인 중요한 노력으로서 조선반도의 정세완화와 조선반도의 비핵화실현에 도움이 될것이다.

- 우리는 금번 조선북남쌍방의 조치를 환영하고 높이 평가하는바이다. 끝.

(이상 1.7. 19:00CCTV 뉴스)

(008 - 1 - 1)

외신 1과 통 제	

0018

관리 번호	92-9

	분류번호	보존기간

발 신 전 보

번 호 : WPA-0004 외 별지참조 종별 : 지 급

수 신 : 주 수신처참조 대사. 총영사

발 신 : 장 관 (국기)

제 목 : 북한 핵안전협정 서명 계획

표제관련, 1.6. 주오스트리아대사의 보고내용을 하기 통보하니 귀관 업무에 참고 바람.

1. 91. 1.6.북한의 전인찬 주 비엔나 국제기구담당대사는 Blix IAEA 사무총장을 방문, 북한이 1월말 이전에 IAEA와의 핵안전 협정에 조건없이 서명할것이라고 통보하였으며, 서명일자로는 우선 1.29(수) 또는 30(목)을 북한측이 제시, 잠정합의 하였다함.

2. 또한 북한측은 비준문제에 관하여는 구체적 시기에 관한 언급없이 서명이후 조속 비준이 기대된다(early ratification is expected)라고 함.

3. 북한측은 대표단 구성및 상기 양일중 확정적 서명 일자에 관해 추후 IAEA 사무국에 다시 통보해주기로 함. IAEA측에서는 관례에 따라 Blix 사무총장이 협정에 서명케 될 것이며, 북한측은 협정 서명을 위해 평양으로부터 대표단이 비엔나를 방문할 예정이라함. 끝.

예고 : 92.6.30 일반

(국제기구국장 문 동 석)

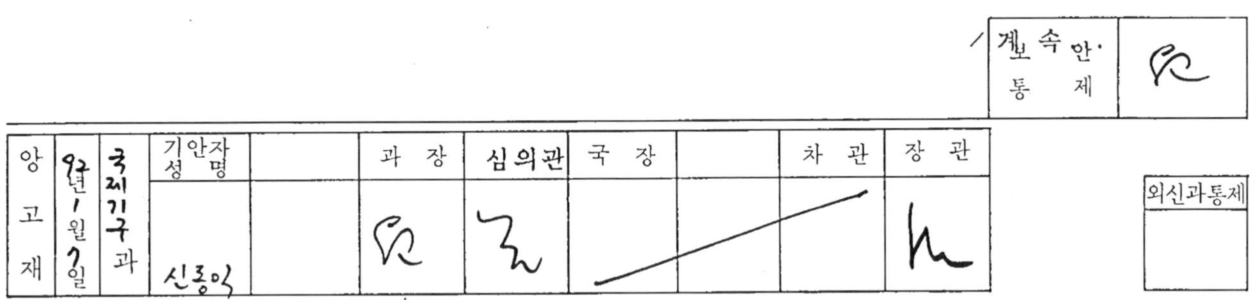

보안 통제	

앙 고 재	92년 1월 7일	국제기구 과	기안자 성명		과 장	심의관	국 장		차 관	장 관
			신동익							

외신과통제

0019

수신처 : 주 파키스탄, 알젠틴, 호주, 카나다, 프랑스, 독일, 인도, 인니, 일본,

러시아, 영국, 미국, 유엔,제네바대사, 주북경 대표

0020

WPA-0004 920107 0957 FO

WAR -0006 WAU -0015 WCN -0013 WFR -0022 WGE -0008

WND -0016 WDJ -0004 WJA -0043 WSV -0034 WUK -0025

WUS -0049 WUN -0037 WGV -0013 WCP -0031

0021

1/7 신

원 본

암호수신

외 무 부

종 별 : 긴 급

번 호 : AVW-0015 일 시 : 92 0107 1130

수 신 : 장 관(국기,미이,정특,구이)

발 신 : 주 오스트리아 대사

제 목 : 북한의 핵안전 협정관련 기자회견

연:AVW-0009

연호 당지 북한대사 전인찬의 기자회견시 북한 대표부가 기자들에게 배포한자료를 별전 FAX 송부함. 끝.

별첨:AVW(F)-004 4 매.

국기국	장관	차관	1차보	2차보	미주국	구주국	외정실	분석관
청와대	안기부							

PAGE 1

92.01.07 19:48

외신 2과 통제관 BW

0022

EMBASSY OF THE REPUBLIC OF KOREA

Praterstrasse 31, Vienna
Austria 1020 (FAX : 2163438)

No : AVW(F) - 004	Date : 20107 1130
To : 장관(국기. 미이. 정특. 구이) (FAX No :)	
Subject : 첨부	

총 2 매 포함 5 매

Total Number of Page :

0023

STATEMENT (북한 대표 발표문)

Availing myself of this opportunity I would like to state about the position of the Government of the Democratic People's Republic of Korea toward the signing of the Nuclear Safeguard Agreement.

D.P.R. of Korea, a peace-loving non-nuclear weapon state has been consistently trying to turn the Korean peninsula into a denuclearized zone.

It has been clarified on several ocassions that D.P.R. of Korea had neither intention nor ability to develop nuclear weapons.

It was our original principal position toward the NSA that we would sign this Agreement with the International Automic Energy Agency within a short span of time and accept the inspection.

However, the situation created on the Korean peninsula prevented us from discharging the obligations assumed under the Nuclear Nonproliferation Treaty.

As is known, so far nuclear weapons of a foreign country have been deployed in the southern part of the Korean peninsula, which means that we have been suffering from a direct nuclear threat by a nuclear weapon state.

In last September, the United States recognized itself the presence of its nuclear weapons in south Korea and made clear its position toward the neccessity to withdraw them.

It clearly proves that the United States which is a nuclear weapon state has failed to discharge its obligations under the NPT and our country which is a non-nuclear weapon state has been threatened by nuclear weapons not in words but in practice.

As a non-nuclear weapon state signed the NPT, it was our country alone that was directly threatened by nuclear weapons.

That is why we have insisted to remove the nuclear threat against us and give us a guarantee on non-usage of nuclear weapons in the spirit of the NPT.

In other words, we meant that the United States should sincerely discharge its obligations as a nuclear weapon state and we discharge our obligations as a non-nuclear weapon state.

This demand put by us was a very just and practical one in the light of both the spirit of the NPT and the general relations between states.

Besides this, proceeding from the idea to step up the signing the NSA we have taken active and progressive steps each time, thus making the United States accept our demand.

On September 28th last year when the US president Jorge Bush advanced a proposal to withdraw its tactical nuclear weapons we expressed our position through the statement of our Foreign Ministry that if the United States really removed its nuclear weapons from south Korea the way of our signing the NSA would be opened. And on November 8th last year, when the south Korean chief executive announced a "declaration" on denuclearization we positively welcomed it and put forward through our statement dated November 25th the proposals on simultaneous inspections, negotiations between the D.P.R. of Korea and the United States and north-south negotiations while clarifing our stand that we would sign the NSA as soon as the United States started the withdrawal of its nuclear weapons.

On December 18th last year when the south Korean chief executive made public a "declaration on non-existance of nuclear weapons" we took a progressive stand through the statement of the spokesman for our Foreign Ministry to sign the NSA and accept inspection through due procedures.

By our ceaseless and sincere efforts;
Firstly, the nuclear weapons of the United States have been withdrawn from south Korea,
Secondly, a north-south joint declaration on the denuclearization of the Korean peninsula was formed on last December 31st,
Thirdly, a basis for the DPR of Korea-United States negotiations has been laid down so that we can expect hihg-level talks between them in the near future, and
Fourthly, an agreement on simultaneous inspections of the north and south was made and the United States promised to render an active cooperation to it.

All these facts show that the conditions and circumstances for us to sign the NSA and discharge our obligations on the basis of equality have been created.

Out of this, DPR of Korea has clarified through the statement of the spokesman for the Foreign Ministry published today as following;

- DPR of Korea will sign the NSA at the end of this January.
- We shall ratify this through due procedures at an earliest date and bring it into force.
- We shall accept inspection at a time agreed upon with the IAEA.

As a member state of the NPT, we shall sincerely implement our obligations in future, too.

Thank you.

DPRK foreign ministry spokesman issues statement on nuclear inspection problem.

Pyongyang january 7 (kcna) -- A spokesman for the foreign ministry of the Democratic People's Republic of Korea today published a statement regarding the problem of nuclear inspection.

Following is the statement:

The government of the Democratic People's Republic of Korea, proceeding from the noble mission and idea of the nuclear non-proliferation treaty, put forward a proposal for the conversion of the korean peninsula into a denuclearised zone and has made tireless efforts for its realisation.

It has been the principled stand consistently maintained by us over the nuclear inspection problem to get the u.s. nuclear weapons completely withdrawn from south korea and remove the very source of its nuclear threat to us.

When the ardent desire of the entire korean nation for the denuclearisation of the korean peninsula was growing fiercer, the south korean authorities some time ago published a +declaration on the absence of nuclear weapons+ and then responded at last to the adoption of a +joint declaration on the denuclearisation of the korean peninsula+ which we had proposed long ago.

When the world people were lifting up louder voices demanding the complete withdrawal of the u.s. nuclear weapons from south korea, the united states recently expressed welcome to the south korean authorities' +declaration on the absence of nuclear weapons+ through various channels.

Not only the entire korean people but the world's peaceloving people are now genuinely rejoiced over the fact that it has become possible to solve the nuclear problem on the korean peninsula on an equitable basis at last thanks to our principled stand and painstaking efforts.

This proves once again that our principled stand toward the nuclear inspection problem was entirely just.

Now that circumstances and conditions have been brought to maturity for a fair solution of the nuclear problem on the korean peninsula the government of our republic decided to sign the nuclear safeguards accord in the near future and have it ratified through legal procedures at the earliest possible date and accept an inspection at a time agreed upon with the International Atomic Energy Agency (IAEA).

The government of our Republic has decided to formally inform the iaea of this stand of ours.

The DPRK government will, in the future, too, faithfully fulfil its obligations under the nuclear non-proliferation treaty and thus make an active contribution to the cause of completely eliminating nuclear weapons from the globe and defending peace and security in asia and the rest of the world. -0-

0027

4

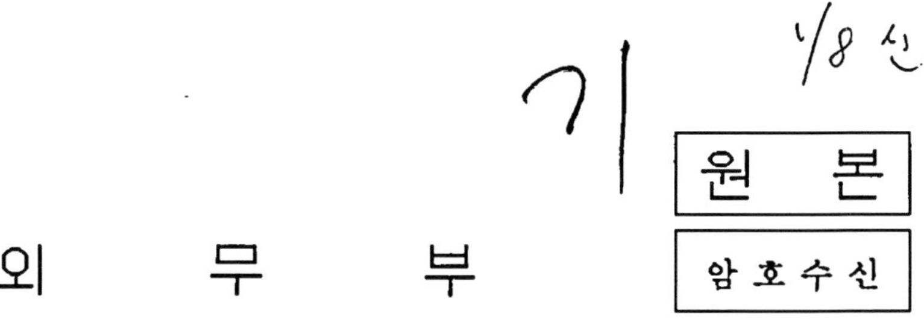

외 무 부

암 호 수 신

종 별 : 긴 급

번 호 : AVW-0017 일 시 : 92 0107 1615

수 신 : 장 관(국기,미이,정특,구이)

발 신 : 주 오스트리아 대사

제 목 : 북한의 핵안전협정(북한대사 기자회견)

연:AVW-0009,0015

1. 연호 당지주재 북한대사 전인찬은 금 1.7(화) 10:10-10:45(35 분간) 내외신기자 40 여명(아국 주요언론사 특파원 8 명포함)이 참석한 가운데 기자회견을 가졌음.

2. 상기 기자회견에서 전인찬대사는 10 여분간 연호 발표문 낭독에 이어 기자들의 질의에 답변(통역사용)하였는바, 동 질의 응답요지를 하기 보고함.

가. 핵안전 협정 비준시기

북한은 안전협정 서명과 관련한 자신의 모든 요구 조건이 충족되어 이에 서명하려는 것이며, 국내법 절차에 따른 내부과정을 최대한 빨리 진행시켜, 가장빠른 시일내에 비준할 것임.

나. IAEA 사찰 대상, 시기

1)사찰대상에 대하여는 핵안전 협정에 규정되어 있는바, 협정 규정에따라 북한의 모든 핵시설, 물질에 대한 보고서를 IAEA 에 제출할 것임.

2)영변의 핵시설이 사찰대상에 포함될 것이냐는 질문에 대하여는 영변에 무엇이 있는지 모르나 협정에 따라 IAEA 에 제출할 보고서에는 북한내 모든 핵시설이 포함될 것이라고 답변함.

3)실질적인 사찰 시행시기에 관한 질문에 대해선 안전협정 발효후 IAEA 와 합의하는 시기(날자)에 이루어질것 이라고함(동답변 과정에서 영어 통역은 늦어도 6 월말까지는 받는다고 말하였으나 전대사의 언급내용에는 없는 것이었다고 함)

다. 미신고 시설에 대한 특별 사찰 가능성

1)남북한간에 상호 동시 핵사찰에 관한 합의가 이루어 졌으며, 또한 한반도비핵화 공동선언 초안에 대하여 남북한간에 합의되었는바, 거기에 모든것이 설명되어 있음.

국기국 장관 차관 1차보 2차보 미주국 구주국 외정실 분석관
정와대 안기부

PAGE 1 92.01.08 03:31

외신 2과 통제관 FI

0028

2)특별사찰은 미국이 하는 소리이며, 북한은 자주독립국가로서 미국의 식민지도 패전국도 아님. 북한은 당당한 독립국가로서 우리가 가지는 권리와 의무를 이행할 것임.

라. 안전협정 서명을 금주내에 하지 않고 1 월말에 하려고 하느냐는 질문에대하여는 조약의 서명은 독립국가의 주권에 속하는 사항이며, 북한의 협정 서명에대한 자신들의 모든 요구가 기본적으로 실현되어 이에 서명하려는 것이고, 자신들이 많은 커다란 성과를 거두었다고 생각하고 있음. 따라서 협정 서명에 의의를 부여하려고 하며, 이러한 견지에서 현지대사가 서명할수도 있겠으나 조국에서 대표가 와서 서명코자하고, 이런 이유로 1 월말에 서명하려는 생각임.(국가 주석이나 총리가와서 서명할 가능성도 있느냐는 보충질문에 대하여는 그렇게 크게 생각할 필요는 없다고 답변)

마. 미북한 고위급 회담

1)북한은 오래전 부터 미국과의 이러한 회담을 갖기를 희망하고 제의하여 왔으나 아직까지 실현되지 못하였음.

2)미, 북한과의 고위급회담시 논의될 사항에 대하여는 알지 못하나 북한은 핵문제이외에도 무역등 다른 문제도 토의하기를 희망하고 있음(고위급 회담에 대하여 미국과의 합의가 있었느냐는 질문에 대하여는 답변을 회피함)

바. 기타

-북한이 호네카 전동독서기장을 받아 들일거냐는 질문에 대해 이는 정치적 망명처 제공은 아니며 91.12.28 보건부 성명과같이 인도주의적 견지에서 신병치료를 위한 입국을 허용코저하는 것이라고 말했다함.

3. 회견후 북한대사관 윤호진참사관은 북한의 내부 비준절차에 관한 아국 특파원의 별도 질문에 대해 북한 최고인민회의의 의결을 거쳐 주석의 서명이 있어야 비준이 된다고 말했다고함. 끝.

제 6 호

외교부 대변인 성명 (1.7)

- 핵사찰 수락관련

'92.1.7.10:00,중.평방

조선민주주의인민공화국 외교부대변인이 핵사찰 문제와 관련하여 성명을 발표했습니다.

'조선민주주의인민공화국 외교부 대변인 성명'

공화국정부는 핵무기전파방지조약의 숭고한 사명과 이념으로 부터 조선반도를 비핵지대로 만들데대한 제안을 내놓고 그 실현을 위하여 꾸준히 노력 하여왔다.

남조선으로 부터 미국의 핵무기를 완전히 철거시키고 우리에 대한 미국의 핵위협을 근원적으로 제거하는것은 핵사찰문제와 관련하여 우리가 시종일관하게 견지하여온 원칙적 입장 이었다.

조선반도를 비핵화하기위한 전체 조선민족의 지향과 열망이 더욱 고조되고 있는 가운데 남조선당국은 얼마전에 핵무기부재선언을 발표한데 뒤이어 이번에 우리가 이미 오래전에 제기한 조선반도의 비핵화에 관한 공동선언을 채택하는데 마침내 호응해 나섰다.

남조선으로 부터 미국핵무기를 완전히 철수할것을 요구하는 세계인민들의 목소리가 높아가는 환경속에서 최근 미국도 여러경로를 통하여

0030

남조선당국의 핵무기부재선언에 대하여 환영의 뜻을 표시하였다.

지금 전체 조선인민은 물론 세계평화애호인민들은 우리의 원칙적인 입장과 진지한 노력에 의하여 드디어 조선반도에서 핵문제가 공정하게 해결될수있게 된데대하여 진심으로 기뻐하고있다.

이것은 핵사찰문제와 관련한 우리의 원칙적 입장이 전적으로 정당하였다는것을 다시금 실증하여 주고있다.

공화국정부는 조선반도에서 핵문제를 공정하게 해결할수있는 환경과 조건이 성숙된 형편에서 가까운 시일안에 핵담보협정에 서명하고 이어 가장 빠른 시일안에 법적 절차를 밟아 그것을 비준하며 국제원자력기구와 합의하는 시기에 사찰을 받기로 하였다.

공화국정부는 우리의 이러한 입장을 국제원자력기구에 정식 통보하기로 하였다.

공화국정부는 앞으로도 핵무기전파방지조약에 의하여 지닌 자기의 의무를 성실히 이행함으로써, 지구상에서 핵무기를 완전히 페기하고 아세아와 세계평화와 안전을수호하기위한 위업에 적극 기여할것이다.

1992.1.7, 평양

91.1.7
청와대 일일보고 내용

2. 北韓 核安全協定 署名計劃 通報

o 國際原子力機構(IAEA)는 비엔나 駐在 北韓大使 전인찬이 1.6(월) 오전 블릭스 事務總長에게 北韓이 1월말 以前에 核安全協定에 條件없이 署名할 것이라고 通報해 왔다고 同日 發表함.

- 署名日字에 관해서 北韓側은 1.29(수) 또는 1.30(목)을 提示했으며, IAEA측이 이에 同意한 것으로 探聞됨.

- 北韓側은 또한 批准 問題에 관해서는 署名以後 早速 批准이 期待된다고만 하였다 함.

(駐오스트리아大使 報告)

0032

기 1/8 신
3층 검토

관리 번호	92-10

원 본

외 무 부

종 별 :

번 호 : AVW-0019 일 시 : 92 0107 1900

수 신 : 장 관(국기,미이,정책실장)

발 신 : 주 오스트리아 대사

제 목 : 북한의 핵안전 협정서명 계획 (BLIX 사무총장 면담)

연:AVW-0012,0010

1. 본직은 금 1.7(화) 오후(1515-1550) BLIX 사무총장을 면담하고 북한의 협정 서명에 관한 연호 계획을 확인하였음(IAEA 측은 현재 1.28,29,30,31(오전) 일자중 하루를 북한이 택하도록 제의하였다고 함).

2. BLIX 총장은 북한에 의한 협정의 조기 비준을 기대한다고 말하면서, 협정 발효후 북한이 제출할 최초 보고서(INITIAL REPORT, ORIGINAL INVENTORY)에 무엇을 포함시킬 것인가에 관하여 관심을 표시하였음(특히 가동중인 시설뿐만 아니라 건설중인 시설의 신고가 있어야 할 것이라는 희망을 피력하였음).

3. 또한 그는 남북한간의 상호사찰과 IAEA 사찰간의 관계에 관하여 특별한 관심을 표시하면서, 공이 북한측에 던져져 있으므로 앞으로 북한이 어떻게 나올것인지를 지켜 보자고 말하였음.

4. 북한의 핵물질및 핵시설의 신고에 대하여, IAEA 는 문제점을 제기하고 지적할수 있을 것이나, 인공위성으로 나타난 시설을 위요하고 분쟁이 있을 경우에는 결국 유엔 안보리를 통한 해결책 밖에 없을 것이라고 그는 언급하였음.

5. 그는 북한의 협정체결이 오래 지연 되어 왔지만, 이번에 이러한 결과를 가져 온것에 대하여 만족을 표시하면서, IAEA 로서는 북한의 행동에 못마땅한 면은 많지만 접촉과 협의의 통로로서 IAEA 사무국은 계속 비정치적 입장을 견지할 것이라고 말하였음. 끝.

예 고:92.6.30 일반.

국기국	장관	차관	1차보	2차보	미주국	외정실	분석관	청와대
안기부								

PAGE 1

92.01.08 07:21
외신 2과 통제관 BS

0033

1.7 북한대사 기자회견관련 APA 통신보도

IAEA - 6월말까지 북한에 대한 사찰

o 늦어도 6월말까지 북한에 대한 IAEA의 사찰이 가능할 것임. 전인찬 북한대사는 화요일 빈에서의 기자회견에서 북한정부가 1월중 빈에서 IAEA와 핵사찰협정에 서명할 것임을 밝혔음.

o 북한의 핵시설에 대한 사찰을 허용하겠다는 평양의 결정은 남한으로 부터의 모든 미국 핵무기의 철수에 대한 반응으로 이해되어야 할것이라고 전인찬은 말함. 또한, 전인찬은 "평양의 노력에 의하여" 북한과 미국간의 "고위급 대화"를 위한 기초가 마련되었다고 언급함. 전의 언급에 의하면 한반도 비핵화에 관한 91.12월 남북한 공동선언과 남북한의 동시 핵사찰에 관한 합의가 이루어 짐으로써 평양의 IAEA 핵사찰협정 서명을 위한 최종 조건이 충족 되었음.

o 전인찬은 "우리는 미국의 식민지가 아니다"라고 말하고 북한이 주권국가로서의 의무를 유의하고 있음을 강조하였음. 전의 말에 의하면 북한은 핵안전 협정을 가능한한 빨리 비준할 것이며 사찰관들에게 그들의 작업시 협정에 규정된 행동의 자유를 허용할 것임. 자유를 사랑하며 핵무기가 없는 북한은 지난 수년간 남한에 배치된 핵무기에 의하여 직접적으로 위협받아 왔으며 따라서, 평양은 미국 핵무기의 철수를 협정서명의 조건으로 내세웠다고 전은 말함. 전인찬은 워싱톤과의 대화시 핵무기 문제가 우선적으로 다루어질것이라고 말하고 여타 주제와 대화의 시기는 아직 구체화 되지 않았다고 언급함. 끝.

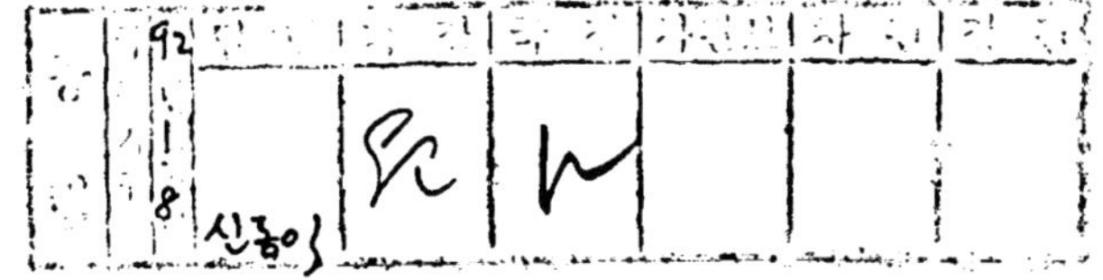

0034

기

"긴급"

EMBASSY OF THE REPUBLIC OF KOREA

Praterstrasse 31, Vienna
Austria 1020 (FAX : 2163438)

No : AVW(FT) - 0021	Date : 20107 1515
To : 장관 (국기, 미이) (FAX No :)	
Subject : 북한대사 기자회견 관련 APA 통신 보도내용 (1.7)	

표제자료 표지포함 2매. 끝.

배부처	장관실	차관실	一차보	二차보	기획실	의정실	분석관	의전장	아주국	미주국	구주국	중아국	국기국	경제국	통상국	문협국	영교국	총무과	감사관	공보관	외연원	청와대	총리실	안기부	공보처	경기원	상공부
	/	/	/	/		/	/		/				O									/		/	/		

상황실

Total Number of Page :

0035

SENT BY:KOREAN EMB. VIENNA | 7- 1-92 ; 3:12PM ; .KOREAN EMB. VIENNA→ 02 739 5986 ;# 2/ 2

07 JAN. '92 13:07 APA - AUSTRIA PRESSE AGENTUR Fax : 343 Ei 216

1.7 북한대사 기자회견 관련 APA 통신보도

APA194 4 AL 0326 07.Jän 92

Nordkorea/IAEO/Atomwaffen

IAEO-Inspektionen in Nordkorea bis spätestens Ende Juni BILD
Utl.: Pjöngjang wird Inspektionsabkommen noch im Jänner unterzeichnen =

Wien (APA) - Bis spätestens Ende Juni werden in Nordkorea Inspektionen der Internationalen Atomenergieorganisation (IAEO) möglich sein. Der Vertreter Pjöngjangs bei den Internationalen Organisationen in Wien, Chon Il Chan, hat am Dienstag auf einer Pressekonferenz in Wien die Bereitschaft der nordkoreanischen Regierung verkündet, noch im Jänner in Wien das Inspektionsabkommen mit der IAEO zu unterzeichnen. ****

Der Beschluß Pjöngjangs, die nordkoreanischen Atomanlagen inspizieren zu lassen, sei in erster Linie als Reaktion auf den Abzug aller amerikanischen Nuklearwaffen aus Südkorea zu verstehen, erklärte Chon. Außerdem sei "durch die Bemühungen Pjöngjangs" die Grundlage für einen "hochoffiziellen Dialog" zwischen Nordkorea und der Vereinigten Staaten "in naher Zukunft" geschaffen worden, sagte der Botschafter. Nach Chons Aussage sind mit der gemeinsamen nord-südkoreanischen Erklärung vom Dezember 1991 zur Beseitigung aller Atomanlagen auf der Halbinsel und mit dem Abkommen zur simultanen Inspektion in Nord- und Südkorea die letzten Bedingungen Pjöngjangs zur Unterzeichnung des Inspektionsabkommens mit der IAEO erfüllt worden.

"Wir sind keine Kolonie der Vereinigten Staaten", erklärte der Botschafter und betonte, daß Nordkorera seine Verpflichtungen "als souveräner Staat" wahrnehmen werde. Pjöngjang wird das Abkommen seinen Worten zufolge "so rasch wie möglich" ratifizieren und den Inspektoren bei ihrer Arbeit den im Abkommen vorgesehenen Freiraum lassen. Das "friedliebende und atomwaffenfreie" Nordkorea sei in den letzten Jahren von den in Südkorea stationierten Nuklearwaffen "direkt bedroht" worden, sagte Chon. Deshalb habe Pjöngjang den Abzug der amerikanischen Waffen zur Bedingung für die Unterzeichnung des Abkommens gemacht. Bei den Gesprächen mit Washington werde unter anderem das Problem der Atomwaffen behandelt werden, sagte Chon, die weiteren Themen und der Zeitpunkt der Gespräche seien jedoch noch nicht konkretisiert worden.

Nach Mitteilung von IAEO-Sprecher Hans Meyer vom Montag ist das Abkommen mit Pjöngjang seit September 1991 unterschriftsreif. Es regelt in erster Linie die Modalitäten zur Begutachtung von Anlagen, in denen spaltbares Material gelagert ist. Nordkorea hat den Atomsperrvertrag im Dezember 1985 unterzeichnet.
(Schluß) fwi/kr

APA194 1992-01-07/12:43

071243 Jän 92

From : Dr. SCHWARZ/APA Fax : 3605 224

0036

공　란

공 란

발 신 전 보

	분류번호	보존기간

번 호 : 종별 : 암호송신

수 신 : 주 수신처참조 대사. 총영사

발 신 : 장 관 (국기)

제 목 : 북한의 핵 안전협정서명 계획

표제관련 북한 전인찬 주비엔나 국제기구 담당대사의 1.7자 기자회견 내용을 아래 통보하니 귀관 업무에 참고 바람.

1. 협정서명 및 비준•발효시기

o 92.1월말에 핵 안전조치협정 서명

o 협정을 적절한 절차에 따라 가장 빠른 시일("at an earliest date")내에 비준 및 발효

2. IAEA 사찰대상 및 시기

o 사찰대상 관련, 협정 규정에 따라 북한의 모든 핵시설~~(영변 핵시설 포함)~~ 및 물질에 대한 보고서를 IAEA에 제출할 것임

o 사찰 시행 시기에 대해서는 안전조치협정 발효후 IAEA와 합의하는 시기에 이루어질 것임

/계속...

보안통제	

앙고재	92년 1월 8일	국제기구과	기안자 성명		과 장	심의관	국 장		차 관	장 관
			신동익				전결			

외신과통제

0039

3. 기타

o 협정서명을 금주내하지 않고 1월말에 하는 이유에 대해 협정서명에 대한 북한의 기본적 요구가 실현되어 서명에 의의를 부여, 평양에서 대표가 와서 서명코자 함

o 북한의 국내 비준절차에 관하여 북한 최고 인민회의 의결을 거쳐 주석의 서명이 있어야 비준된다고 답변

(국제기구국장 문 동 석)

수신처 : 주파키스탄, 알젠틴, 호주, 카나다, 프랑스, 독일, 인도, 인니, 일본, 러시아, 영국, 미국, 유엔, 제네바 대사, 주북경 대표

0040

공 란

주 미 대 사 관

USW(F) : 0101 년월일 : 91.1.7 시간 : 18:50 PM

수 신 : 장 관 (미이, 비실, 정안, 국연)

보안 통제

발 신 : 주미대사

제 목 : 북한 IAEA 서명

(출처 : FNS)

STATE DEPARTMENT REGULAR BRIEFING BRIEFER: MARGARET TUTWILER
12:25 EST TUESDAY, JANUARY 7, 1992

Q Margaret, do you have any reaction to North Korea's announcement that it will sign a nuclear inspections agreement with IAEA?

MS. TUTWILER: Yes, we do. We welcome this promise of action by North Korea. However, North Korea must follow through on this promise by urgently bringing the agreement into force and accepting IAEA inspections of all its nuclear activities. Only when these steps are complete and the North has implemented its undertakings consistent with the North-South denuclearization agreement concluded on December 31st can the world begin to regain a measure of confidence in the prospect for settlement of nuclear issues on the Korean Peninsula.

Q To follow up, do you know anything about a meeting between North Korean and American officials?

MS. TUTWILER: As General Scowcroft stated I believe Sunday on a Sunday show, Barry, that he --

Q (Off mike.)

MS. TUTWILER: (Laughs.) I wasn't either but I heard he said it. That we are considering, quote, "a modest upgrade in our contacts with North Korea" and at this point there are no meetings that are set.

(0101 - 2 - 1)

외신 1과 통 제

0042

Q Margaret, what the State Department has not explained is why it continues to have such confidence in the IAEA inspections when the object lesson of Iraq was that they totally missed a huge, multifacted nuclear weapons program.

MS. TUTWILER: I don't know anyone that I'm aware of, Jim, that has not expressed confidence in this organization. I don't know anyone in the coalition that has said the IAEA is not doing a thorough job there in Iraq. I can't tell you that they're not a human -- an organization made up of human beings, that they may have missed something, but that I'm not aware of any criticism in my government, or in other governments, to be quite honest with you, or any suggestions at the UN that somehow they aren't doing their job and someone else should take it over. I just personally have never heard any talks along those lines, and all I've ever heard is that it is a very well-respected, well-run organization that a number of nations in the world look to to do this type of technical work.

0101-2-2

0043

원 본

외 무 부

암 호 수 신

종 별 :

번 호 : JAW-0072 일 시 : 92 0108 1510

수 신 : 장관(미이,아일,정특, 사본:부총리겸 국토통일원장관)

발 신 : 주 일 대사(일정)

제 목 : 북한 핵문제

연:JAW(F)-0059

작 1.7(화) 발표된 팀스피리트중지 및 북한의 핵안전협정 서명 결정과 관련, 금 1.8(수) 당지 주요언론(조간)의 분석요지를 하기 바고함.

0 금번 북한의 핵안전협정 서명결정 및 한국의 팀스피리트 중지발표등의 일련의 움직임은, 일본을 포함한 동북아시아 및 냉전이후의 세계 전체에 있어서 환영할 일이며, 금후 남북정상회담의 실현을 향한 착실한 전진을 기대하는바임.

0 부쉬대통령의 방한을 전후하여 이러한 움직임이 나타난 것은 미.북한간 접촉에도 진전이 있을 것임을 시사하는 것이며, 이에 따라 한반도에 잔존해있는 냉전구조의 본격적 용해가 이루어질 것으로 보임.일.북한간 교섭에 있어서도 바람직한 영향을 미치게될것임.

0 남북한 평화공존의 정착전망이 확고해지면, 미.북한관계 개선의 가능성도고조될것이고, 일.북수교의 장애가되던 정치적 조건도 사라질것이며 한반도에 중대한 이해를 갖는 중국에 있어서도 한국과의 국교실현에 관한 장애가 없어 지게될 것임.따라서 한반도의 안정도는 비약적으로 증대될것인바, 지나친 낙관은 경계해야할것이나, 커다란 흐름은 이미 결정되었다고봄.

0 경제적 곤란과 국제적 고립에 직면하고 있는 북한으로서 의지할 곳은 한국이며, 한국은 김일성 정권의 안정화를 모색할 필요성을 느끼고 있으므로 , 금번 핵안전협정 서명 결정은 이러한 남북 공존무드를 촉진시키게 될것임.

0 미.북한간 접촉이 본격화 된다고 해도, 김일성 체제의 김정일 체제에로의이양을 지상명령으로 하는 북한과, 그러한 체제를 인권탄압과 전체주의의 전형으로 간주하는 미국과의 관계가 간단히 정상화되리라고는 생각되지 않음.

0 결과적으로 북한은 원하는 것을 손에 넣은 셈이며, 한. 미 양국의 유연한대처도

미주국	장관	차관	1차보	2차보	아주국	외정실	분석관	청와대
안기부	통일원							

0044

PAGE 1 92.01.08 17:15

외신 2과 통제관 BW

냉전후의 세계질서라는 대국적 측면에서 볼때 올바른 것이었음. 그러나이러한 과정에서 북한이 국제신의와 규칙을 정직하게 지키려하지 않는 국가라고 하는 불신감을 세계에 안겨준 점은 부정할수 없음.

0 북한은 무조건사찰 수락을 요구하는 강력한 국제여론의 압력에도 불구하고, 사실상 주한 미군의 핵철수 및 사찰을 얻어내었음. 이는 북한이 끈질긴 자세로 이루어낸 외교적 승리라고 평가할수 있음.

0 그러나 금후 한반도의 냉전구조 해체의 촉진여부는 여전히 북한의 행동여하에 달려있음. 북한은 스스로가 현재 우려의 대상이되고 있는 모든 시설에 대한의혹을 해소하여, 국제사회를 납득시켜야함. 또한 핵사찰 실현에 이르기까지는아직 몇가지 단계가 남아 있으므로, 미국 및 일본은 북한과의 관계 개선에 있어서 핵사찰에 대한 북한의 대응을 계속 주시해야함.

0 남북한이 핵문제의 해결을 애매하게 놔둔채 급속히 접근하게되면, 이에 대한 주변국의 우려도 대두될것으로 보임.

0 금번 팀스피리트 중지 발표의 직접적인 목적은 핵문제에 관한 북한의 의미있는 양보를 얻어내는데 있으나, 한편으로 미국의 재정사정 악화와 함께, 극동에 있어서도 냉전구조가 명확히 붕괴되어 구소련, 중국으로부터의 위협이 제거된사실이 배경으로 작용한 것으로 보임.이러한 맥락에서 미.일 합동 연습도 재검토해야할것임.끝

(대사 오재희-국장)

외 무 부

종 별 :

번 호 : SVW-0106　　　　일 시 : 92 0109 1830

수 신 : 장 관(동구일,정특,기정)

발 신 : 주 러대사

제 목 : 북한관계(손성필대사 기자회견)

1.8(수) 북한의 손성필대사는 기자회견을 가진바 요지 하기 보고함.

1. 핵사찰관계

0 북한은 1월말까지는 NPT조약상의 핵안전협정에 서명할 것임. 남한의 핵부재선언을 긍정 평가함. 한반도에서의 핵문제의 공평한 해결을 위한 분위기가 정착되고 있음. 북한은 한반도 비핵지대화(NUCLEAR FREE ZONE)를 위하여 계속 투쟁할 것임.

0 남한과 미국이 TEAM SPIRIT 훈련중지를 결정한것을 환영함. 이 결정은 핵으로부터의 안전보장확보를 위한 우리의 요구가 충족되었다는 것을뜻함.

2. 호네커 방북

0 호네커 전동독 서기장에 대한 방북초청은 계속 유효함. 동인에 대한 초청은 인도적 이유에 의한것임.

0 호네커 전서기장의 부인과 계속 접촉하고 있으며 호네커 부인은 호네커의 건강상태를 알려오고 있음.

0 호네커는 아직 주러시아 칠레대사 관저에 체류중임.끝

(대사공로명-국장)

구주국　1차보　외정실　분석관　청와대　안기부

PAGE 1　　　　92.01.10　08:17 WH

외신 1과 통제관

0046

관리번호 92-76

외 무 부

110-760 서울 종로구 세종로 77번지 / (02)720-2336 / (02)720-2686

문서번호 국기 20332-29

시행일자 1992. 1.10.( )

수신 주오스트리아 대사

참조

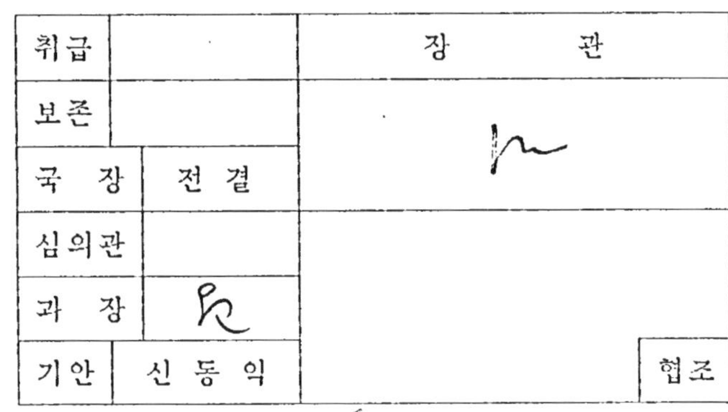

취급		장 관
보존		
국 장	전 결	
심의관		
과 장		
기안	신 동 익	협조

제목 북한의 조약 비준 절차

대 : AVW-1684

연 : WAV-1483(91.12.26)

인반문서로 재분류 (1992.6.30.)

연호, 표제관련 국가안전기획부에서 통보해온 자료를 별첨 송부하니 귀관 업무에 참고하시기 바랍니다.

첨 부 : 상기 자료 1부. 끝.

예 고 : 92.6.30. 일반

검열 1 10 통제관

외 무 부 장 관

0047

국 가 안 전 기 획 부

136-600 서울 성북우체국 사서함 100 (02)968-3863 / 전송

문서번호 북정 400-34

시행일자 1992. 1. 8. (1년)

수신 외무부장관

참조

선결			지시		
접수	일자 시간	92.1.9	결재·공람		
	번호	886			
처리과		기			
담당자		신			

제목 북한의 조약비준 절차

1. 국기 20332-1349(91.12.18) 의 관련사항입니다.

2. 북한의 조약비준 절차등에 대하여 당부가 파악하고 있는 내용을 첨부와 같이 통보합니다.

첨부 1. 북한의 조약비준 절차등에 관한 당부파악 내용 1 부.

2. 90-91 북한의 대외협정 체결 실태 1 부. 끝.

국 가 안 전 기 획 부

0048

北韓의 條約批准 節次등에 관한 當部 把握內容

1. 北韓의 憲法上 立法府의 批准同意를 요하는 條約 및 協定

o 헌법상 조약 체결·비준에 대한 최고인민회의의 동의권 규정은 없음

* 조약의 체결권은 정무원에 (헌법 109조 7항),조약의 비준 및 폐기권은 국가주석에 (헌법 96 조) 있음

2. 形式上 立法府가 開會되는 年中의 定期會議 期間

o 북한 헌법상 최고인민회의의 정기회의는 년 1-2회 개최 (헌법77조) 토록 되어있으나 회기에 관한 규정은 없으며 통상 매회마다 2-3 일간 개최함

* 7 기 1차 최고인민회의 (82.4) 이후 9기 2차 회의(91.4)까지 12차례의 회의중 1일 2회, 2일 2회, 3일 8회 개최

3. 形式上 立法府의 不定期 會議 召集節次 및 所要期間

o 북한은 최고인민회의의 부정기회의를 「임시회의」라 함

o 임시회의는 최고인민회의 상설회의가 필요하다고 인정할때 또는 대의원 전원의 3분의 1이상이 요청이 있을 때 최고인민회의 상설회의가 소집 (헌법77조)

0049

o 북한은 최고인민회의의 정기회의와 임시회의를 공식적으로 구분하여 밝히지 않고 있으나 임시회의로 보이는 8기 4차 회의 (88.12.12, 정무원 총리교체 : 이근모→연형묵) 는 회의 3 일전 소집공고 (통상 20 일전 소집공고) 하여 1일간 개최

4. 지난 2年間의 條約 및 協定에 대한 批准同意 실적

o 조약의 체결및 비준에 대한 최고인민회의의 동의사례는 없음

* 90-91 년간 조약체결 사례 별첨

5. IAEA와의 核 安全措置協定이 形式上 立法府의 批准同意를 필요로 하는지 與否

o 상기 문항 1의 내용과 동일

0050

'90-'91 北韓의 對外協定 締結 實態

1. 條 約 : 1 개국 1 건

日 字	國家	條 約 名	締結地	備 考
90.9.18	소 련	국경질서에 관한 조약	평 양	91.11.27 비준서 교환

2. 協 定 : 22 개국 61 건

日 字	國 家	協 定 名	締結地
90.1	소 련	수도간 문화회관 설립 협정	평 양
1.17	불가리아	불가리아체류 북한인에 대한 망명 보호 협정	소피아
2.14	소 련	석탄공업부 협조 협정	평 양
2.	"	사할린주- 황북도간 '90-91 문화협조 협정	"
3.12	파키스탄	공보분야 협조 협정	파키스탄
3.30	시리아	집권당간 협력 협정	다마스커스
5.7	카자흐탄 공화국	무역 및 경제 협정	알마타
5.18	가 나	기자협회간 협조 협정	아크라
5.24	중 국	수문사업 협력 협정	평 양
5.30	라오스	경제및 과학기술협조위원회 창설에 관한 협정	비엔티안
"	우간다	군사 협정	평 양
7.24	말 리	무역 및 지불 협정	"

0051

日 字	國 家	協 定 名	締結地
8.21	우간다	경제 및 기술협조 협정	캄팔라
10.21	쿠 바	'91 상업교류 협정	하바나
10.28	중 국	스포츠교류 협정	평 양
10.30	아프칸	노동신문사-파얍신문사간 협조협정	카 불
11. 1	체 코	무역 협정	프라하
11. 5	소 련	경제연계 도시간 이행에관한 협정	모스크바
11.15	중 국	의학협회간 협조 협정	평 양
11.24	파키스탄	수력발전소 건설지원 협정	카라치
11.27	중 국	중국의 북한 경제원조 협정	북 경
11.28	시리아	'91-93 문화협조 협정	시리아
11.29	일 본	위성통신망 개설 협정	평 양
12.13	중 국	'91-92 과학협조 협정	북 경
"	쿠 바	전자 자동화분야 협조 협정	하바나
12.25	러시아 공화국	통상 경제협조 협정	모스크바
12.26	리비아	수산협력 협정	리비아
小 計	14 개국 27 건		
91.1.10	쿠 바	수력발전소 건설지원 협정	평 양
1.27	루마니아	무역 및 지불에 관한 협정	"
2. 2	인도네시아	경제 및 기술협력 협정	자카르타
"	"	무역 협정	"
3. 3	이 란	원유공급 협정	평 양
3. 5	몽 고	'91 수출입 및 화물철도 운수협정	"
"	중 국	"	"
"	소 련	"	"

0052

日 字	國 家	協 定 名	締結地
3. 6	중 국	'91 무역 협정	북 경
"	쿠 바	군사 협정	아바나
3.18	이 란	방송국간 라디오 및 TV 분야 협조협정	테헤란
3.21	소 련	'91-93 방송위원회간 TV/R 분야 협조 협정	모스크바
3.28	중 국	대학간 교육·과학분야 협조협정	평 양
3.31	몽 고	무역 및 지불에 관한 협정	"
4. 8	타지크 공화국	무역·경제협조 협정	소 련
4.13	키르키즈 공화국	"	"
4.15	투르크메니아 공화국	"	"
4.24	백러시아 공화국	"	"
4.28	소 련	'91 무역 및 경제협조 협정	평 양
5. 7	카자흐탄 공화국	무역 및 경제협조 협정	알마타
5. 8	나미비아	문화 협정	나미비아
"	인 도	과학기술협력 협정	인 도
5.20	소 련	무역·경제협조 공동위 창설에 관한 협정	평 양
"	파키스탄	의원교류 협정	북 경
6.22	나이제리아	공보분야 협조 협정	평 양
8. 8	소 련	임업분야 "	"
9.14	나미비아	경제과학기술 협정	"
10. 5	파키스탄	경제·무역협력 협정	이슬라마바드

0053

日 字	國 家	協 定 名	締結地
11. 6	우크라이 공화국	과학원간 협조 협정	평 양
11. 6	라오스	양국수도간 우호 협정	비엔타안
11.21	몽 고	의사협회간 협력 협정	울란바토르
12. 6	베트남	무역 및 지불에 관한 협정	평 양
12.17	러시아	'92-93 문화협력 협정	"
12.18	시리아	경제·과학기술협력 공동위원회 구성 협정	시리아
小 計	14 개국 34 건		

0054

3. 其 他 : 34 개국 91 건

日 字	國 家	締 結 및 調 印 名	締結地
90.1.22	체 코	'90 상품유통 및 지불에 관한 의정서	평 양
2. 1	불가리아	'90 상품 호상납입 및 지불에 관한 의정서	소피아
2.10	소 련	'90 영화부문 협조 사업 계획서	평 양
2.16	라오스	외교부간 협조 합의서	라오스
"	"	'90-'91 문화교류 계획서	"
3. 5	헝가리	'90 상품유통 및 지불 의정서	평양
3. 8	베트남	공보분야 협조 합의서	하노이
3.12	방글라데시	"	다카
3.22	중 국	'90-'91 보건 및 과학분야 협조 계획서	북경
3.29	UNDP	전자계산기 운영회사 현대화 협조 계획서	평양
4.10	소 련	'91-'95 작가동맹 협조 계획서	"
4.16	베트남	'90 상품교류 및 지불 의정서	하노이
4.12	방글라데시	'90-'91 문화교류 계획서	다카
4.27	소 련	'90 상품유통 및 지불 의정서	평양
"	"	경제 및 과학기술 의정서	"
4.26	중 국	"	평 양
5.10	파키스탄	평남- 씬두주간 친선관계설정의정서	평 성
5.31	우간다	경제 및 기술협조 합의서	평 양
6.10	이디오피아	경제공동위 의정서	평 양
"	"	'90-'91 상품유통에 관한 의정서	"
7.22	파키스탄	경제공동위 의정서	"

0055

日 字	國 家	締 結 및 調 印 名	締 結 地
7.24	말 리	경제공동위 의정서	"
8.22	베트남	'91-'95 경제 및 무역분야 협력 의정서	하노이
8.24	중 국	과학기술협조 의정서	평 양
8.27	소 련	'91-'95 과학협조 계획서	"
8.29	UNDP	함흥 과학분원실험기구 연구소 현대화 합의서	"
"	"	비섬유통신에 이용할 인폴스부호 변조 중첩기 협조 합의서	"
9.18	베트남	'91-'92 친선협회간 협조 계획서	"
10.1	"	경제 과학기술협력 의정서	"
10.10	중 국	수력발전회사간 의정서	"
10.12	가이아나	평양- 죠지타운시간 친선도시설정 합의서	죠지타운
10.20	페 루	개성- 쿠스코시간 "	쿠스코
10.21	쿠 바	경제 과학기술 의정서	하바나
10.23	가 나	'90-'92 문화교류 계획서	아크라
10.27	세네갈	경제공동위 의정서	다카르
11.8	중 국	'91-'92 농업과학 기술협조 의정서	평 양
11.12	헝가리	'91-'95 과학협조 계획서	"
11.13	알바니아	'91-'95 상품호상납입 지불 의정서	알바니아
11.14	카메룬	상품교환 의정서	카메룬
"	"	보건 의정서	"
"	"	기술협조 의정서	"
12.15	이집트	'91-'92 문화협조 계획서	카이로
12.17	소 련	'91-'95 규격개량부문 과학기술협조 의정서	평 양

0056

日 字	國 家	締 結 및 調 印 名	締結地
12.18	리비아	경제공동위 의정서	평 양
12.18	리비아	'91 과학기술협조 계획서	평 양
"	"	'91-'93 공보 및 문화협조 계획서	"
12.22	몽 고	'91-'92 과학기술협조 계획서	
12.28	중 국	'91-'92 문화교류 계획서	북 경
小 計	22 개국 48 건		
91.1.13	폴란드	'91-'95 과학협조 계획서	평 양
1.31	몽 고	'91-'92 보건 및 의약분야 협조 계획서	"
1.31	불가리아	무역협조 합의서	소피아
2.23	소 련	수산업분야 협조 합의서	평 양
2.25	일 본	청년조직간 친선관계발전 합의서	동 경
2.26	"	노동당·자민당간 교류협력 합의서	"
"	"	노동당·사회당간 교류확대 합의서	"
3. 6	루마니아	과학기술 협조 의정서	"
3.19	체 코	'91 상품유통및 봉사와 지불의정서	"
"	"	과학 기술 협조 의정서	프라하
3.22	나이제리아	건설협조 합의서	"
3.25	소 련	'91-'95 경제 및 과학 기술 협조 의정서	평 양
"	"	'91-'92 친선협회간 협조 계획서	"
3.28	UNDP	건설 설계의 전자계산기화 실현 협조 계획서	평 양
4. 8	일 본	문화협회간 과학·교육·보건·체육·문화교류 합의서	동 경
5. 2	베트남	'91 문화과학협조 계획서	하노이

0057

日 字	國 家	締 結 및 調 印 名	締 結 地
5. 2	베트남	외무협조 합의서	하노이
5. 3	탄자니아	경제공동위 의정서	평 양
5. 8	인 도	문화교류 계획서	인 도
5.11	이집트	'92-'93 노동당·민족민주당간 협조 의정서	이집트
5.13	이 란	체신분야 호상협조 합의서	평 양
5.29	소 련	'91-'93 문화 및 과학협조 계획서	모스크바
6.12	〃	'91-'93 농업분야 과학협조 계획서	평 양
〃	마다가스칼	개성시와 안찌베라시간 친선도시 관계설정 합의서	〃
6.26	소 련	'91-'92 기상수문부문간 협조의정서	〃
6.28	폴란드	'91-'92 친선협회간 협조 계획서	폴란드
7. 5	소 련	'91-'92 경공업상품생산 협조의정서	평 양
7. 8	폴란드	'91-'93 문화협조 계획서	〃
〃	터 키	노동당·사회당간 친선협조 합의서	터 키
7.17	불가리아	'91 무역 의정서	평 양
〃	몽 고	'91-'92 문화협조 계획서	울란바토르
〃	〃	'91-'92 친선협회간 협조 계획서	〃
8. 2	이 란	체육분야 협조 합의서	평 양
8.14	UNDP	품질 및 계량과학연구 협조합의서	〃
8.29	중 국	과학기술 협조위원회 의정서	북 경
9. 4	쿠 바	'91-'93 보건부 사업 계획서	평 양
9.14	이 란	'91-'92 문화·과학·교류 계획서	〃
9.	일 본	우호도시 맹약에 합의서	평 양
10.29	말레이시아	당 조직간 협력 의정서	말레이시아

0058

日 字	國 家	締 結 및 調 印 名	締結地
11.6	우크라이나	'91-'95 협조 계획서	평 양
11.11	일 본	직업연맹간 우호협조 합의서	"
11.14	우루과이	평양시·몬테비데오시간 친선관계 수립 합의서	몬테비데오
12.14	중 국	'92 체육교류 의정서	베이징
小 計	20 개국 43 건		

0059

1/21 친

대 한 민 국
주 오스트리아 대사관

3

오스트리아 20320- 𝓋

1992 . 1 . 10 .

(보존기간 :)

수 신 : 장관

참 조 : 국제기구국장

제 목 : 북한의 핵안전협정 서명 계획

연 : AVW - 0019

연호 북한의 IAEA 측에 대한 핵안전협정 서명 계획 통보와 관련한 IAEA 사무국의 Press Release 를 별첨 송부합니다.

첨부 : PR 92/1

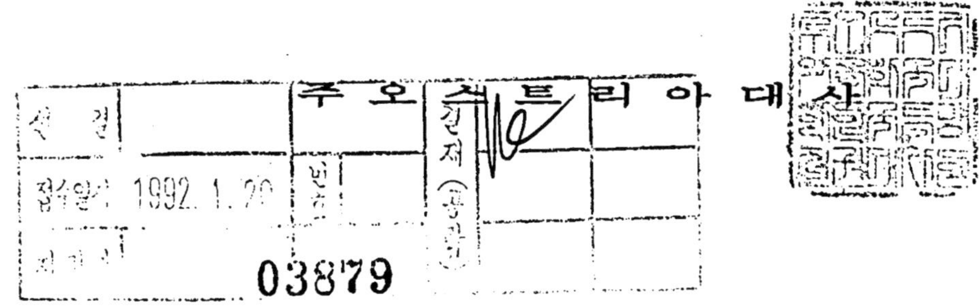

주 오스트리아 대사

03879

0060

INTERNATIONAL ATOMIC ENERGY AGENCY
WAGRAMERSTRASSE 5, P.O. BOX 100, A-1400 VIENNA, AUSTRIA,
TELEPHONE: 1 2360, TELEX: 1-12645, CABLE: INATOM VIENNA,
TELEFAX: 431 234564

6 January 1992
PR 92/1
FOR IMMEDIATE RELEASE

PRESS RELEASE

FOR USE OF INFORMATION MEDIA • NOT AN OFFICIAL RECORD

DPRK UNDERTAKES TO SIGN NPT SAFEGUARDS AGREEMENT

The Resident Representative of the Democratic People's Republic of Korea (DPRK), Ambassador Chon In Chan, today informed the Director General of the International Atomic Energy Agency (IAEA), Dr. Hans Blix, that his Government will sign the Safeguards Agreement with the IAEA pursuant to its obligation under the Non-Proliferation Treaty before the end of January in Vienna. Ambassador Chon In Chan further stated that early ratification of the Agreement would follow.

0061

기 1/15 신
문의 회신

관리번호	92-18

원 본

외 무 부

종 별 :

번 호 : AVW-0044　　　　일 시 : 92 0113 1830

수 신 : 장 관(국기,아동)

발 신 : 주 오스트리아 대사

제 목 : 92.2월 IAEA 이사회대책(말레이시지 수상 방한)

연:AVW-1690

대:WAV-1447

마하티르 말레이시아 수상 방한시 북한의 핵 문제에대한 그의 반응을 알려주시기바람. 끝.

예 고:92.6.30 일반.

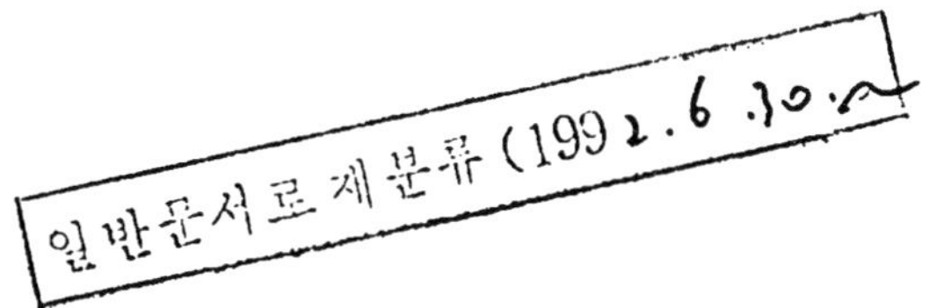

국기국　　아주국

PAGE 1　　92.01.14　20:31
외신 2과　통제관 CD

0062

공 란

공 란

공 란

관리 번호	92-19

	분류번호	보존기간

발 신 전 보

번 호 : WAV-0041 920114 1907 ED 종별 :

수 신 : 주 오스트리아 대사. /총영사

발 신 : 장 관 (국기)

제 목 : 92.2월 IAEA 이사회 대책

대 : AVW-0050

본부로서도 대호 1항과 같은 인식을 가지고 있는 바, 2월 이사회 대책과 관련하여 귀지 분위기를 감안한 귀관의 건의나 참고사항이 있으면 지급 보고 바람. 끝.

예 고 : 92.6.30. 일반

일반문서로 재분류 (1992.6.30.)

(국제기구국장 문 동 석)

보 안 통 제	(서명)

앙 고 재	92년 1월 14일	국제기구과	기안자 성 명		과 장	심의관	국 장		차 관	장 관
			신동익		(서명)					(서명)

외신과통제

0066

관리 번호	92-22

	분류번호	보존기간

발 신 전 보

번 호 : WAV-0043 920115 1714 ED 종별 :

수 신 : 주 오스트리아 대사. 총영사

발 신 : 장 관 (국기)

제 목 : 말레이시아 수상 방한

대 : AVW-0044

대호, 말레이시아 수상의 비공식 방한기간중 ~~유일한 공식일정이었던~~ 대통령 주최 private 오찬(12.27)시 ~~에 참석한 외무부 인사가 없었던 관계로 양국정상간 대화 내용은 아직 밝혀지고 있지 않고 있는바,~~ 대화 ~~동~~ 내용이 입수되는대로 귀관에 통보 계획임.

끝.

예고문 : 92.6.30 일반

일반문서로 재분류 (1992.6.30.)

(국제기구국장 문 동 석)

보 안 통 제	

앙 고 재	92년 1월 15일	국제기구 과	기안자 성 명		과 장	심의관	국 장		차 관	장 관
			신동익				전결			

외신과통제

0067

관리번호	92-80

외 무 부

종 별 :

번 호 : GVW-0078 일 시 : 92 0114 1500

수 신 : 장관(해외,정특)

발 신 : 주 제네바 대사

제 목 : 북한대사 회견

1. 1.14 당지 NHK 특파원이 당관 공보관에게 제보한바에 의하면 당지 북한대사 이철은 당지시간 1.15 오전 10:30 북한대표부에서 북한의 핵 확산 금지 조약 서명과 관련한 기자 회견을 가질 예정이라함.

2. 결과등 추보 위계임. 끝

(대사 박수길)

예고 92.6.30 까지

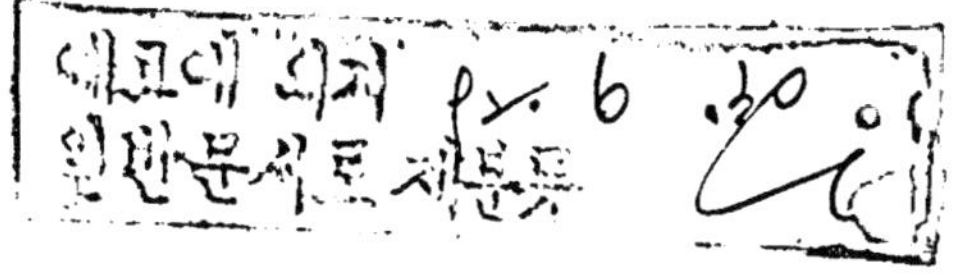

공보처 외정실 분석관 청와대 안기부

PAGE 1

92.01.15 05:04

외신 2과 통제관 FM

0068

기 1/16 신
사본 차장

원 본

관리번호	92-23

외 무 부

종 별 :

번 호 : AVW-0060 일 시 : 92 0115 1830

수 신 : 장 관(국기)

발 신 : 주 오스트리아 대사

제 목 : 북한의 핵문제(IAEA 이사회 대책)

대:WAV-0041

연:AVW-0050 및 1678(91.12.16)

1. 작 1.14(화) 저녁 TIMERBAEV 국제기구 담당 전소련대사는 그의 이임 리셉션에서 본직에게 아래와 같이 말하였음.

가. 북한은 NPT 상의 절차(핵안전 협정 체결 비준)를 취할것으로 보나 북한은 성실하게 협정을 지킬것인가에 관하여 그는 대단히 의심스럽게(VERY SCEPTICALLY)보고있음.

나. 앞으로의 핵심문제는 북한의 핵물질및 핵시설의 재고 신고(INVENTORY)로 귀착될것임.

다. 구체적인 증거는 없으나 자신의 육감(HUNCH)으로는 북한이 핵폭탄의 제조단계로 거의 진입한 것같음.

2.TIMERBAEV 대사는 금 1.15 오전 미국 칼리포니아로 떠났는데, 이례적으로친서방 외교관인 그는 당지 외교가에서 오랫동안 사려깊다는 정평을 향유하였고, 작년 8 월 이래 본직에게도 그가 소련이라는 나라의 마지막 대사라는 것을 자신있게 말해온 자로서, 그는 한동안 미국에 체재하면서 핵 비확산 문제에 관해강연을 하는등 미국에 정보와 협조를 제공하리라고 함.

3. 북한이 2 월 이사회전에 협정에 서명비준하고 핵물질과 핵시설의 신고를정직하게 할것이라고 본부가 확신하는 경우에는 2 월 이사회의 대책은 필요없다고 보나, 그렇지 않을 경우에는 그에 상응하는 대책을 세워야 할것이며, IAEA 차원의 조치에 시간적 촉박성을 인정한다면 특별 이사회라도 소집해서 처리해야 할것임을 첨언함. 끝.

예 고:92.6.30 일반.

(일반문서로 재분류 (1992. 6. 30.))

국기국	장관	차관	1차보	2차보	외정실	분석관	청와대	안기부

PAGE 1 92.01.16 06:33

외신 2과 통제관 CA

0069

	분류번호	보존기간

발 신 전 보

번 호 : WAV-0046 920116 1515 DW 종별 :

수 신 : 주 오스트리아 대사. 총영사

발 신 : 장 관 (국기)

제 목 : 러시아 외무성 성명

92.1.9자로 러시아 외무성이 준비하였던 북한의 핵 안전협정체결 계획 발표에 대한 성명문(1.11. 주한 러시아 대사관으로 부터 입수, 러시아측의 발표 여부는 ~~미상~~ 미확인)을 별첨 팩스 송부하오니 ~~귀관 업무에~~ 참고 바람.

첨 부 : 상기 fax 1매. 끝.

(국제기구국장 문 동 석)

	보 안 통 제	

앙 고 재	92년 1월 16일	국제기구 과	기안자 성 명		과 장	심의관	국 장		차 관	장 관
			신동익				전결			

외신과통제

0070

FAX: 7[illegible] - 26-86

동구1

To: Mr. Kwon Youngmin
Director-General
European Affairs Bureau
From: Russian Embassy

Statement of the Russian Foreign Ministry's spokesman on January 9, 1992

THE GOVERNMENT OF THE DPRK, AS IT BECAME KNOWN THE OTHER DAY, MADE A DECISION TO SIGN A SAFEGUARDS' AGREEMENT WITH THE INTERNATIONAL ATOMIC ENERGY AGENCY, TO RATIFY IT IN THE NEAR FUTURE AND TO ACCEPT INTERNATIONAL INSPECTIONS OF HER NUCLEAR FACILITIES. RUSSIA WELCOMES THAT DECISION.

IT IS OUR HOPE THAT THE SIGNING OF THE ACCORD, WHICH HAVE BEEN DELAYED FOR FIVE YEARS, WILL TAKE PLACE IN THE VERY NEAR FUTURE, BEFORE THE FEBRUARY SESSION OF THE IAEA BOARD OF GOVERNORS AT THE LATEST. THIS, AS WE UNDERSTAND, SHOULD BE FOLLOWED BY IMMEDIATE IMPLEMENTATION OF THE ACCORD, INCLUDING ACTUAL CONDUCT OF INTERNATIONAL INSPECTIONS AND CARRING OUT RECOMMENDATIONS BASED ON THEIR RESULTS.

THE DPRK'S HONORING OF HER OBLIGATIONS BEFORE THE IAEA, AS A PARTY TO THE NUCLEAR NON-PROLIFERATION TREATY, ALONGSIDE WITH THE AGREEMENT REACHED BETWEEN THE NORTH AND THE SOUTH OF KOREA ON A MUTUAL DECLARATION TO DENUCLEARIZE THE KOREAN PENINSULA, WOULD MAKE IT POSSIBLE, AT LONG LAST, TO PROCEED WITH PRACTICAL RESOLUTION OF THE PROBLEM OF NUCLEAR NON-PROLIFERATION AND NUCLEAR SECURITY. THIS WOULD REMOVE MANY ISSUESS BOTH IN RELATIONS BETWEEN PYONGYANG AND SEOUL AND BETWEEN PYONGYANG AND OTHER COUNTRIES AS WELL. IT IS IN THIS CONTEXT THAT WE REGARD THE DECISION, ANNOUNCED IN SEOUL, TO FORGO THIS YEAR JOINT SOUTH KOREA-US MILITARY "TEAM SPIRIT" EXERCISES AS A PROMISING STEP IN THIS DIRECTION.

0071

공 란

공 란

공 란

공 란

공 란

공 란

공 란

국장께 copy 3
3시 보

외 무 부

종 별 :

번 호 : USW-0285　　　　　　일 시 : 92 0117 1652

수 신 : 장 관 (미이,미일,정안,기정,해신)

발 신 : 주 미 대사

제 목 : 허종 북한대사 CNN 인터뷰

금 1.17 허종 주 UN 북한대표부 차석대사가 당지 CNN 'WORLD TODAY' 시간에 약 5분간에 걸쳐 인터뷰를 가졌는바, 주요 내용 하기 보고함. (동인터뷰 전문은 별전 USW(F)-0321 편 송부함)

- (미.북한 접촉시기및 장소에 대하여) 1.22.뉴욕에서 미.북한 고위급 접촉이 있을 예정이며, 핵문제및 미.북한 양자문제가 논의될 것임.

- (IAEA 안전협정 서명에 대하여) 9.27. 부쉬대통령 성명및 12.18. 노대통령의 비핵화선언으로 모든 여건이 무르익었으며, 따라서 북한은 안전협정에 서명하고, 가능한 빨리 국내절차를 거쳐 비준할 것임.

- (최근 일본이 핵개발을 계획하고 있다는 북한측 비난의 진위및 동 사실이 북한의 안전협정 서명을 연기시킬 가능성이 있는지)북한은 NPT 의무에 따라 안전협정에 서명하고 이를 실행하는 것이며, 핵사찰을 받을 준비가 되어있음.끝.

(대사 현홍주-국장)

미주국　1차보　미주국　외정실　분석관　청와대　안기부　공보처

0079

PAGE 1　　　　92.01.18　09:03 WG

외신 1과 통제관

01/17/92 18:16 ☎202 797 0595 EMBASSY OF KOREA --- WOI ☑020

주 미 대 사 관

USW(F) : 0321 년월일 : 92. 1. 17 시간 : 16:52 PM

수 신 : 장 관 (미이, 미안, 정안)

발 신 : 주 미 대 사

제 목 : 허종 북한UN대표부 차석대사 CNN인터뷰(출처 : FNS)

보 안	
통 제	

CNN "WORLD DAY" INTERVIEW: HO JONG, NORTH KOREAN AMBASSADOR TO THE UN
FRIDAY, JANUARY 17, 1992

BOBBIE BATTISTA: The two Koreas have recently made tentative steps toward reproachment. Last month the two sides reached a basic agreement on banning nuclear weapons from the Korean peninsula. The US and South Korea believe the North is developing nuclear weapons. North Korea denies this and has offered to sign an international agreement allowing inspections. Joining us today is Ho Jong, the North Korean ambassador to the UN to discuss this issue and also the reunification of the two Koreas. And we welcome you to World Day.

MR. JONG: Thank you.

MS. BATTISTA: There are reports that there will be a meeting very soon between US officials and North Korean officials. And the topics on the agenda will be this issue of nuclear weapons and also the reunification of the two Koreas. Can you confirm for us when that meeting will take place and what will be on the agenda?

MR. JONG: Yes. This is consists of the positions of my government to settle all the pending issues through bilateral contacts and dialogue. We have long initiated this dialogue with the United States in order to create very favorable conditions for attaining the peace and security on the Korean peninsula.

Since the United States expressed its deep concern for the nuclear issues on the Korean peninsula, we ask them, let's sit down and discuss this once through the bilateral consultation.

Recently the United States gave us very positive response to our proposal to hold a bilateral contacts and dialogue, therefore, several rounds of contacts have been held in the United States, and both sides have agreed to hold high level talks between the DPRK and USA governments in New York next week.

(0321 - 4 - 1)

외신 1과	
통 제	

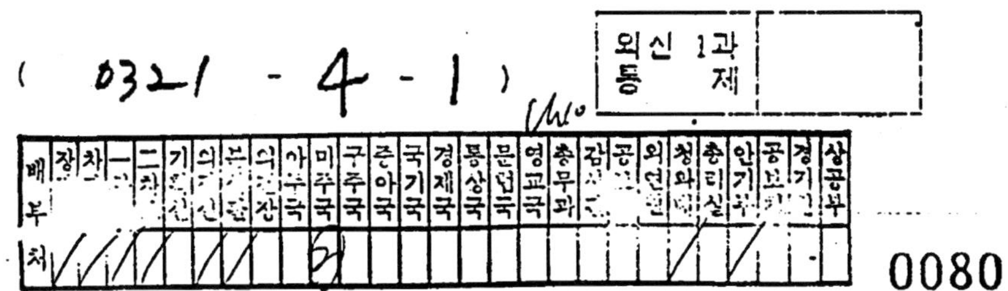

0080

MS. BATTISTA: Next week. Which day? What date?

MR. JONG: I think 22nd. In New York and also the high level talks, the first of its kind in the history between our two countries, will touch on the issues of nuclear weapons and nuclear issues, as well as the bilateral relations between our two countries and the other matters of mutual concern, I think so.

MS. BATTISTA: Will North Korea be signing the nuclear arms control agreement that South Korea has already signed, the agreement to allow inspections from the outside?

MR. JONG: Yes. Some people, they say we are not signing this safeguard agreement on purpose. But it is quite wrong. We, as you know, we joined the treaty on nonproliferation of nuclear weapons in 1985 and we are well aware of, we have to sign the safeguard agreements within the 18 (months?), but we are really concerned about the real existence of the nuclear weapons in the South.

Therefore we informed the IAEA our concerns and we ask them to give us the full assurance not to be attacked by those American nuclear weapons in the South.

MS. BATTISTA: Are you wary then of the inspections that will be allowed in the south?

MR. JONG: Yes. I -- I think so, and then as you know the September the 27th President Bush declared the United States will eliminate all tactical nuclear weapons worldwide, including those in South Korea. And then December 18, South Korea also declared there is 90 pieces of nuclear weapons in the South.

Since the United States and South Korea -- (inaudible) -- the US nuclear weapons have been totally withdrawn from the South and they agrees with us for the 10 years inspection for the North and the South. And all the conditions have been fully matured. Therefore we decided to sign this safeguard agreement, (in this month?), and have it ratified at the earliest possible date through the legal procedures.

MS. BATTISTA: There was a report, I believe today, that North Korea was accusing Japan of rushing to produce nuclear weapons in order to become a military power. And that this could possibly delay your coming to agreement. Is that true? Is that a concern?

0321-4-2

0081

MR. JONG: No, I don't think it does matter with us. We are -- my, we -- we are ready to implement our obligations onto the NPT. That's why since my government's made it very clear, we are going to sign the safeguard agreement and have it ratified at an earliest possible date. And also ready to accept nuclear inspection. It hasn't conformed by our President Kim Il-Song in his New Year address. But this is really concerns among the Koreans, also the other peoples all over the world, the very, the attempts from the part of Japan. The reason why I am talking this, on the issues of the Korea's nuclear issues, the Japanese, not in the position to help this issues of nuclear weapons on the Korean peninsula in good faith.

They are trying to use all the rumors and the public opinions to another direction. Therefore some people very suspicious. They are trying to use this one for their own excuse to develop their own nuclear weapons. I think the Japan has to take some measures to take such a suspicion.

MS. BATTISTA: When and if you allow these inspections, short of asking you what they might find, there is a report out of Jane's Defense Weekly, that the US Defense Intelligence Agency says that not only might they find nuclear weapons and development, but also chemical weapons, not just the capability to produce them, but stockpiles of them. Would they find that?

MR. JONG: I don't think so. We have one time again, we have declared we haven't any intention nor the capacity to develop nuclear weapons. This has been confirmed by our president in his New Year address. But I think you can admit, even the every hour updated weather forecaster with CNN sometimes appears wrong. How can everyone believe such a photo information made by the satellite?

MS. BATTISTA: Well let me ask you then, what would they find?

MR. JONG: They would find nothing, I'm sure. And they will be ready to open all our facilities to the IEA inspection and then when the inspection is made, I think everyone is very comfortable and pleased what they find there.

MS. BATTISTA: There are concerns and this might be on both sides of the issue that North Korea may sign an accord but continue to proliferate outside of the boundaries of that accord. Is that something that you are, as US officials are concerned about, you might be also?

MR. JONG: I think such concerns will easily be taken away, I hope so. If all this ongoing procedure is taken. I think every concerns will be (appeared?) I am really confident about that.

0321-4-3

0082

MS. BATTISTA: Let's talk for a minute about reunification then. When do you foresee the reunification of the two Koreas? And what politically do you see as the path, this newly formed peninsula might take?

MR. JONG: Yes. As you know, considerable progress has been made in the last year in the efforts of all the Koreans to attain the national reunification. As you know the (induction?) of the agreement on reconciliation, nonaggression and the cooperation exchange, is a really great victory which was won in the course of nationwide struggle to attaining the national reunification. At the same time it is a very historic event which provide a landmark in the course of all Korean's efforts for attaining the national unity. I think this has been done by the true sense of cooperating each other and implementing the three principals of independence, peaceful unification and great national unity.

But I think all this ongoing pressures are going well. I hope we are looking forward to having my country reunified in this decade.

MS. BATTISTA: Do you also, excuse me, forsee it as as a nuclear free zone, as South Korea has, or North Korea rather, has pledged the entire peninsula?

MR. JONG: Yes. We, we initiated this idea of turning the Korean peninsula nuclear free in 1986 and this -- recently the South Korean came to agree with our proposal, and then as you know, December the 31st, last day of the last year, we have agreed to this agreement on turning the Korean peninsula nuclear free. We are looking forward, and then in this respect, the efforts of all the both and North are very important, whereas, the United States and the other nuclear power states a role is very important. They should respect the other (period?) agreement and the declaration, and they should help the Koreans to turn the Korean peninsulas into nuclear free as well as to attain the very reasonable reunification in a very reasonable way which is acceptable to both, all the Koreans, North and South.

MS. BATTISTA: Let's hope so. Ambassador Ho, we thank you very much for joining us today on World Day.

END

0321-4-4

0083

1/20 신
주시

원 본

관리번호	92-31

외 무 부

종 별 : 긴 급

번 호 : AVW-0075　　　　　　일 시 : 92 0120 0930

수 신 : 장 관(국기,구이)

발 신 : 주 오스트리아 대사

제 목 : 북한대표부 기자회견

1. 당지 북한대표부는 금 1.20(월) 오후 3:00 에 핵문제에 관하여 기자회견을 가진다고 작 1.19(일) 당지 동아일보 최맹호 특파원에게 FAX 로 알려왔음.

2. 최특파원에 의하면 북한은 당초 명 1.21(화) 오후에 기자회견을 가진다고 하였으나, 작 1.19 오후 몇시간 사이를 두고 금일 오후 기자회견을 가진다고 통보하여 왔다고 하는바, 일본의 플로토늄 문제등을 포함한 내용이 될것으로 당지 언론계는 보고있음. 끝.

예 고:92.6.30 일반.

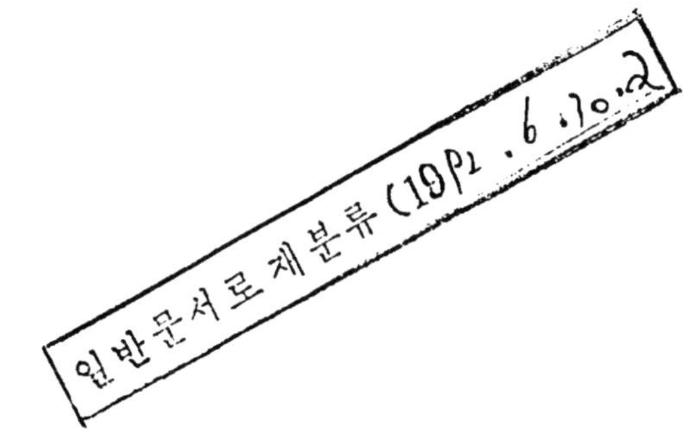

국기국	장관	차관	1차보	2차보	구주국	외정실	분석관	청와대
안기부								

PAGE 1　　　　92.01.20 17:48

외신 2과 통제관 BS

0084

1/21 신

3

원 본

암호수신

외 무 부

종 별 :

번 호 : AVW-0079 일 시 : 92 0120 1200

수 신 : 장 관(국기,미이,과기처)

발 신 : 주 오스트리아 대사

제 목 : 북한의 핵안전 협정 서명 계획

1. 금 1.20(월) 오전 IAEA 사무국측이 알려온바에 의하면 아래 3 인이 협정서명차 1.28(화) 당지 도착한다고 함.

-MR.HONG GUN PYO

VICE MINISTER FOR ATOMIC ENERGY INDUSTRY

-MR.CHANG MOON SUN

DIRECTOR, MINISTRY OF FOREIGN AFFAIRS

-MR.O SONG HUN

SENIOR OFFICER, MINISTRY OF FOREIGN AFFAIRS.

2. 현재로서는 1.30(목) 오전 서명될것으로 보임.끝.

국기국 장관 차관 1차보 2차보 미주국 외정실 분석관 청와대
안기부 과기처

PAGE 1 92.01.20 20:36

외신 2과 통제관 CD

0085

1.21 청와대 일일보고

3

1. 北韓의 核安全協定 署名 問題

o 비엔나駐在 北韓大使는 1.20(월) 記者會見을 가지고, 北韓이 核安全協定을 1.29 또는 30 署名할 것이라고 밝히면서 日本의 核能力이 韓國民은 물론 다른 아시아人들에게도 중대한 威脅이 되고 있다고 비난함.

o 한편 國際原子力機構(IAEA) 事務局에 의하면 核安全協定 署名次 北韓 原子力産業擔當次官 홍건표외 2人이 1.28 비엔나 도착 예정이라하며, 署名은 1.30(목) 있을 것으로 관측되고 있음.

(駐오스트리아大使 報告,外信綜合)

0086

원 본

암 호 수 신

외 무 부

종 별 :

번 호 : AVW-0086 일 시 : 92 0120 1900

수 신 : 장 관(국기,미이,과기처)

발 신 : 주 오스트리아 대사

제 목 : 북한의 핵안전 협정 서명계획

연:AVW-0079

표제협정은 연호 2 항대로 1.30(목) 오전 10:00 에 서명될 것이라고 사무국이 공식으로 확인하였음을 보고함. 끝.

국기국 장관 차관 1차보 2차보 미주국 외정실 분석관 청와대
안기부 과기처

PAGE 1

92.01.21 09:13
외신 2과 통제관 BD
0087

1/22 청와대 안보실 신

2. 北韓의 核安全協定 署名 問題(2)

3

o 國際原子力機構(IAEA) 事務局은 北韓이 1.30(목) 10:00 表題 協定에 署名 예정임을 公式 確認함.

- 비엔나駐在 北韓大使는 北韓이 日本의 核開發 計劃에 경계심을 갖고 있으나, 이 問題가 北韓의 核安全協定 署名에 影響을 미치지는 않을 것이라고 1.20 記者會見에서 言及함. (駐오스트리아大使 報告)

0088

1/21 신

원 본

암호수신

외 무 부

종 별 :

번 호 : AVW-0087 일 시 : 92 0120 1900

수 신 : 장 관(국기,미이,과기처)

발 신 : 주 오스트리아 대사

제 목 : 북한대표부 기자회견

연:AVW-0075

1. 북한대표부는 연호 보고와 같이 금 1.30 오후 3:00 시 13 개 매체로부터15 명 정도의 외신기자(AFP, 일본 언론사 대부분및 동아일보)가 참석한 가운데기자회견을 갖고 일본의 플로토늄 문제에 관한 북한의 입장을 개진하였음(별첨FAX).

2. 상기 낭독후에 있은 주요 질의응답요지는 다음과 같음.

가. 일본의 플로토늄 문제가 북한의 핵안전 협정서명에 영향을 미칠것인가라는 질문에 대하여, 북한은 일본의 핵개발 계획에 경계심을 가지고 있지만, 이것이 핵안전협정 서명에 영향을 미치지는 않을 것이라고 답변함.

나. 미국이 북한의 핵시설을 선제타격한다는 설이 있는데 왜 일본의 핵문제만 언급했는가라는 질문에 대하여는 미국은 북한의 정당한 요구를 최근 수용, 한반도로 부터 핵무기를 철수 하였으며, 미국.북한간 고위급 회담도 조만간 실현될예정이라고 언급함.

별첨:FAX AVW(F)-010 4 매

국기국	장관	차관	1차보	2차보	미주국	외정실	분석관	청와대
안기부	과기처							

PAGE 1 92.01.21 07:07

외신 2과 통제관 BD

0089

EMBASSY OF THE REPUBLIC OF KOREA

Praterstrasse 31, Vienna
Austria 1020 (FAX : 2163438)

No : AVW(F) - 010	Date : 20120 1900
To : 장관(국기, 미이, 과기처, 국방부) (FAX No :)	
Subject : 첨 부	

본지포함 5매

Total Number of Page :

0090

Thanks to the peace-loving anti-nuclear and nuclear-free policy adhered by the Democratic People's Republic of Korea and its constant efforts to implement it, a solid prospect to transfer the Korean peninsula into a demilitarized peace zone has been opened up these days.

As everybody knows, the "Agreement on Reconciliation, Nonaggression and Cooperation and Exchange between the North and the South" was adopted at the end of last year, which was followed by the "Joint Declaration on the Demilitarization of the Korean Peninsula".

Besides, the "team spirit" joint military exercise, a nuclear test war against us has been stopped for the moment.

Such developments constitute a great contribution to the peace and security in Asia and the pacific regions. It is as big advance toward peace and denuclearization of the Korean peninsula and Asia, a victory of the policy of peace over the policy of war, as well as a vivid demonstration of the correctness and vitality of the anti-nuclear and nuclear-free policy of our Republic.

We have made it clear many times that we do not develop nuclear weapons. In November last year south Korea published a "declaration on the absence of nuclear weapons" and it was made public, though indirectly, that the US nuclear weapons which had been threatening our nation constantly were withdrawn from south Korea.

As a result the nuclear threat which has hanged over our nation is removed for the moment and the practical possibility and prospect to turn the Korean peninsula into a denuclearized zone has been created.

However, it is difficult to think that there will not be any nuclear threat against us in future. Because we feel that danger from outside.

The most dangerous one is Japan and its nuclear programme.

It is an open fact that now Japan stops at nothing to take a position of a political and military power from an economic power. Under the cloak of "insecurity" in the Asian and Pacific region and "independence and modernization of defence" Japan is pushing ahead with a plan to build a strong armed forces and make it a military power and trying to open up a way to dispatch its "Self-Defence Forces" to abroad.

It is not a secret that Japan has been preparing nuclear arms to become a military power.

0091

To this end, the ruling forces of Japan have been making propaganda to convince their people of the necessity to posess nuclear weapons saying "owing to the nuclear development of north Korea or the nuclearization of the entire Korean peninsula it is practical matter for Japan to arm itself with nuclear weapons". It has already created the capability to produce large amount of plutonium and is still purchasing considerable amount of plutonium from different areas of the world.

It is a well-known fact that plutonium is essential in manufacturing nuclear weapons.

According to the "International Herald Tribune", Japan is going to ship huge amount of plutonium in profound secrecy and each ship shall load as much plutonium as to manufacture 100-150 nuclear bombs. It also exposed that Japan was trying to set up a large reprocessing plant capable of producing about 8 tons of plutonium a year--equivalent to at least 1,000 nuclear weapons annually.

According to an information, by 1995, Japan will take the 3rd position in reprocessing capacity next to the United States and France and poses as much nuclear fuel as to manufacture over 2,000 nuclear bombs at all times from 1993.

It is quite clear that for what purpose Japan is trying to acquire huge amount of plutonium like this.

Everybody knows that Japan has material and technical conditions to manufacture nuclear weapons so easily and quickly once it determines.

All these facts show that Japan is not a non-nuclear state but, in fact, a semi-nuclear state and the nuclear threat by Japan is not a question of possibility but a question of reality.

Therefore, we warned already about the danger of the nuclear armaments of Japan.

Today the nuclear programme of Japan arouses apprehension and hatred among our people as well as the peoples of all Asian countries. Even the United States and south Korea which are friendly countries of Japan express grave concern at it.

In his testimony at the Hearing of the Subcommittee on East Asian and Pacific Affairs held on January 14th, Mr. Paul Leventhal who is the President of the US Nuclear Control Institute expressed his apprehension by saying "The problem is Japan and the 100 tons of weapons-capable plutonium it plans to acquire over the next 20 years."

0092

He strongly insisted that Japan should be included in the region to be turned into one free from plants manufacturing nuclear explosive materials.

There are other materials that expose the attempt and capability of Japan to develop nuclear weapons and express concerns at it.

These facts vividly show that the nuclear threat is not created by us who have neither nuclear weapons no intention to develop them but by Japan that is pursuing a "policy of nuclear armaments" and promoting a nuclear plan.

An agreement on the denuclearization of the Korean peninsula was reached between the north and the south and, in particular, we clarified through the statement of the spokesman for the Foreign Ministry on January 7th that as circumstances and conditions had been brought to maturity for a fair solution of the nuclear problem on the Korean peninsula the Government of our Republic decided to sign the Nuclear Safeguards Accord in the near future and have it ratified through legal procedures at the earliest possible date and accept an inspection at a time agreed upon with the International Atomic Energy Agency. We say what we mean, we do not say empty words.

Historically Japan has brought all sorts of misfortunes and sufferings to the Korean people. It is also none other than Japan which is against the reunification of Korea and her denuclearization.

A wicked political purpose of the Japanese ruling circles is hidden behind it. In other words, they are aiming at stepping up revival of militarism under the pretext of "insecurity" of the surrounding situation and obtain a legal excuse to develop its own nuclear weapons under the signboard of non-existing "nuclear threat".

It is too foolish and naive if Japan thinks that it can cover up this stern reality by raising a fuss about nuclear inspection on somebody.

The line to make Japan a military power and the nuclear policy for it are a reckless challenge to the world trend toward nuclear armament reduction and peace.

The nuclear capability of Japan poses a grave threat against the Korean people as well as all the Asian people. Moreover the scope to affected by the nuclear threat of Japan is vast.

Therefore, it is a common task of the Asian people and peoples the world over to prevent the nuclear danger of Japan.

0093

Japan should know clearly that the peoples of Korea and Asia are not like those who were under its colonial rule in the past and retract at one its intention for nuclear armament.

D.P.R. of Korea calls everybody that if he loves peace and security of the world should watch the Japanese nuclear arms programme with due vigilance and actively cooperate with the international efforts to stop it.

D.P.R. of Korea will , as a peace-loving non-nuclear state, do its best to prevent it and strengthen solidarity with the peoples of Asia and the rest of the world in their efforts.

I hope that all the journalist present here will further strengthen the power of a piece of writing of justice in an effort to prevent the nuclear threat of Japan.

Thank you.

0094

공 란

공 란

공 란

공 란

공 란

공 란

공 란

공 란

공 란

공 란

공 란

공 란

공 란

공 란

공 란

관리 번호	92-33

분류번호	보존기간

발 신 전 보

번 호 : WAV-0063 920122 1652 WG 종별 :

수 신 : 주 오스트리아 대사. 총영사

발 신 : 장 관 (국기)

제 목 : 말레이시아 수상 방한

연 : WAV-0043

1. 연호, 대통령 주최오찬은 비공식 성격이었던 관계로 양국간 현안문제에 대한 언급없이 일반적인 사항에 대해서만 의견교환이 있었고, 대통령께서는 부쉬 미 대통령의 방한이 화제로 올랐을때 "북한의 핵개발이 세계적인 관심사"라고 언급만 ~~하셨음.~~ 하고 지나갔음.

일반문서로 재분류 (1992. 6. 30.)

2. 현재 본부는 북한의 핵안전조치협정체결 및 이행에 관련한 동향을 감안하여 IAEA 2월 이사회 대책을 준비하고 있는 바, ~~동 대책과 관련하여~~ 추후 필요할 경우 귀지 말레이시아 대사가 아측과 협조토록 하는 ~~방안을 강구코자~~ 조치는 함. 끝.

주말레이시아 대사를 통해 취하겠음.

예고 : 92.6.30 일반

(국제기구국장 김 재 섭)

보안 통제	(서명)

앙 고 재	92년 1월 22일	국제기구과	기안자 성명 (신동익)		과 장	심의관	국 장		차 관	장 관
					(서명)	(서명)				(서명)

외신과통제

0110

공 란

공 란

공 란

공　　　란

92. 1.23 <세계> 1면

美, 北韓 核사찰 時限제시

첫 고위급회담 美軍유해 송환-한반도 安定 논의

【뉴욕=연합】미국과 북한간의 첫 고위급회담이 22일 오전10시(한국시간 22일밤 12시)부터 유엔주재 미국 대표부에서 열렸다.
아놀드 캔터 국무부 정무차관, 리처드 솔로몬 東亞·太담당차관보 등으로 구성된 미국대표단과 노동당중앙위원회 국제부장 金容淳, 부부장 김형우 등으로 구성된 북한대표단은 이날 회담에서 미국측이 주로 제기한 북한 核시설 및 그 위협 제거방안을 중점 논의한 것으로 알려졌다.

이밖에 南北韓간의 근본적인 긴장완화방안, 6·25 당시의 미군유해 송환문제도 거론된 것으로 보이는데 북한측이 희망하는 美-北韓간의 관계개선논의가 다뤄졌는지는 밝혀지지 않았다.

【워싱턴=金炳武특파원】미국은 22일(현지시간) 뉴욕에서 北韓측과 갖는 첫 고위회담에서 「北韓이 광범위하고 효과적인 核사찰을 받아들이도록 時限을 제시하는 등 미국의 강력한 입장을 전달할 것」이라고 21일 潘基文 외무부 美洲국장이 말했다.

潘국장은 이날 오후 워싱턴 주재 한국특파원들과 가진 간담회에서 미국은 北韓의 核문제 해결을 위한 강력한 입장을 전달하고 北韓이 이와관련한 국제적의무를 충실히 이행토록 촉구하겠다고 베이커 국무장관이 밝혔다고 전했다.

독자提報환영 (799)4243~59

0115

외 무 부

종 별 :

번 호 : AVW-0114 일 시 : 92 0124 1930

수 신 : 장 관(국기,미이,과기처)

발 신 : 주오스트리아대사

제 목 : 92.2월 IAEA 이사회

표제회의 잠정의제(안)을 별전 FAX 송부함.

별첨:AVW(F)-012 3매.끝.

국기국 미주국 과기처

PAGE 1

92.01.26 01:36 DU
외신 1과 통제관

0116

EMBASSY OF THE REPUBLIC OF KOREA

Praterstrasse 31, Vienna
Austria 1020 (FAX : 2163438)

No : AIW(下) - 012	Date : 20124 1930
To : 장 관(국기. 미이. 과기처) (FAX No :)	
Subject : AIW-0114 의 첨부	

표지포함 4매

Total Number of Page :

0117.

B

International Atomic Energy Agency

BOARD OF GOVERNORS

GOV/2569
24 January 1992

RESTRICTED Distr.
Original: ENGLISH

For official use only

LIST OF ITEMS FOR THE PROVISIONAL AGENDA

For meetings starting on Monday, 24 February 1992, at 10.30 a.m.*/

Notes: A. Should it become necessary to add to this list, to delete items or to make any alterations to the items, Governors will be informed of such changes as these become necessary.

B. The provisional agenda will be issued as document GOV/2569/Rev.1 immediately before the Board's meetings.

List

- Adoption of the agenda

1. The financial situation of the Agency

2. Safeguards

(a) Strengthening of Agency safeguards

(b) The conclusion of safeguards agreements

(c) Report on the status of implementation of the safeguards agreement with the Democratic People's Republic of Korea

(d) The staff of the Department of Safeguards to be used as inspectors

3. Implementation of General Conference resolution GC(XXXV)/RES/553 on "Measures to strengthen international co-operation in matters relating to nuclear safety and radiological protection": Outline of the possible elements of a nuclear safety convention

4. Personnel matters: Follow-up to decisions taken on personnel matters by the United Nations General Assembly

---

*/ In September 1991, the Board decided to commence its February 1992 session on Tuesday, 25 February. The Director General is requesting the Board to commence the session one day earlier in the light of comments made at the Board's December 1991 meetings and of subsequent consultations.

4268276
92-00139

0118

Annotations

1. The financial situation of the Agency

In December 1991 the Board had a preliminary discussion of this matter, which had been raised by Mexico, and decided to continue its discussion in February 1992. A Note by the Secretariat is being prepared.

2. Safeguards

(a) Strengthening of Agency safeguards

Following the Board's discussion in December 1991 on the basis of document GOV/2554, the Secretariat has circulated a revised paper on "The provision and use of design information" (see document GOV/2554/Attachment 2/Rev. 1) and papers on "Reporting and verification of the export, import and production of nuclear material for States party to comprehensive safeguards agreements" and "Reporting and verification of the export, import and production of sensitive equipment and non-nuclear material for States party to comprehensive safeguards agreements" (see document GOV/2568). Document GOV/INF/646 contains excerpts from statements made by the Director General under the agenda item "Strengthening of Agency safeguards" at the December 1991 meetings of the Board.

(b) The conclusion of safeguards agreements

Proposals for the conclusion of safeguards agreements in connection with the Treaty on the Non-Proliferation of Nuclear Weapons with the United Republic of Tanzania, the Republic of Malawi and the Republic of Cameroon are contained in documents GOV/2563, GOV/2564 and GOV/2565 respectively.

Also, it is expected that the Board will have before it a proposal for the conclusion of an agreement with the People's Democratic Republic of Algeria for the application of safeguards in connection with the supply of a research reactor from the People's Republic of China.

0119

(c) Report on the status of implementation of the safeguards agreement with the Democratic People's Republic of Korea

In operative paragraph 3 of the resolution contained in document GOV/2543, which the Board adopted on 12 September 1991, at its 762nd meeting, the Board requested the Director General to report to it in February 1992 on the status of implementation of the safeguards agreement with the Democratic People's Republic of Korea (GOV/2534), the conclusion of which the Board approved at that meeting.

(d) The staff of the Department of Safeguards to be used as inspectors

In document GOV/2566 the Board's approval will be sought for proposals regarding the staff of the Department of Safeguards to be used as inspectors.

3. Implementation of General Conference resolution GC(XXXV)/RES/553 on "Measures to strengthen international co-operation in matters relating to nuclear safety and radiological protection": Outline of the possible elements of a nuclear safety convention

In operative paragraph 4 of the resolution, the Director General was requested to prepare, for the Board's consideration in February 1992, an outline of the possible elements of a nuclear safety convention. In document GOV/2567, the Board will have before it a report on the matter by the Director General.

4. Personnel matters: Follow-up to decisions taken on personnel matters by the United Nations General Assembly

Following upon decisions taken on personnel matters by the General Assembly of the United Nations in 1991, the Board will have before it proposals for the amendment of certain Staff Regulations and Rules.

0120

북한의 핵안전조치 협정서명에 대한

외무부 대변인 논평 (안)

I . 발표 문안

1. 북한이 92.1.-. 국제원자력기구(IAEA)와 핵 안전조치협정에 늦게나마 서명한 것은 다행스러운일로 본다.

2. 우리는 북한이 핵 안전조치협정의 발효를 위한 조치를 지체없이 취하고 또한 보유하고 있는 모든 핵물질과 시설에 대한 IAEA의 핵사찰도 조속히 받음으로써 NPT 당사국으로서의 의무를 완전 이행할것을 기대한다.

II . 발표 시기 : 북한의 협정 서명 당일(92.1.30. 예상)

III . 발표자 : 공보관

IV . 발표 대상 : 외무부 출입 기자단

V . 사전협의 : 청와대

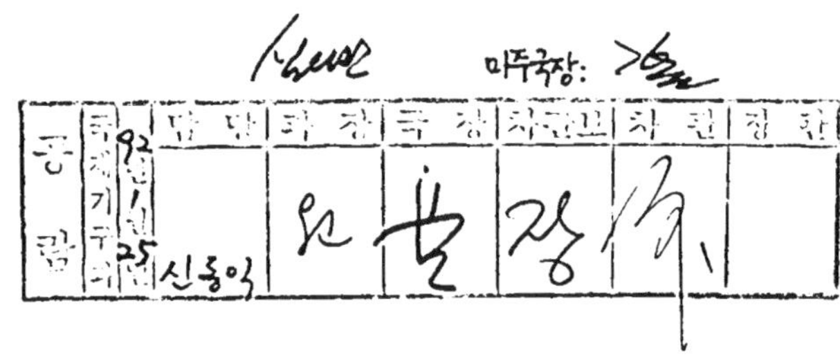

0121

북한의 핵안전조치 협정서명에 대한 외무부 대변인 논평 (안)

I. 발표 문안

1. 북한이 92.1.30. 국제원자력기구(IAEA)와 핵 안전조치협정에 늦게나마 서명한 것은 다행스러운일로 본다.

2. 우리는 북한이 핵 안전조치협정의 발효를 위한 조치를 지체없이 취하고 또한 보유하고 있는 모든 핵물질과 시설에 대한 IAEA의 핵사찰도 조속히 받음으로써 NPT 당사국으로서의 의무를 완전 이행할것을 기대한다.

Ⅱ. 발표 시기 : 북한의 협정 서명 당일(92.1.30. 예상)

Ⅲ. 발표자 : 공보관

Ⅳ. 발표 대상 : 외무부 출입 기자단

Ⅴ. 사전협의 : 청와대

0122

북한의 핵안전조치 협정서명에 대한
외무부 대변인 논평 (안)

I . 발표 문안

1. 북한이 92.1.30. 국제원자력기구(IAEA)와 핵 안전조치협정에 서명하고 (   ) 내에 비준 및 발효조치를 취하겠다고 밝힌것을 환영한다.

2. 우리는 북한이 이러한 약속을 지키면서 그들이 보유하고 있는 모든 핵물질과 시설에 대한 IAEA의 핵사찰을 조속히 받음으로써 NPT 당사국으로서의 의무를 완전 이행할것을 기대한다.

II . 발표 시기 : 북한의 협정 서명 당일(92.1.30. 예상)

III . 발표자 : 공보관

IV . 발표 대상 : 외무부 출입 기자단

V . 사전협의 : 청와대

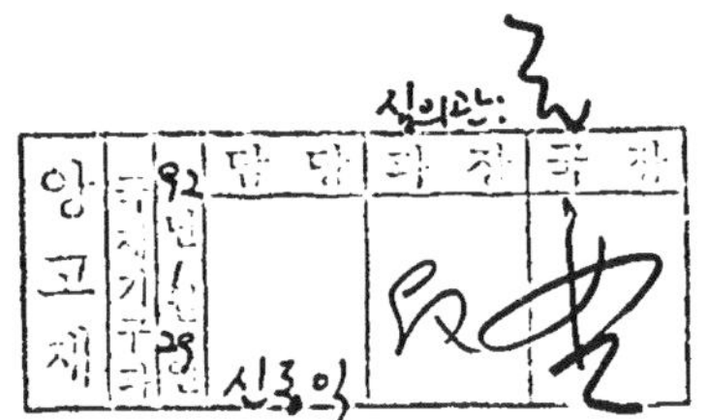

0123

B

북한의 핵안전조치 협정서명에 대한 외무부 대변인 논평 (안)

Ⅰ. 발표 문안

1. 북한이 92.1.30. 국제원자력기구(IAEA)와 핵 안전조치협정에 서명하고 (   ) 내에 비준 및 발효조치를 취하겠다고 밝힌것을 환영한다.

2. 우리는 북한이 이러한 약속을 이행하고, 나아가 보유하고 있는 모든 핵물질과 시설에 대한 IAEA의 핵사찰이 조속히 이루어지도록 하여 NPT 당사국으로서의 의무를 다할것을 기대한다.

Ⅱ. 발표 시기 : 북한의 협정 서명 당일(92.1.30. 예상)

Ⅲ. 발표자 : 공보관

Ⅳ. 발표 대상 : 외무부 출입 기자단

Ⅴ. 사전협의 : 청와대

0124

<보도 참고자료>

1. 북한의 핵 안전조치협정 서명 경위

o 85.12. 북한, 핵 비확산조약(NPT) 가입

o 89.12 -90.7. 북한, 3차에 걸쳐 IAEA와 협정체결 교섭

- 북한은 한반도내 핵무기 철거와 미국의 북한에 대한 개별적 핵 선제 불사용보장(NSA)을 협정체결 전제조건으로 주장

o 91.7.16. 북한, IAEA와 협정문안을 최종 확정, 91.9월 이사회 승인을 득함

- 문안 합의 이후 남.북한 핵 동시사찰 및 한반도 비핵지대화등의 종전입장 반복

o 91.9.12. IAEA 이사회, 북한에 대해 동 협정의 조속한 서명, 비준 및 이행을 촉구하는 결의 채택

o 91.9.27. 「부쉬」 미국대통령의 핵감축 선언과 11.8. 노대통령의 「한반도 비핵화」 선언

o 91.11.25. 북한, 남한에서 핵무기 철수가 개시될 경우 핵사찰에 응하겠다는 외교부 성명 발표

o 91.12.13. 第5차 남북고위급회담에서 남북한간 「화해와 불가침 및 교류. 협력에 관한 합의서」 서명 채택

- 「공동발표문」에서 남북한은 한반도에 핵무기가 없어야 한다는데 인식을 같이함

- 정원식 총리, 남북한 동시 시범 핵사찰 실시 제의

o 91.12.18. 노대통령, 「한국내 핵부재」 선언

0125

o 91.12.22. 북한,미국이 앞으로 핵부재에 관한 명백한 입장을 밝히리라는 것을 전제로 NPT에 따른 안전조치 협정에 서명, 해당절차를 통해 사찰을 받게 될것을 천명한다는 외교부 성명 발표

o 91.12.31. 핵문제 협의를 위한 제3차 남북 판문점회담에서 남북한은 「한반도 비핵화에 관한 공동선언」 채택

- 핵무기 시험 제조 생산 접수 사용금지, 핵재처리-농축시설 보유 금지, 핵통제 공동위 구성 및 비핵화 검증을 위한 상호 동시사찰 등에 합의
- 「공동 발표문」 에서 상기 「비핵화 공동선언」을 92.2.19. 제6차 남북고위급 회담에서 발효시키기로 함

o 92.1.1. 김일성, 신년사에서 북한은 공정성이 보장되는 조건에서 핵사찰 수락할 것임을 밝힘

o 92.1.7. 북한, 92.1월말 협정서명후 적절한 절차에 따라 가장 빠른 시기내에 비준및 발효, IAEA와 합의하는 시기에 사찰수락 계획 발표

o 92.1.-. 북한, IAEA와 핵안전협정서명

2. 북한의 핵안전협정 서명 이후 사찰 실시까지의 단계

가. 협정비준 및 발효

o 북한 헌법(제96조)상 조약의 비준은 최고 인민회의 동의없이 주석이 하도록 규정

o IAEA에 대한 북한의 협정비준서 기탁 일자에 협정발효

나. 보조약정서 체결

o 북한은 핵안전협정에 규정된 절차의 시행방법과 사찰대상 시설을 구체적으로 명시하는 보조약정(subsidiay arrangement)을 안전조치협정 발효후 90일 이내 발효시켜야 함

o 사찰대상이 될 모든 핵물질에 관한 최초 보고서는 협정 발효 해당월의 마지막날로부터 30일 이내에 IAEA에 제출

- IAEA는 최초보고서에 포함된 내용을 확인하기 위해 임시사찰(ad hoc inspection) 실시가능

0126

다. IAEA 일반 사찰실시

o 북한은 IAEA가 임명하는 사찰관에 대하여 30일 이내에 수락여부 회보

o IAEA는 사찰관 수락회보 접수후 북한에 사전통보(24시간 내지 1주일전) 함으로써 일반사찰 실시 시작

3. 안전조치협정 주요내용

가. 안전조치대상 핵물질 및 시설(전문 및 98조로 구성)

o 핵물질 : 플루토늄, 우라늄, 토리움 등

o 핵시설 : 원자로, 전환공장, 가공공장, 재처리공장 등으로서 정량 1kg 이상의 핵물질이 통상 사용되는 장소

나. 핵물질에 대한 기록유지 및 보고(제51-69조)

o 기록유지의 대상, 국제적 측정기준 및 보관기간(최소 5년) 설정

o 핵물질 계량 기록 보고(계량, 특별 및 추가 보고서등)

다. 핵시설 설계에 대한 정보(제42-50조)

o 검증의 편의를 위해 안전조치 관계시설 및 핵물질 형태의 보고

o 신규시설은 핵물질 반입 전 가능한한 조속히 보고

o 설계정보내용

- 시설의 일반적 특성, 목적, 명목, 용량 및 지리적 위치등

- 핵물질의 형태, 위치 및 유통 현황등

라. 안전조치의 기점, 종료 및 면제(제11-14조, 제33-38조)

o 핵물질의 국내수입시부터 안전조치적용

o 핵물질의 소모, 희석으로 더 이상 이용 불가능하거나 회수 불가능시 (IAEA와 협의) 또는 당사국 밖으로 핵물질 이전시(IAEA에 사전 통보) 종료

0127

마. 핵물질의 국제이동(제91-97조)

o 당사국 밖으로 핵물질 반출시 IAEA에 사전 통고

- 반출 핵물질의 책임 수령일로부터 3개월 이내 동 물질의 이전 확인 약정 조치 필요

o 당사국내로 핵물질 반입시 IAEA에 보고

- 안전조치 대상 핵물질 반입시 반입량, 양도지점 및 도착일시등 보고

바. 안전조치 사찰(제70조-제90조)

o 임시사찰(ad hoc inspection)

- 최초 보고서에 포함된 정보 검증

- 최초 보고일자 이후에 발생한 상황변화에 대한 검증

o 일반사찰(routine inspection)

- 핵 안전협정의 내용에 따른 정기사찰

- 보고서 내용과 기록과의 일치 여부에 대한 통상적 사찰

o 특별사찰(special inspection)

- 특별보고서상의 정보를 검증할 필요가 있을 때나(특별보고서는 돌발적인 사고, 상황으로 인한 핵물질 손실 발생시에 협정 당사국이 IAEA에 제출)

- 일반사찰 정보와 당사국 제공 정보가 책임이행에 충분치 못하다고 판단되는 경우에 특별사찰. 끝.

0128

북한에 대한 IAEA 핵사찰 실시 과정

92. 1. 국제기구과

1. 핵 안전조치협정(safeguards agreement) 서명	92.1월말경 서명
2. 북한의 비준 o 북한 헌법 제96조는 조약의 비준은 주석이 하도록 규정(최고 인민회의의 조약 비준동의권 언급 없음) o 주비엔나 북한대사관측은 북한 최고 인민회의의 의결을 거쳐야 한다고 언급	
3. 협정의 발효 o 발효일은 협정 비준서의 IAEA 기탁 일자	92.2.18.발효(가정) * 이하2.18. 발효 전제하 각 단계별 최대기한을 감안한 일자
4. 사찰대상 모든 핵 물질에 대한 최초 보고서 (initial report) 를 IAEA에 제출 o 핵물질 : 플루토늄, 우라늄, 토리움등 o 발효 해당월의 최종일로 부터 30일 이내	92.3.30까지 제출
5. 최초보고서 내용에 대한 IAEA의 임시사찰 (ad hoc inspection) 실시 o 임시사찰을 위한 사찰관 임명은 가능한 한 안전조치협정 발효후 30일 이내 완결 o 북한은 상기 IAEA 사찰관 임명 수락 여부를 제의받은 후 30일 이내에 IAEA 사무총장에게 통보 o IAEA는 사찰관 수락회보 접수후 최소한 1주일전 북한에 통보후 사찰관 파견	92.5.10.경 실시 가능 - 92.3월말경 - 92.4월말경 - 92.5.10.경

6. 보조약정서(하기 7항) 체결 협의기간중 기존 핵시설 관련 설계정보 (design information)를 IAEA에 제출 o 제출된 설계정보 검증을 위해 IAEA는 사찰관 파견 가능(임시사찰과 같은 절차를 거쳐 파견)	92.2.18-5월중순 사이
7. 보조약정서 (subsidiary arrangement) 체결, 발효 o 협정에 규정된 사찰절차와 시행방법및 사찰대상을 구체적으로 명시하는 보조약정서를 IAEA와 체결 o 보조약정서는 안전조치협정 발효후 90일 이내에 체결 발효시키도록 노력	92.5.18.까지
8. 일반사찰 (routine inspection) 실시 o 사무총장은 북한에 대해 IAEA 사찰관 임명에 대한 동의를 서면으로 요청	
o 북한은 임명동의 요청 접수후 30일 이내에 수락여부를 사무총장에게 통고 * 사무총장은 필요에 따라 보조약정 체결전이라도 당사국에 사찰관 임명 동의 요청 가능	92.6.18.경
o IAEA는 사찰실시 1주일전 북한에 사전 통보후 사찰관 파견 * 우리나라의 경우 통상 2-3명 규모의 IAEA 사찰관이 연 8-10회 방한, 매회 1주일 정도 체류하면서 2-3개 시설 (총 14개 시설이 사찰대상)에 대해 사찰 실시	92.6.25.경
※ 특별사찰 (special inspection) 실시 o 특별사찰은 일반사찰을 통해 획득한 정보가 협정에 따른 책임 이행에 충분치 못하다고 판단될 때 실시 o 따라서 북한의 미신고 핵물질 및 시설에 대한 의혹이 있을 경우 IAEA 이사회 결정에 따라 특별사찰 실시가능 o 쌍방 협의하에 가능한한 조속한 시일내 사전통고후 실시	일반사찰 실시후 필요시

2

0130

1/29 신

3

관리 번호	92-37

원 본

외 무 부

종 별 :

번 호 : AVW-0129 일 시 : 92 0128 1930

수 신 : 장 관(국기,미이,정특)

발 신 : 주 오스트리아 대사

제 목 : 북한의 핵안전 협정 서명계획

연:AVW-0079,0086

1. 북한 대표단은 금 1.28(화) 12:20 당지에 도착하였음.

2. IAEA 관계관에 의하면 당지 북한대표부는 BLIX 사무총장과 간부 4-5 인을1.30 대표단장 주최 오찬에 초청하였다하며, 북한대표단은 1.30 10:00 IAEA 사무총장실에서 협정을 서명한후 성명서를 발표하기 위하여 기자회견(10:30, 겸 IAEA 사무국 회의실)을 가질 예정이라함을 보고함. 끝.

예 고:92.6.30 일반.

일반문서로 재분류(1992. 6. 30.)

18:00 ?

국기국	장관	차관	1차보	2차보	미주국	외정실	분석관	청와대
안기부								

PAGE 1 92.01.29 07:11

외신 2과 통제관 FM

0131

공 란

공 란

長 官 報 告 事 項

報 告 畢

1992. 1. 30.
國際機構局
國際機構課 (2)

題 目 : 북한, 핵안전협정 서명 및 기자회견

1. 금 1.30(목) 오전 10:05 (한국시간 오후 6:05) 비엔나에서 IAEA 사무총장과 북한의 홍근표 원자력공업부 부부장간에 북한의 핵안전조치 협정이 서명됨.

2. 홍근표 부부장일행은 상기서명후 오전11:15(비엔나 시간)부터 한시간동안 계속된 기자회견에서 하기 요지 발표

   o 핵안전협정 비준시기는 국내절차상 시간이 걸리기 때문에 2월 IAEA이사회전까지 비준 발효는 힘드나 최대한 빨리 하도록 노력하겠음

   o 일본의 플루토늄 문제와는 관계없이 협정을 비준하겠음

   o 핵사찰 대상에 영변소재 시설을 포함시키겠음

3. 상기관련 조치사항은 다음과 같음

   o 외무부 대변인 논평 발표

   o 청와대에 북한 협정서명 사실 보고

   o 명일(1.31) 일일보고에 동건 관련사항 포함 예정 끝.

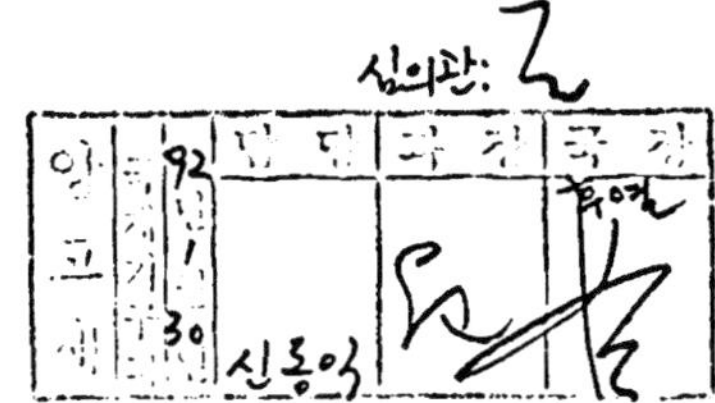

0134

2/1 : 신

報 告 畢

1992. 1. 30.
國際機構局
國際機構課 (2)

長 官 報 告 事 項

題 目 : 북한, 핵안전협정 서명 및 기자회견

1. 금1.30.(목) 오전 10:05 (한국시간 오후 6:05) 비엔나에서 IAEA 사무총장과 북한의 홍근표 원자력공업부 부부장간에 북한의 핵안전조치 협정이 서명됨.

2. 홍근표 부부장일행은 상기서명후 오전11:15(비엔나 시간)부터 한시간동안 계속된 기자회견에서 하기 요지 발표

   o 핵안전협정 비준시기는 국내절차상 시간이 걸리기 때문에 2월 IAEA이사회전까지 비준 발효는 힘드나 최대한 빨리 하도록 노력하겠음
   o 일본의 플루토늄 문제와는 관계없이 협정을 비준하겠음
   o 핵사찰 대상에 영변소재 시설을 포함시키겠음

3. 상기관련 조치사항은 다음과 같음

   o 외무부 대변인 논평 발표
   o 청와대에 북한 협정서명 사실 보고
   o 명일(1.31) 일일보고에 동건 관련사항 포함 예정 끝.

0135

보 도 자 료

외 무 부

제 92 - 호 문의전화 : 720－2408～10 보도일시 : 92. 1. 30. 21 : 00시

제 목 : 북한의 핵안전조치 협정서명에 대한 외무부 대변인 논평

1. 북한이 92.1.30. 국제원자력기구(IAEA)와 핵 안전조치협정에 늦게나마 서명한 것은 다행스러운일로 본다.

2. 우리는 북한이 핵 안전조치협정의 발효를 위한 조치를 지체없이 취하고 또한 보유하고 있는 모든 핵물질과 시설에 대한 IAEA의 핵사찰도 조속히 받음으로써 NPT 당사국으로서의 의무를 완전 이행할것을 기대한다.

0136

〈보도 참고자료〉

1. 북한의 핵 안전조치협정 서명 경위

o 85.12. 북한, 핵 비확산조약(NPT) 가입

o 89.12 -90 7. 북한, 3차에 걸쳐 IAEA와 협정체결 교섭

- 북한은 한반도내 핵무기 철거와 미국의 북한에 대한 개별적 핵 선제 불사용보장(NSA)을 협정체결 전재조건으로 주장

o 91.7.16. 북한, IAEA와 협정문안을 최종 확정, 91. 9월 이사회 승인을 득함

- 문안 합의 이후 남.북한 핵 동시사찰 및 한반도 비핵지대화등의 종전입장 반복

o 91.9.12. IAEA 이사회, 북한에 대해 동 협정의 조속한 서명, 비준 및 이행을 촉구하는 결의 채택

o 91.9.27. 「부쉬」 미국대통령의 핵감축 선언과 11. 8. 노대통령의 「한반도 비핵화」 선언

o 91.11.27. 북한, 남한에서 핵무기 철수가 개시될 경우 핵사찰에 응하겠다는 외교부 성명 발표

o 91.12.13. 제5차 남북고위급회담에서 남북한간 「화해와 불가침 및 교류. 협력에 관한 합의서」 서명 채택

-「공동발표문」 에서 남북한은 한반도에 핵무기가 없어야 한다는데 인식을 같이함

- 정원식 총리, 남북한 동시 시범 핵사찰 실시 제의

o 91.12.18. 노대통령, 「한국내 핵부재」 선언

0137

o 91.12.22. 북한,미국이 앞으로 핵부재에 관한 명백한 입장을 밝히리라는 것을 전제로 NPT에 따른 안전조치 협정에 서명, 해당절차를 통해 사찰을 받게 될것을 천명한다는 외교부 성명 발표

o 91.12.31. 핵문제 협의를 위한 제3차 남북 판문점회담에서 남북한은 「한반도 비핵화에 관한 공동선언」 채택

- 핵무기 시험 제조 생산 접수 사용금지, 핵재처리-농축시설 보유 금지, 핵통제 공동위 구성 및 비핵화 검증을 위한 상호 동시사찰 등에 합의

- 「공동 발표문」 에서 상기 「비핵화 공동선언」을 92.2.19. 제6차 남북고위급 회담에서 발효시키기로 함

o 92.1.1. 김일성, 신년사에서 북한은 공정성이 보장되는 조건에서 핵사찰 수락할 것임을 밝힘

o 92.1.7. 북한, 92.1월말 협정서명후 적절한 절차에 따라 가장 빠른 시기내에 비준및 발효, IAEA와 합의하는 시기에 사찰수락 계획 발표

o 92.1.30. 북한, IAEA와 핵안전협정서명

- 국내절차상 시간이 걸리기 때문에 2월 IAEA 이사회전 협정 비준은 힘드나 최단시일내 비준을 위해 최선의 노력을 할것임을 밝힘

2. 북한의 핵안전협정 서명 이후 사찰 실시까지의 단계

가. 협정비준 및 발효

o 북한 헌법(제96조)상 조약의 비준은 최고 인민회의 동의없이 주석이 하도록 규정

o IAEA에 대한 북한의 협정비준서 기탁 일자에 협정발효

나. 보조약정서 체결

o 북한은 핵안전협정에 규정된 절차의 시행방법과 사찰대상 시설을 구체적으로 명시하는 보조약정(subsidiay arrangement)을 안전조치협정 발효후 90일 이내 발효시켜야 함

0138

o 사찰대상이 될 모든 핵물질에 관한 최초 보고서는 협정 발효 해당월의 마지막날로부터 30일 이내에 IAEA에 제출

- IAEA는 최초보고서에 포함된 내용을 확인하기 위해 임시사찰(ad hoc inspection) 실시가능

다. IAEA 일반 사찰실시

o 북한은 IAEA가 임명하는 사찰관에 대하여 30일 이내에 수락여부 회보

o IAEA는 사찰관 수락회보 접수후 북한에 사전통보(24시간 내지 1주일전) 함으로써 일반사찰 실시 시작

3. 안전조치협정 주요내용

가. 안전조치대상 핵물질 및 시설(전문 및 98조로 구성)

o 핵물질 : 풀루토늄, 우라늄, 토리움 등

o 핵시설 : 원자로, 전환공장, 가공공장, 재처리공장 등으로서 정량 1kg 이상의 핵물질이 통상 사용되는 장소

나. 핵물질에 대한 기록유지 및 보고(제51-69조)

o 기록유지의 대상, 국제적 측정기준 및 보관기간(최소 5년) 설정

o 핵물질 계량 기록 보고(계량, 특별 및 추가 보고서등)

다. 핵시설 설계에 대한 정보(제42-50조)

o 검증의 편의를 위해 안전조치 관계시설 및 핵물질 형태의 보고

o 신규시설은 핵물질 반입 전 가능한한 조속히 보고

o 설계정보내용

- 시설의 일반적 특성, 목적, 명목, 용량 및 지리적 위치등

- 핵물질의 형태, 위치 및 유통 현황등

0139

라. 안전조치의 기점, 종료 및 면제(제11-14조, 제33-38조)

o 핵물질의 국내수입시부터 안전조치적용

o 핵물질의 소모, 희석으로 더 이상 이용 불가능하거나 회수 불가능시 (IAEA와 협의) 또는 당사국 밖으로 핵물질 이전시(IAEA에 사전 통보) 종료

마. 핵물질의 국제이동(제91-97조)

o 당사국 밖으로 핵물질 반출시 IAEA에 사전 통고

- 반출 핵물질의 책임 수령일로부터 3개월 이내 동 물질의 이전 확인 약정 조치 필요

o 당사국내로 핵물질 반입시 IAEA에 보고

- 안전조치 대상 핵물질 반입시 반입량, 양도지점 및 도착일시등 보고

바. 안전조치 사찰(제70조-제90조)

o 임시사찰(ad hoc inspection)

- 최초 보고서에 포함된 정보 검증

- 최초 보고일자 이후에 발생한 상황변화에 대한 검증

o 일반사찰(routine inspection)

- 핵 안전협정의 내용에 따른 정기사찰

- 보고서 내용과 기록과의 일치 여부에 대한 통상적 사찰

o 특별사찰(special inspection)

- 특별보고서상의 정보를 검증할 필요가 있을 때나(특별보고서는 돌발적인 사고, 상황으로 인한 핵물질 손실 발생시에 협정 당사국이 IAEA에 제출)

- 일반사찰 정보와 당사국 제공 정보가 책임이행에 충분치 못하다고 판단되는 경우에 특별사찰. 끝.

0140

발 신 전 보

분류번호	보존기간

번 호 : EM-0005 920130 2243 FN 종별 : 암호송신 · 지급

수 신 : 주 수신처참조 대사. 총영사

발 신 : 장 관 (국기)

제 목 : 북한, 핵안전협정 서명

1. 92.1.30(목) 오전 10:05 (한국시간 오후 6:05) 비엔나에서 IAEA 사무총장과 북한의 홍근표 원자력공업부 부부장간에 북한의 핵안전조치 협정이 서명됨.

2. 홍근표 부부장일행은 상기서명후 오전11:15(비엔나 시간)부터 한시간동안 계속된 기자회견에서 하기 요지 발표

   o 핵안전협정 비준시기는 국내절차상 시간이 걸리기 때문에 2월 IAEA이사회전까지 비준 발효는 힘드나 최대한 빨리 하도록 노력하겠음

   o 일본의 플루토늄 문제와는 관계없이 협정을 비준하겠음

   o 핵사찰 대상에 영변소재 시설을 포함시키겠음

3. 상기관련 1.30(목) 발표된 외무부 대변인 논평은 다음과 같음

   o 북한이 핵안전조치협정에 늦게나마 서명한 것은 다행스러운일 임

   o 북한이 협정 발효를 위한 조치를 지체없이 취하고 보유하고 있는 모든 핵물질과 시설에 대한 IAEA의 핵사찰도 조속히 받음으로써 NPT 당사국으로 의무를 완전 이행할것을 기대 끝.

(국제기구국장 김 재 섭)

수신처 : 전대사 주재공관장

보 안 통 제	

앙 고 재	92년 1월 30일	국기과	기안자 성명		과 장	심의관	국 장		차 관	장 관
			신동익				추열			

외신과통제

0141

1/31·신

관리번호	92-44

원 본

외 무 부

종 별 : 긴 급

번 호 : AVW-0143 일 시 : 92 0130 1730

수 신 : 장 관(국기,미이,정특,과기처,기정),국방부

발 신 : 주 오스트리아 대사

제 목 : 북한의 핵안전협정 서명

연:AVW-0086

1. 북한대표단은 금 1.30(목) IAEA 사무총장실에서 핵안전협정에 서명하였음.

2. 동서명 직후 BLIX 사무총장은 별첨(FAX1)과 같이 북한의 조기 비준및 협정 이행에 대한 기대를 표명하였으며, 북한의 홍근표단장은 금일 서명에 이르게 된것은 북한의 일관된 반전, 반핵 투쟁의 성과라고 하면서 앞으로 협정 이행을 위하여 IAEA 와 긴밀히 협조하겠다고 말하였음.

3. 한편 북한대표단은 서명식이 끝난후 IAEA BLIX 사무총장 면담시 동 사무총장의 북한 방문을 초청하였는데, BLIX 사무총장은 북한이 협정을 조속 비준하고 일차적인 IAEA 핵사찰이 실시된 이후에나 방문할 의사가있다는 반응을 보였다고 함.

4. 북한대표단은 별도로 11:15 부터 약 1 시간(통역포함) IAEA 회의실에서 기자회견을 갖고(아국, 일본, 미국등 27 개 언론사로부터 40 여명의 기자 참석),별전(FAX 2)와 같이 성명서를 발표한후, 참석기자들의 질의에 응답하였는바, 동주요 내용은 다음과 같음.

가. 핵안전협정 비준을 위한 국내절차및 비준시기

1)모든협정의 비준에는 국내법 절차에 따라 권한있는 기관이 심의, 검토하기 위하여 응당 시간이 필요하바, 일반적으로 6 개월 또는 1 년 이상이 걸리는 경우도 있음. 따라서 왜 2 월 이사회 이전에 비준하지 못하는가 묻는것은 상식 밖의 문제라고 봄. 그러나 핵안전 협정비준에 1 년 이상이 걸릴 것이라는 것은 아니며, 가능한한 최단시일내 비준을 위해 최선의 노력을 할것임(금년이내에는 비준할 것인지에 대한 질문에 대하여는 이보다 훨씬 빨리 비준하게 될것이라고 답변)

2)협정의 비준 문제는 법치국가의 대외관계에 있어서 중요한 문제임. 북한의 경우 인민이 주인인 국가로 비준시기 문제는 이민의 대표기관이 결정하는 것이며, 어떤

국기국 장관 차관 1차보 2차보 미주국 상황실 외정실 분석관
청와대 안기부 국방부 과기처

PAGE 1 92.01.31 03:51
외신 2과 통제관 FM

0142

개인이 답변할수 없는 문제임.

나. 핵안전협정 비준을 위하 조건 여부

북한은 핵안전협정 체결을 위해서 (1) 남한으로부터의 미국 핵무기 철수,(2) 북한에 대한 핵무기 위협제거,(3)한반도의 비핵화,(4)미.북한간 협상 실현을 요구해왔음. 북한은 상기의 문제가 원칙적으로 해결되었다고 생각함. 다만 남한으로부터의 핵무기 철수 여부에 대해 미국이 공개적으로 통보하지 않아 확인되지 않았으나 간접적으로 확인되었음. 따라서 협정 체결을 위한 모든 요구조건이 이런 의미에서 원칙적으로 해결되었음.

다. 일본의 핵무기 개발 문제가 핵안전협정 비준에 장애가 될지 여부

일본의 핵무장 시도에 대하여는 세계가 관심을 가져야 하며, 이를 파단 시켯야함. 그러나 일본의 핵개발 문제를 비준에 직접적으로 지장을 주는 것으로는 보지 않겠음. 일본의 핵무장, 저지를 위하여 투쟁을 계속 하겠으나, 이와 별개로 핵안전협정을 비준하고 이행 할것임. 우리는 일본이 평화적인 핵활동을 위하여 필요한 소요량을 초과하는 양을 가지고 있다는데 문제가 있다고 생각함.

라. 북한에 어떠한 핵시설이 있는지, 영변 핵시설을 신고 할것인지 ?

1)북한에는 일부사람들이 우려하는 것과 같은 핵물질이 없음.

2)핵시설의 공개문제는 핵안전협정의 절차와 순서에 따라 되어야 함. 안전협정이 효력을 발생하면 국제원자력기구에 명세서를 내야함. 영변에 대하여도 핵안전협정이 요구하는 절차에 따라 응당 제출할 것임.

3)영변등 핵 시설에 대하여는 핵안전협정에 따른 핵사찰이 진행되면 알고 싶은 사항을 알게될 것임.

4)우리는 한다면 하는 것이지 빈말은 하지 않음. 북한은 핵안전협정에 따른 의무를 성실히 이행 할것임.

마. 남북한 한반도 비핵지대화를 위한 합의에 따른 동시사찰과 IAEA 핵사찰과는 어떤 연관이 있으며, 무엇이 우선하는지 ?

1)한반도 비핵화를 위한 공동선언에 의한 동시사찰은 남한과 북한 사이의 협상에 따라 이루어 질것이며, IAEA 사찰문제는 핵안전협정에 따라 진행될 것임.

2)핵안전협정에 의한 사찰과 남북한 동시 사찰중 어느것이 먼저일지 자신이 결정할수 없음. 남한과 북한 사이에는 진지한 협상이 진행 될것임.

5. 상기 기자회견에 동석한 KYD IAEA 대변인은 기자회견에 앞서 행한 배경

설명에서 북한대표단으로 부터 국내절차상 2.24 IAEA 이사회개최 이전에 비준 하는것은 어려울 것이라는 반응(INDICATIONS)이 있었다고 언급하였음.

별첨:AVW(F)-014 3 매.끝.

예 고:92.6.30 일반.

EMBASSY OF THE REPUBLIC OF KOREA

Praterstrasse 31, Vienna
Austria 1020 (FAX : 2163438)

No : AUW(F) - 014	Date : 20130 1320
To : 장관 (국기, 미이, 정특, 기정, 과기처) (FAX No :)	
Subject : 첨부	

표지 포함 4 매

4-1

Total Number of Page :

0145

★ 북한대표단 회견시 모두 발표문 (1.30)

Our Government's consistent position and remitting efforts for the fair implementation of the Treaty on Non-Proliferation of nuclear weapons have brought about a successful outcome that has enable us to sign the Nuclear Safeguards Agreement today.

As is well known throughout the world, our Government which has joined the Nuclear Non-Proliferation Treaty, accepting the Treaty's noble ideas, has been consistent in its position since the first day of its joining the Treaty to sign the Nuclear Safeguards Agreement at an early date and undergo the inspections by the International Atomic Energy Agency in accordance with the established procedures of the Agency.

The purpose of our joining the Treaty was to help strengthen the regime of preventing the proliferation of nuclear weapons and with the effective power of the Treaty to have the US nuclear weapons removed from south Korea, eliminate the US nuclear threat against us and turn the Korean peninsula into a nuclear weapon free zone.

However, unlike other member States to the Treaty, the unique circumstances and conditions prevailing in our country has kept us from fulfilling our obligations under the NPT, even if we wanted to do so.

The United States, the depository State of the Treaty, has begun deployment of its nuclear weapons in south Korea since the mid-1950s and even after our accession to the Treaty forward deployed a large quantity of tactical nuclear weapons and nuclear bombs there, and since 1976 staged in south Korea the annual joint military exercises "Team Spirit" targeting at the northern half of Korea continuing to threaten and blackmail us with its nuclear weapons.

Moreover, in recent months, Japan and some other US followers launched an international campaign at the US instigation to impose unilateral inspection on us only to lay additional obstacles to our signing of the Safeguards Agreement.

Such being the case, however, being desirous of fulfilling our own obligations under the NPT on all accounts, we have taken a serious of active and realistic initiatives to create conditions and environment for the signing of the Safeguards Agreement.

Under our active and realistic and tireless efforts, the US authorities were compelled to back down from its

- 1 -

0146

anachronistic nuclear blackmail policy and later in September last year announced its proposal to withdraw its tactical nuclear weapons and December welcomed the south Korean authorities' "declaration on absence of nuclear weapons" and confirmed that it has "no dissent" to the declaration.

In early January this year, the United States and the south Korean authorities could not but make a joint announcement of their decision to forgo the "team spirit" joint military exercise in 1992 which have been staged over the last 16 years.

Our consistent and long-standing efforts for the denuclearization of the Korean peninsula resulted late last year with the agreement between the north and the south of Korea on the draft of the "Joint Declaration on the Denuclearization on the Korean peninsula" and has announced its adoption this year.

The United States authorities have expressed their readiness to fully cooperate with the simultaneous inspections of the north and the south and the south Korean authorities have also responded positively to the simultaneous inspections. These developments have laid the groundwork for the DPRK-US negotiations on the issue of nuclear inspection and the high-level DPRK-US talks have opened in the United States.

All the above-mentioned facts show that the conditions and circumstances have become ripe for us to sign the Safeguards Agreement in connection with the NPT and most of our principled demands have been met for the fair solution of the problem of nuclear inspection.

Therefore, our Government will have the just signed Safeguards Agreement ratified and effectuated at an earliest possible date and subsequently undergo the inspection duly at the time to be agreed upon with the International Atomic Energy Agency.

The whole course of time since our joining the NPT up to date proves the correctness of our position in the patient efforts in pursuit of the fair implementation of the Treaty.

The peace-loving peoples throughout the world, to say nothing of our people, welcome the triumphant conclusion of the signing of the Safeguards Agreement thanks to our active efforts and the possibility that the nuclear inspection could be carried out on the principle of impartiality.

Thank you.

Statement by the Director General of the IAEA, Dr. Hans Blix
on the occasion of the signing of a safeguards agreement
between the IAEA and the Democratic People's Republic of Korea
on 30 January 1992

Mr. Vice Minister Hong Gun Pyo,
Representatives of the DPRK,

I am pleased that we have now signed an agreement whereby the DPRK is submitting all nuclear material and facilities in the DPRK - present and future - to IAEA safeguards verification. The DPRK is a party to the Non-Proliferation Treaty. IAEA safeguards are applied to verify that the parties to that treaty are using all nuclear material and installations for exclusively peaceful purposes. To create the openness that is necessary for confidence, regionally and globally, these safeguards must be effective and comprehensive. We are trying to strengthen them.

We look forward to an early ratification of the agreement by the DPRK and to full co-operation with IAEA in the implementation of the agreement. I should like to thank all those who have been involved in the negotiation and drafting of the agreement and thank the delegation from the DPRK for having come here to sign the agreement.

c-4

0148

1/31 신

관리번호	92-43

원 본

외 무 부

종 별 :

번 호 : AVW-0148 일 시 : 92 0130 1800

수 신 : 장 관(국기,미이,기정) 사본:청와대외교안보수석,주미,일,영,불,호주,

발 신 : 주 오스트리아 대사 카나다,유엔,북경대표-필, 통일원

제 목 : 북한의 핵안전협정 비준 전망

연:AVW-0143

1.BLIX 사무총장은 금 1.30(목) 오후 4 시 55 분 본직과의 통화에서, 금일 서명된 핵안전협정을 북한은 조기에 비준할 것이나, 그 시기가 2 월 이사회 개막전이 되지는 않을 것이라고 말하였다함. BLIX 총장은 6 월 이사회 전까지는 비준될 것으로 내다보았음.

2. 북한에 의한 그의 방북 초청에 관해서는 협정 비준후 최초 보고서를 접수한후에 가능할 것이라고 북한측에 그가 말하였다함.

3. 영변의 핵시설을 최초 보고서에 포함시키는 문제에 관해서는 구체적인 언급이 없었으나, 북한측이 기자회견에서 말한 것은 이미 사찰의 대상이 되어온 시험용 원자로를 염두에 둔것이 아닌가하고 사무총장과 본직이 상기 통화에서 추측하였음.

~~4. 상기 1 항의 비준시기 문제에 관하여 남북대화 통로를 통해 조속히 알아볼 필요가 있다고 봄.~~

5. 이를 토대로 2 월 이사회 대책이 수립되어야 할것임.끝.

예 고:92.12.31 일반.

검토필 (1992.6.30.)

국기국	장관	차관	1차보	2차보	미주국	외정실	분석관	청와대
안기부	중계							

PAGE 1

92.01.31 04:28

외신 2과 통제관 FM

0149

1/31 신

원 본

암 호 수 신

외 무 부

종 별 :

번 호 : AVW-0149 일 시 : 92 0130 1800

수 신 : 장 관(국기,구이,과기처)

발 신 : 주 오스트리아 대사

제 목 : 핵안전협정 서명관련 북한대표 기자회견

연:AVW-0143

연호 4 항 기자회견 관련 IAEA 사무국 검토의견을 별전(FAX) 송부함.

별첨:AVW(F)-015 1 매.끝.

국기국 장관 차관 1차보 2차보 구주국 외정실 분석관 청와대
안기부 과기처

PAGE 1

92.01.31 04:30
외신 2과 통제관 FM

0150

EMBASSY OF THE REPUBLIC OF KOREA

Praterstrasse 31, Vienna
Austria 1020 (FAX : 2153438)

No : AVW(万) - 015	Date : 20/30 1800
To : 장 관(국기.미이. 과기처) (FAX No :)	
Subject : 첨 부	

표지포함 2매

Total Number of Page :

0151

SENT BY:KOREAN EMB. VIENNA ;30- 1-92 ; 5:49PM : KOREAN EMB. VIENNA→ 02739563

NOTE TO THE FILE

30 January 1992

Subject: DPRK Press Conference, 30 January 1992

The press conference following the signature of the safeguards agreement by Ambassador Chang was quite straightforward and lasted one hour.

They circulated a statement by Ambassador Chang read at the outset (attached).

In response to questions Ambassador Chang expressed mild dissatisfaction that the US itself had not confirmed the withdrawal of all US nuclear weapons from South Korea.

He refused to be drawn on the question of ratification other than to say it would happen as quickly as possible and that it have to go to the Peoples' Assembly and possibly the Central Peoples' Committee as the executive arm of the government for consideration.

He indicated obliquely that Yongbyong would be included in their inventory.

Perhaps the most important point was his statement that the nuclear plans of Japan would not directly affect the DPRK's ratification. He said the two issues were separate and would be pursued as such by the DPRK.

The Japanease programme was a matter of legitimate international concern which they would strive to focus on in the future since vigilance was required.

David Kyd
DIR-ADPI

Attachment

cc: DG
DDG-AD
DDG-SG
DIR-ADEX
DIR-ADLG
Mr. Mayer
Ms. Gillen

DKyd/sch/1271

0152

1/31 신

원 본

외 무 부

종 별 :

번 호 : AVW-0151 일 시 : 92 0130 1900

수 신 : 장 관(국기,미이,구이)

발 신 : 주 오스트리아 대사

제 목 : BLIX 사무총장의 인터뷰 기사

1.금 1.30자 DIE PRESSE는 핵안전 문제에 관해 BLIX IAEA 사무총장과의 인터뷰 기사를 별첨게재하였음.

2.동인터뷰에서 BLIX 는 핵무기 확산 저지를 낙관적으로 본다고 말하고 그 예로 알젠틴, 브라질, 남아공의 안전조치 협정 서명과 금일 북한의 안전조치 협정 서명을 들었 음.

3.BLIX 사무총장은 중동 평화회담의 결과로 중동지역의 비핵화가 이루어지면 결정적 계기가 될것이라고 말하고 95년까지는 핵 비확산에 관한 범세계적 체제가 구축될 것으로 전망하였음.

4.BLIX 사무총장은 이라크의 비밀 핵개발을 계기로 IAEA의 검증및 안전조치제도에 대한 개선이 이루어져야 하며, 구소련의 핵전문가 유출을 방지하기 위해 서방국가의 지원이 필요한 것으로 본다고 말하였음.

5.BLIX 는 이란이 핵물질을 은폐하고 있다는 증거는 없으며 IAEA는 이란에게 의문이 제기될경우 IAEA사찰관 파견을 요청토록 권유했다고 말하면서, 리비아의 경우에도 IAEA의 입장은 동일하다고 말하였음.

별첨:AVW(F)-016 1매.끝.

국기국 미주국 구주국

PAGE 1

92.01.31 08:51 WG

외신 1과 통제관

0153

Mit Nuklearwaffen gibt es kein Versteckspiel

Der Chef der Internationalen Atombehörde in Wien (IAEA), Hans Blix, über die Grenzen seiner Möglichkeiten

Von Gerhard Bitzan

„DIE PRESSE": Das atomare Wettrennen zwischen den Supermächten hat aufgehört, zugleich ist ... die Auflösung der Sowjet... die Instabilität gewachsen. ... die Welt jetzt sogar unsicherer geworden?

HANS BLIX: Ich bin optimistisch über die Möglichkeit, eine Weiterverbreitung von Atomwaffen zu verhindern. Das hat das vergangene Jahr bewiesen, das besonders ereignisreich und positiv war. Argentinien und Brasilien, zwei Schwellenländer, haben sich entschieden, ihre nuklearen Einrichtungen zu öffnen. Dann ist da Südafrika, das auch ein großes Problemkind der vergangenen Jahre war. Nordkorea hat im Sommer ein Schutz- und Überwachungsabkommen (Safeguards) mit uns entworfen, nach dem es verpflichtet ist, alle nuklearen Einrichtungen und Materialien inspizieren zu lassen. Das wird heute, Donnerstag, in Wien unterzeichnet.

...gleich hat die Nahostkonferenz begonnen. Innerhalb eines Jahres wird es dabei Diskussionen über Rüstungskontrolle und Abrüstungsmaßnahmen geben. Ich bin überzeugt, daß die Schaffung einer atomwaffenfreien Zone im Nahen Osten ein entscheidender Punkt sein wird. Ich glaube, es ist eine vernünftige Perspektive für die Welt, bis 1995 eine universelles atomares Nichtverbreitungs-Instrument zu schaffen.

Sind Sie nicht zu optimistisch?

Es gibt natürlich auch eine negative Seite. Die Probleme sind auf unsere Erfahrungen mit dem Irak begründet. Ja, es stimmt: Während wir langsam zu einer größeren Akzeptanz des NPT (Atomsperrvertrag, d. Red.) kommen, wird er zugleich unterminiert. Irak war ein Unterzeichner des NPT und hat ein Agreement mit uns gehabt, das ihn verpflichtet, uns über alle nuklearen Materialien und Einrichtungen zu informieren. Zugleich jedoch bereitete Bagdad ein großes Programm für Urananreicherung vor. Das war eindeutig ein Bruch der Verpflichtungen.

Kann sich so etwas nicht auch in anderen Ländern wiederholen?

Ich glaube nicht. Es gibt keinen Grund, darüber in Panik zu geraten. Aber es ist wichtig, aus diesem Fall zu lernen und gewarnt zu sein. Irak ist ein ziemlich ungewöhnliches Beispiel: Ein Land mit großen Ressourcen und zugleich Ambitionen, die Region zu dominieren. Es gibt wenig ähnliche Fälle in der Welt.

Wir in der Agentur ziehen den Schluß, daß das Verifikationssystem, das Safeguardsystem, noch besser werden muß. Ich glaube aber, daß der Fall Irak etwas Wichtiges aufgezeigt hat: Bagdad besaß mehr als 30 Kilo – bei uns gemeldetes – angereichertes Uran, das als Brennstoff für seine Reaktoren deklariert war – und dieses wurde nie angerührt. Das zeigt, daß ein Land Material, das unter Überwachung ist, nicht angreift. Und es ist eine Menge Material in der Welt unter Überwachung.

Die negative Seite ist, daß das System nicht dafür vorgesehen ist, versteckte Geheimnisse zu finden. Was können wir tun, wenn ein Land wichtige Einrichungen versteckt? Unsere Erfahrung im Irak, wo wir völlige Bewegungsfreiheit und alle Möglichkeiten haben, zeigt, daß wir noch immer nicht sicher sind, alles gefunden zu haben. Und die Welt wird in anderen Fällen vielleicht nicht das Recht haben, so massiv zu inspizieren.

Was kann die Agentur machen, um die Risiken weitgehend auszuschalten?

Man muß vor allem die Spezial-Inspektionen verstärken. Wenn wir irgendeinen Verdacht haben, können wir von einem Land solche Inspektionen verlangen. Wir sind aber keine Spionageorganisation, wir haben keine Satelliten. Wir müssen wie die Polizei auf Hinweise warten, aber dann gehen wir allem nach.

Welche Informationen haben Sie über Atommaterial und Atomspezialisten, die von der ehemaligen Sowjetunion zu unberechenbaren Mächten wandern?

Wir haben kein Personal, das russische Individuen oder Militärs überprüft, die Waffen verkaufen. Wir haben keine entsprechenden Insiderinformationen. Unser Job ist es, die friedliche Nutzung der Kernkraft zu überwachen und nicht den militärischen Sektor. Bisher gibt es keine verifizierten Berichte, nur Gerüchte.

Es gab auch Meldungen über die Weitergabe von nuklearem Material wie Uran und Plutonium. Alles muß man untersuchen. Aber wir haben auch hier keinerlei konkrete Hinweise. Kleine Mengen Plutionium sind auf dem Markt, ja. Das wird auch oft in der Industrie gebraucht. Natürlich sollte man gerade bei diesen kleinen Mengen sorgfältiger sein.

Das Problem der Atomwissenschaftler dürfte aber konkreter sein.

Sicher, in diesem Bereich gibt es ein Risiko. Für den Westen wäre es eine positive Sache, den Russen zu helfen, indem man verschiedene Projekte im nuklearen Bereich aufbaut, um diese Experten sinnvoll beschäftigen zu können. Gerade in einem Land wie der früheren Sowjetunion, das so viele Probleme hat, könnte man helfen; beispielsweise bei der Untersuchung von nuklearer Verseuchung, oder beim verstärkten Aufbau von friedlicher Atomenergie oder beim Abrüsten von Atomwaffen.

Wir von der IAEA stellen gerade eine Liste von Projekten zusammen, die wir in der Vergangenheit schon angepeilt haben, die aber bisher wegen finanzieller Probleme nicht realisiert werden konnten, und die auf Sowjet-Spezialisten basieren könnten. Wenn irgendjemand willens ist in der westlichen Welt, die Gelder zu geben, dann können wir sicher helfen und die Wissenschaftler beschäftigen.

Auch die nukleare Abrüstung ist so ein Problem. Unter dem INF-Vertrag bleiben die Atom-Sprengköpfe übrig. Diese werden gelagert. Es gibt also keine Abrüstung von Plutonium oder angereichertem Uran. Ich habe Jelzin informiert, daß wir die Fähigkeit hätten, die Lagerung dieses Materials zu überwachen und es in zivile Bereiche zu transferieren und es beispielsweise als Brennstoff für Kraftwerke zu verwenden.

Islamische Staaten sind in letzter Zeit als neue und gefährliche Atommächte ins Gerede gekommen.

Im Iran haben wir keine Beweise für Umleitung von Nuklearmaterial gefunden. Wir haben den Iranern mitgeteilt, wenn jemand Verdächtigungen ausspricht, wäre es weise von ihnen, die Agentur zu ersuchen, doch einige Inspektoren zu senden. Jedes Land, das verdächtigt wird, geheime Nuklearoperationen zu haben, sollte dies tun. Auch im Falle Libyens, wo ich jetzt hinfahre, ist das so.

Das „Presse"-Interview

Optimistisch zeigt sich der Chef der Atombehörde, der Schwede Hans Blix, über die atomare Zukunft. Man müsse zwar immer auf der Hut sein, aber das Risiko unberechenbarer Atommächte sei gesunken.

Photo: „Die Presse"/Rudolf Blaha

0154

92.1.31(土)
청와대 일일보고

1. 北韓, 核安全協定 署名

o 1.30(목) 10:05 (한국시간 오후 06:05) 비엔나에서 國際原子力機構 블릭스 事務總長과 北韓의 홍근표 原子力工業部 副部長間에 表題 協定이 署名됨.

- 協定 署名後 記者會見에서 北韓代表團은 국내절차상 시간이 걸리기 때문에 國際原子力機構의 2월 理事會(2.24-27) 以前까지 批准 發效는 힘드나, 최대한 빨리 하도록 노력 하겠다고 말함. 北韓 代表團은 또한 日本의 플루토늄 問題와는 關係없이 協定을 批准하고 核査察 대상에 영변 소재 시설을 포함시키겠다고 말함.

- 블릭스 事務總長은 署名後 가진 우리 大使와의 接觸에서, 北韓側이 6월 理事會 전까지는 批准할 것으로 내다 보면서, 北韓 代表團이 자신의 訪北을 招請했으나, 協定 批准에 이어 最初報告書를 接受한 후에 가능할 것이라고 말하였다고 밝힘. (駐오스트리아大使 報告)

o 상기 北韓의 協定 署名에 대해 外務部 代辯人은 北韓이 協定의 發效를 위한 措置를 지체없이 취하고, 그들의 모든 核物質과 施設에 대한 國際原子力機構의 核査察을 조속히 받을 것을 期待한다는 要旨의 論評을 發表함.

0155

일일 보고

1992.1.30.
국제기구과

북한, 1.30(목) 핵 안전조치협정 서명

o 1.30(목) 10:05 (한국시간 오후 6:05) 비엔나에서 "국제 원자력기구" 사무총장과 북한의 홍근표 원자력공업부 부부장간에 북한의 핵안전조치 협정이 서명됨

o 협정 서명후 기자회견에서 북한대표단은 국내절차상 시간이 걸리기 때문에 "국제 원자력기구"의 2월이사회(2.24-27)이전까지 비준발효는 힘드나 최대한 빨리 하도록 노력하겠다고 밝힘. 아울러 북한대표단은 일본의 플루토늄문제와는 관계없이 협정을 비준하고 핵사찰 대상에 영변소재 시설을 포함시키겠다고 함

o 상기 북한의 협정 서명당일 아래와 같은 외무부대변인 논평을 발표함

- 늦게나마 북한이 협정을 서명한것을 다행스럽게 봄
- 북한이 협정의 발효를 위한 조치를 지체없이 취하고 그들의 모든 핵물질과 시설에 대한 "국제원자력기구"의 핵사찰을 조속히 받을것을 기대 끝.

0156

보 도 자 료

외 무 부

제 92 - 호　문의전화 : 720－2408～10　보도일시 : 92. 1. 30. 21 : 00시

제 목 : 북한의 핵안전조치 협정서명에 대한 외무부 대변인 논평

1. 북한이 92.1.30. 국제원자력기구(IAEA)와 핵 안전조치협정에 늦게나마 서명한 것은 다행스러운일로 본다.

2. 우리는 북한이 핵 안전조치협정의 발효를 위한 조치를 지체없이 취하고 또한 보유하고 있는 모든 핵물질과 시설에 대한 IAEA의 핵사찰도 조속히 받음으로써 NPT 당사국으로서의 의무를 완전 이행할것을 기대한다.

0157

DPRK SAFEGUARDS AGREEMENT : PRESS RELEASE

PRESS RELEASE FROM THE ACTING MINISTER FOR FOREIGN AFFAIRS AND TRADE, NEAL BLEWETT, WELCOMING SIGNATURE YESTERDAY BY THE DPRK OF ITS SAFEGUARDS AGREEMENT WITH THE IAEA FOLLOWS :

BEGINS :

AUSTRALIA WELCOMES NUCLEAR MOVE ON KOREAN PENINSULA

AUSTRALIA WELCOMED THE SIGNING YESTERDAY BY NORTH KOREA OF AN AGREEMENT TO ALLOW INTERNATIONAL INSPECTION OF ALL ITS NUCLEAR FACILITIES BUT EMPHASISED THAT THIS WOULD BE MEANINGFUL ONLY IF FOLLOWED BY RAPID AND UNCONDITIONAL IMPLEMENTATION OF THE AGREEMENT BY THE NORTH.

THE ACTING MINISTER FOR FOREIGN AFFAIRS AND TRADE, NEAL BLEWETT, SAID THAT THE DEMOCRATIC PEOPLE'S REPUBLIC OF KOREA (DPRK) HAD BEEN A PARTY TO THE NUCLEAR NON-PROLIFERATION TREATY (NPT) SINCE 1985.

HOWEVER IT HAD FAILED UNTIL NOW TO CONCLUDE THE REQUISITE SAFEGUARDS AGREEMENT WITH THE INTERNATIONAL ATOMIC ENERGY AGENCY (IAEA) WHICH WOULD OPEN ITS NUCLEAR FACILITIES TO INTERNATIONAL INSPECTION.

DR BLEWETT EMPHASISED THAT EARLY AND COMPREHENSIVE IMPLEMENTATION OF THE SAFEGUARDS AGREEMENT WITH THE IAEA WAS ESSENTIAL TO DISPEL WIDESPREAD SUSPICIONS THAT NORTH KOREA WAS DEVELOPING A NUCLEAR WEAPONS CAPABILITY.

'AUSTRALIA HAS LONG URGED NORTH KOREA TO FULFIL ITS OBLIGATIONS UNDER THE NPT AND SO WE ARE NATURALLY PLEASED THAT THE INTERNATIONAL PRESSURE WHICH WE HAVE TAKEN A LEAD IN APPLYING, ALONG WITH SOUTH KOREA, JAPAN, THE UNITED STATES AND OTHERS, HAS AT LAST PAID OFF IN A CONCRETE STEP FORWARD BY PYONGYANG,' DR BLEWETT SAID.

NORTH AND SOUTH KOREA RECENTLY ENTERED INTO AN IMPORTANT BILATERAL AGREEMENT TO FOREGO SENSITIVE ENRICHMENT AND REPROCESSING TECHNOLOGIES AND TO INSTITUTE BILATERAL INSPECTION ARRANGEMENTS. DR BLEWETT SAID THAT IMPLEMENTATION BY THE DPRK OF INTERNATIONAL AND BILATERAL NUCLEAR COMMITMENTS WAS FUNDAMENTAL TO THE FURTHER PROGRESS OF THE RECENTLY ESTABLISHED DIALOGUE AND RECONCILIATION PROCESS BETWEEN THE TWO KOREAS.

'SATISFACTORY IMPLEMENTATION OF THESE COMMITMENTS IS AN ABSOLUTE PRE-REQUISITE TO THE NORMALISATION OF RELATIONS BETWEEN NORTH KOREA AND THE UNITED STATES, JAPAN, AUSTRALIA AND OTHERS WHO ARE CONCERNED THAT THE NORTH'S UNSAFEGUARDED NUCLEAR PROGRAM REPRESENTS A SERIOUS THREAT TO REGIONAL SECURITY,' DR BLEWETT SAID.

ENDS.

0158

공 란

주 미 대 사 관

USW(F) : 0544 년월일 : 92.1.30 시간 : 18:00

수 신 : 장 관 (미일.미이. 정특. 정안, 국기)

보 안	
통 제	

발 신 : 주 미 대 사

제 목 : 북한, 핵안전 협정 서명 (출처 :)

---------STATE DEPARTMENT REGULAR BRIEFING BRIEFER: JOE SNYDER ---
THURSDAY, JANUARY 30, 1992

Q Do you have any comment concerning the North Korea signing of the International -- IAEA safeguard agreement this morning?

MR. SNYDER: Yes. We welcome this first step by North Korea to fulfill its obligations under the Nuclear Non-Proliferation Treaty. Given the extent of international concerns so clearly expressed over this issue, we look for North Korea to now move quickly to fulfill its public promises to ratify and implement the IAEA agreement without further delay.

Q And how soon do you expect the (de facto ?) inspection could be worked out in North Korea? With the general procedure of the IAEA.

MR. SNYDER: That will be up to the North Korean government in terms of its ratification and implementation of the agreement. We've set no timetable, but we want to see that happen without further delay.

Q I thought they've already ratified the acceptance of the treaty, but just had a condition on inspections. Isn't that right?

MR. SNYDER: The -- they have not -- they have just signed the safeguard agreement, and that needs to be ratified.

Q I see.

MR. SNYDER: And we want them to do it as soon as possible.

(0544 - 2 - 1)

외신 1과	
통 제	

배	차관	1차보	2차보	기획실	의전실	아주국	미주국	구주국	중아국	국기국	경제국	통상국	문협국	영교국	총무과	감사관	공보관	외연원	청와대	총리실	안기부	공보처	경기원	상공부
부처	/	/	/	/	/	/	/	⊘	/	/									/	/				

0160

Q ...and with the North Korean signing of the safeguard agreement, do you have any schedule to reopen the high-level talks with the North Korean official?

MR. SNYDER: No.

Q ...in near future?

MR. SNYDER: There are no -- our dialogue continues in Beijing, but we have no plans for another high-level meeting.

0544 - 2-2

0161

공 

공　　란

공 란

메이

외 무 부

종 별 : 지 급

번 호 : JAW-0551 일 시 : 92 0131 1112

수 신 : 장관(아이,정특)

발 신 : 주 일 대사(일정)

제 목 : 북한 핵안전협정 서명(언론보도)

작 1.30(목) 북한의 IAEA 핵안전협정 서명관련, 금 1.31(금) 당지 주요언론은 북한의 핵안전협정 서명사실을 1 면톱으로 보도하면서 해설기사를 통해 1.30-31 간 북경에서 개최중인 제 6 차 일.북한 수교회담과도 관련시켜 큰 관심을 보이고 있는바, 동 보도요지를 아래 보고함.

1. 일반논조

0 금번 서명으로 북한의 핵의혹 해명, 한반도 긴장완화, 일북 수교교섭 진전등이 기대됨. 그러나 본격적인 사찰실현을 위하여는 협정의 발효, 보조약적 체결등이 필요한바, 여전히 곡절이 예상됨.

0 금후 북한이 비준절차를 지연시키는등 '핵카드' 를 계속 유지하려 한다면, 미국은 보다 강경한 태도로 나오게 될 것임.

0 금번 서명은 핵문제로 인하여 북한이 계속 국제사회의 비난을 받는다면, 후계체제의 부담이 될것이므로, 이를 피하기 위한 계산이 작용한 것으로 보임.

0 북한이 이라크처럼 원폭제조로 연결되는 물질을 이동하여 핵사찰을 피하고자 하면, 유엔안보리에서 강제사찰을 촉구하는 움직임이 대두될 것이고, 한반도의 긴장이 일거에 고조될 위험도 있음.

0 지금까지 북한이 협정서명을 지연시켜온 사실 및 수차에 걸친 국제테러등의 '전과'에 비추어 볼때 국제사회의 불신감은 강하게 남아있음. 북한이 핵사찰 실시를 수용하고, 국제사회가 이를 인정할 때까지는 여전히 핵의혹이 남게될 것임.

0 금후, 북한이 영변, 박천을 포함하는 일체의 핵시설을 보고서에 포함시킬지 여부가 초점이 될 것임. 미국을 비롯한 국제사회가 북한의 보고내용에 대하여'불충분' 또는 '불성실' 하다고 판단할 경우에는 분규가 재연될 것이 확실함.

0 IAEA 사찰은 비강제적이며, 완전한 사찰수용은 북한사회의 개방으로 연결되지

아주국 장관 차관 1차보 2차보 미주국 외정실 분석관 청와대
안기부 통일원

0165

PAGE 1 92.01.31 13:20

외신 2과 통제관 BN

않을수 없으므로, 북한당국이 당초부터 모든것을 공개할지 여부는 의문시됨.

2. 언논별 논조

0 북한은 지금까지 핵사찰수용을 요구하는 국제압력을 견디어 내면서 '핵카드'를 백퍼센트 활용하여, 주한 미국핵철수, 팀스피리트 중지등 여러가지 정치.군사 목표를 달성했음. 금번 북한의 협정서명은 국제여론에 대한 굴복이라기 보다는, 오히려 용의주도하게 계획된 외교전략의 하나였다고 할수 있음(동경신문)

0 한. 미양국 입장에서는 팀스피리트 중지 및 전술핵 철수는 어디까지나 북한의 사철거부 구실을 막기위한 조치에 지나지 않음. 그러므로 북한의 대응여하에 따라서는 팀스피리트가 내년이후 재개될 가능성도 남아 있음.(동경신문)

0 금번 북한의 협정서명으로 남북관계개선의 '가시'가 제거된 셈이 되었으며, 남북 정상회담이 성사될 가능성이 고조되었음. 다만 미국등은 북한의 핵개발에 대한 의혹을 버리지 않고 있으므로, 만일 남북 정상회담이 개최되면, 한국만이북한과의 관계개선에 있어서 돌출되는 셈이 될것임.(일본경제신문)

0 금번 북한의 협정서명은 체제유지 및 경제난 타개라는 2 대 목표달성을 겨냥한 것으로서, 북한은 이를 계기로 대미, 대일 관계개선의 조속한 실현을 도모할 전략인것으로 보임.이에 대해 한국, 미국, 일본 공히 "협정서명은 제 1 보에불과하다"는 신중한 자세임. 북한으로서는 금후, 이미 제시한 핵카드를 더한층유효하게 활용하면서 상기 2 대 목표달성을 위해 전력을 다할 것으로 보임(요미우리신문)

0 북한은 일본으로부터는 자금을 확보하여 경제를 재건하고, 미국으로부터는 국제사회의 인지를 얻어 안전보장을 확립하며, 한국으로부터는 불가침보장과 체제인정 (독일식 흡수통일 방식이 아니라는)을 받음으로써, 김정일에의 권력이양을 무난히 추진하려는 전략임 (요미우리신문)

0 고조되는 국제압력하에서 "핵카드"의 가치가 떨어지기 직전에 서명을 결단한 북한의 태도에는 용의주도함까지도 느끼게됨 (요미우리신문)

0 북한이 금년 5 월중에 재처리시설을 완성시킬 것이라는 관측도 있으므로,금번 협정서명은 단지 제 6 차 일.북 수교회담에서의 입장을 유리하게 하기 위한 작전일 뿐이라는 지적도 가능함 (마이니치 신문)

(대사 오재희-국장)

2/1 신

3

원 본

외 무 부

종 별 :

번 호 : AUW-0084 일 시 : 92 0131 1720

수 신 : 장관(국기,정안)

발 신 : 주호주대사

제 목 : 호주외상 북한 핵안전협정 서명 논평

북한대표의 핵안전협정 서명에 대한 BLEWETT 주재국 외상서리(EVANS 외상 외유중)의 논평을 별첨 FAX 갈이 보고함.끝.

(대사 이창범-국장)

국기국 1차보 외정실 분석관 청와대 안기부

0167

PAGE 1

92.01.31 20:52 BU

외신 1과 통제관

주 호 주 대 사 관

AUW(F) : 0008 년월일 : 20131 시간 : 1720

수 신 : 장 관 ( )

발 신 : 주 호주 대사

제 목 : AUW-0184 첨부물

보 안	아
통 제	

(출처 :)

배부처	장관실	차관실	一차보	二차보	기획실	의전실	분석관	의전장	아주국	미주국	구주국	중아국	국기국	경제국	통상국	문협국	영교국	총무과	감사관	공보관	외연원	청와대	총리실	안기부	공보처	경기원	상공부

Page
(8 - 2 - 1)

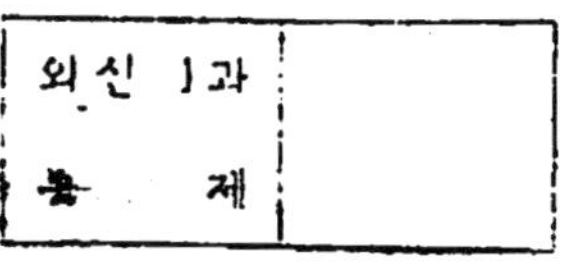

외신 1과	
통 제	

0168

MINISTER FOR FOREIGN AFFAIRS AND TRADE

NEWS RELEASE

No. M18 Date 31 January 1991

AUSTRALIA WELCOMES NUCLEAR MOVE ON KOREAN PENINSULA

Australia welcomed the signing yesterday by North Korea of an agreement to allow international inspection of all its nuclear facilities but emphasised that this would be meaningful only if followed by rapid and unconditional implementation of the agreement by the North.

The Acting Minister for Foreign Affairs and Trade, Neal Blewett, said that the Democratic People's Republic of Korea (DPRK) had been a party to the Nuclear Non-Proliferation Treaty (NPT) since 1985.

However it had failed until now to conclude the requisite safeguards agreement with the International Atomic Energy Agency (IAEA) which would open its nuclear facilities to international inspection.

Dr Blewett emphasised that early and comprehensive implementation of the safeguards agreement with the IAEA was essential to dispel widespread suspicions that North Korea was developing a nuclear weapons capability.

"Australia has long urged North Korea to fulfil its obligations under the NPT and so we are naturally pleased that the international pressure which we have taken a lead in applying, along with South Korea, Japan, the United States and others, has at last paid off in a concrete step forward by Pyongyang," Dr Blewett said.

North and South Korea recently entered into an important bilateral agreement to forego sensitive enrichment and reprocessing technologies and to institute bilateral inspection arrangements. Dr Blewett said that implementation by the DPRK of international and bilateral nuclear commitments was fundamental to the further progress of the recently established dialogue and reconciliation process between the two Koreas.

"Satisfactory implementation of these commitments is an absolute pre-requisite to the normalisation of relations between North Korea and the United States, Japan, Australia and others who are concerned that the North's unsafeguarded nuclear program represents a serious threat to regional security," Dr Blewett said.

0169

2-2-2

공　　란

공　　　　란

공 란

공 란

공 란

정 리 보 존 문 서 목 록					
기록물종류	일반공문서철	등록번호	2020040098	등록일자	2020-04-10
분류번호	726.62	국가코드		보존기간	영구
명 칭	북한.IAEA(국제원자력기구) 간의 핵안전조치협정 체결, 1991-92. 전15권				
생 산 과	국제기구과/국제연합1과	생산년도	1991~1992	담당그룹	
권 차 명	V.13 1992.2월				
내용목차	* 2.24-26 IAEA 2월 이사회(Vienna)				

0001

공 란

공 란

공 란

2/3 신

원 본

암호수신

외 무 부

종 별 : 지 급

번 호 : JAW-0586 일 시 : 92 0201 1310

수 신 : 장관(국기,정특,아일)

발 신 : 주 일 대사(일정)

제 목 : 북한 핵안전협정서명(언론보도)

북한의 핵안전협정서명과 관련, 금 2.1(토) 당지 주요언론(조간)은 일제히 사설을 게재, 금번서명을 북한 핵의혹 해소의 제 1 보로서 환영하는 한편, 협정의 조속한 이행을 촉구하고 있는바, 동 사설 요지를 하기 보고함.

1. 요미우리 신문

가. 북한이 협정에 서명한것은, 동맹국 소련의 소멸로 상징되는 국제환경의격변속에서, 김일성.김정일 체제의 유지를 도모하고, 비참한 경제를 재건하기 위해서도, 핵의혹을 해소시킴이 필요해 졌기 때문임.

나. 문제는 지금부터임. 핵사찰 실시까지는 협정의 비준, 사찰대상 신고 및보조약정체결등 절차가 필요함. 북한은 이러한 절차를 조속히 실행하여, 모든 핵관련 시설을 사찰에 제공하기를 바람.

다. 사찰이 실현된다 하여도, 반년이상이 지난후부터 가동되는 핵시설에 대하여는 IAEA 신고의무가 없으므로, 의혹이 여전히 남을 우려가 있음. 또한 비핵화 선언에 의한 남북상호사찰 실현에도 시간이 걸릴것 같음. 따라서 금번 한국이제안한 남북 '시범사찰'도 핵의혹 해소를 위한 한 방법일 것임.

2. 마이니찌 신문

가. 북한의 김일성, 김정일의 위신 및 특유의 국가체제로 볼때,(김일성.김정일) 양수뇌가 결단만 하면, 조속한 비준이 가능할 것이지만, 역시 법률적인 비준절차에는 일정한 시간이 필요할 것임. 그러나 핵사찰 수락이 지연되고, 국제사회의 의혹이 계속되면, 그만큼 미국.일본과의 관계타개도 늦어질 것임. 그렇게되면 북한의 국익으로부터도 벗어나게 될 것임.

나. 그러므로 IAEA 사찰과는 별도로, '비핵화 공동선언'에 따라 , 남북한 당국이, 상호적, 독자적으로 서로 사찰하는 방법을 조기에 강구해야 할것임.

국기국	장관	차관	1차보	2차보	아주국	외정실	분석관	정와대
안기부	미주국							

PAGE 1 92.02.01 13:48

외신 2과 통제관 BW

0005

3. 아사히 신문

미국, 구소련등 핵보유 초대국이 잇달아 핵군축을 제안함으로써, 핵무기의 의미에 대한 심각한 재검토가 이루어지고 있는 것이 현시점임. 보유 그 자체가 위험이며, 비경제적임이 점점 분명해지고 있는 '핵'을 이제부터 개발하려고 하는국가가 있다면, 시대에 뒤떨어졌다고 하지 않을수 없음.

4. 동경신문

가. 금번 북한의 협정서명은 한반도의 긴장완화 조류를 가일층 증폭시키는 것으로서, 아시아 평화와 안정에도 공헌하게 될것임은 두말할 나위 없음.

나. 현행 IAEA 제도하에서는 북한이 사찰대상리스트에 문제의 '영변 핵재처리 시설'을 포함시키지 않는 경우에도 강제사찰을 실시할수 없게 되어 있음. 국제적인 신뢰관계를 구축하기 위해서도, 북한이 의혹의 대상이 되고 있는 지역을 적극적으로 리스트에 포함시킬 것을 바라마지 않음

다. 북한의 협정서명이 남북관계 및 일북 수교교섭의 진전에도 도움이 될것은 틀림없음. 또한 팀스피리트 중지등으로 인해, 북한이 남북정상회담을 거부할 명분은 없어졌음. 남북정상회담은 남북간의 상호이해를 심화시킨다는 측면에서도반드시 실현되기를 바람.

5. 산케이 신문

가. 협정의 비준에 대하여 북한의 장문선 외교부 국장은 기자회견에서 '통상 6 개월 내지 그이상이 걸린다'고 언급하고 있음. 이는 북한이 비준문제로 시간벌기를 의도하고 있음을 여실히 나타내고 있는 것임.

나. 동인은 비준에 시간이 걸리는 이유로서 '의회 및 정부관계 부처와의 협의'를 들고 있음. 그러나 3 권분립의 서방제국이라면 몰라도, 김일성이 필요하다고 판단하면, 어떠한 결정이라도 그자리에서 가능하게 되는 독재체제하에서 '의회 및 정부관계 부처와의 협의'라는 것은 누구도 믿지 않을것임.

다. 역시 북한은 정말로 핵무기 개발계획을 추진하고 있으며, 이때문에 철저하게 시간을 벌려는 전술을 세운것이 아닐까

라. 북한은 사찰대상에 영변의 시설이 포함됨을 시사하였으나, 그것만으로는 절대 안심할수 없음. 영변에는 통상적인 원자로도 설치되어 있으며, 북한이 신고하는 사찰대상은 상기 원자로만을 의미할 가능성이 있기 때문임. 그리고 현행협정에는 이를 막을 조항이 전혀 없음. 따라서 현행의 자발적 신고시스템을 강제적인 것으로

PAGE 2

0006

강화할수 밖에 없음. 끝

(대사 오재희-국장)

02/02/92 15:17 ☎202 797 0595 EMBASSY OF KOREA --- WOI ☑001

주 미 대 사 관

USW(F) : 570 년월일 : 92.2.2. 시간 : 15:10

수 신 : 장 관 (미일,미이,정문,정안,정홍,해신)

발 신 : 주 미 대 사

제 목 : 북한책

보 안 통 제	

(출처 : THE WASHINGTON POST A22 SATURDAY, FEBRUARY 1, 1992

North Korea's Nuclear Stalling

IS COMMUNIST North Korea pretending to cooperate on nuclear nonproliferation in order to buy the apparently slight extra time it needs to build a bomb? Certainly, its performance is consistent with such a dark interpretation. For mere promises of nuclear responsibility, it has managed to remove American tactical nuclear weapons from South Korea, cancel American-South Korean maneuvers, elicit a no-nuclear pledge from the South, and win upgraded talks with the United States. But how reliable are its promises of nuclear responsibility? Only full international inspection of its nuclear facilities can begin to make them credible. But North Korea has dragged its feet on inspection for six years and, though it has just finally agreed to open up its nuclear works, it has done so in a way suggesting it won't give inspectors free rein. Iraq's example and its own record of duplicity, meanwhile, feed suspicions that it may try to hide its works even from the most diligent inspectors.

The excuse the North Koreans give for not permitting prompt inspection is that their parliament must first give the requisite approval. This is laughable and only encourages others to fear that North Korea is stalling and toying with its international interlocutors. Of particular concern is the reprocessing plant at Yongbyon—a facility that the North Koreans appear anxious to keep from inspection. South Korea has seen the nuclear issue as central to its aspirations to reduce tensions on the divided Korean peninsula and to bring eventual reconciliation closer. But now in South Korea, as in the United States, anxieties are rising that North Korea may be playing the same old deadly game of trying to split the United States and South Korea and dilute Seoul's resolve.

North Korea's acquisition of a nuclear bomb would inject an element of frightening instability into a region where Chinese, Soviet, Japanese and American interests already uncertainly converge. All the outside powers are now compelled to try to deliver North Korea expeditiously to the fullest and freest nuclear scrutiny by South Koreans as well as international inspectors. Japan, the country that dictator Kim Il Sung hopes will finance North Korea's development, has a special role. The common line should be to give the North no further comforts of any kind while the inspection issue hangs unresolved.

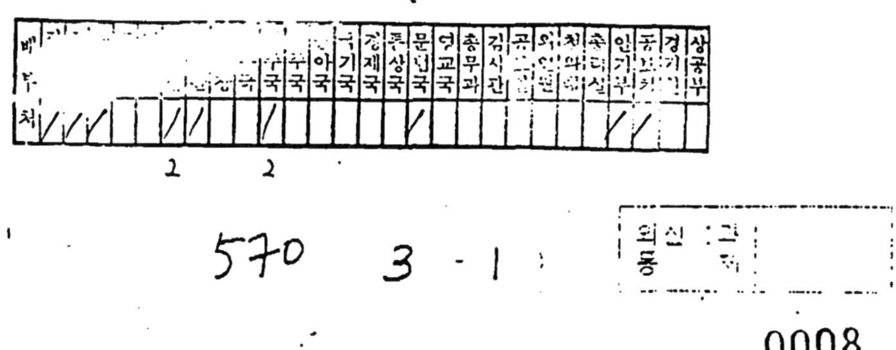

570 3-1

0008

THE WASHINGTON POST SUNDAY, FEBRUARY 2, 1992 A25

Iran's Rebuilding Seen as Challenge to West

By David Hoffman
Washington Post Staff Writer

Iran is making a determined effort to rebuild its shattered economy and military, and is posing potential new challenges to the West through an aggressive regional diplomacy stretching from Africa to Central Asia, according to administration officials and outside specialists.

These analysts said the collapse of the Soviet Union and last year's defeat of rival Iraq in the Persian Gulf War have opened new opportunities for Iran after years of war and isolation.

In particular, Iran has moved quickly to build closer ties to nearby republics of the former Soviet Union, by some accounts, outpacing the United States in opening embassies and making economic deals. It has paid particular attention to the Muslim republics of Turkmenistan, Azerbaijan, Kirgizstan, Uzbekistan, Tajikistan and Kazakhstan, which also has a large Russian population.

Many analysts say Iran is competing strongly with Turkey and Saudi Arabia for favor as these new nations look outward on their own.

In addition, officials and analysts said Iran continues to search for advanced conventional arms and weapons of mass destruction. U.S. officials say Iran is seeking or already has purchased warplanes, missiles and nuclear technology from the former Soviet republics, China and North Korea, among others. Western analysts believe Iran is trying to restore its place as the dominant power in the Persian Gulf. Its rebuilding effort is reaching out in many directions—to Asia, to Europe and even to the United States in a limited effort to end its estrangement from Washington, although the Bush administration has not reciprocated.

Foreign Minister Ali Akbar Velayati visited Ukraine in late January, where he signed accords for cooperation with Kiev in oil and natural gas, and Ukraine officials announced they were willing to export iron, phosphate, manganese and cement to Iran.

James A. Bill, a specialist on Iran who is director of the Reves Center for International Studies at the College of William and Mary, said Iran is motivated in part by its severe economic condition following its war with Iraq throughout the 1980s, and its long isolation from the West. With oil revenues of about $15 billion a year, and domestic needs of $25 billion, "they are coming up short," Bill said.

"They are in rather desperate shape, and the answer is to look outside aggressively," he said. "That explains a lot of their movements in the gulf and the more businesslike secular approach to things. They are looking for all kinds of trade agreements to get them through a very rocky period."

While Iran remains committed to export of Islamic fundamentalism, putting resources into Sudan and backing fundamentalist groups in Algeria and Lebanon, some Western observers believe Tehran, at least for now, has tempered its religious approach to the Muslim former Soviet republics. In Tehran after his Ukraine trip, Velayati exhorted industrialists and businessmen at a government conference to help the Muslim republics, the Iranian news agency reported. A deputy foreign minister was quoted as telling the conference that "the Muslim republics have heavy industries, railroads and cheap labor force" and urging the Iranians to "fill the vacuum."

Iran's long-term success in these forays may depend on many factors, analysts said. There are close links through language to Tajikistan, but other republics, looking for Western models of capitalism, may instead turn to secular Turkey, which also has courted them.

"So far, the thrust of the Central Asian policy is government-to-government," a senior U.S. analyst said. "It has focused on relations and commerce. Religion is not the big thrust right now." This analyst said Iran wants stability in the region, at least while it is weak and rebuilding, and while it still is looking to Moscow and the Russian republic for arms. If the Central Asian republics were thrown into turmoil, this analyst said, it could result in "hordes" of new refugees heading for Iran, already burdened by some 4 million Afghan, Kurdish and Iraqi Shiite refugees.

Some analysts have questioned whether the largely Sunni populations of the former Soviet republics will be sympathetic to overtures from the Shiite Muslims of Iran. But others believe the difference carries less weight in the former Soviet republics, where Islam was subject to seven decades of repression.

"The distinction is a lot less relevant among Soviet Muslims," said Paul Goble, a senior associate at the Carnegie Endowment for International Peace and a former State Department expert on the Soviet nationalities. Goble said the United States has lagged in courting the new Central Asian nations while moving rapidly to cement ties with other former Soviet republics such as Ukraine and Russia. This could drive the Asian republics toward Iran and reinforce Iran's anti-Western appeal, he said.

According to Bill, despite the Soviet suppression, "Islam has managed to survive [in the republics] in brotherhood movements, in village teahouses. It has always been kept alive, burning beneath the surface. Now that the [Soviet] system is collapsing they are coming out from teahouses and building mosques and receiving Korans and going on pilgrimages. The Soviet system was never able to extinguish it."

Iran's rebuilding efforts are evident on other fronts as well, according to Western officials and analysts. It has reestablished correct, if not warm, relations with the Persian Gulf states, including Saudi

570-3-2 0009

Arabia, although tensions remain. "Without exception, the gulf states fear Iran," said the U.S. analyst, noting that Iran has staged periodic amphibious landing excercises along its gulf coast, which "does not leave the gulf states with a sense of well-being."

Iran also appears to be trying to turn Sudan into a new terrorist staging ground, officials said, and continues to support terrorism and extremists in Lebanon, despite the critical role Tehran played in bringing about release of American hostages there.

Of increasing concern to U.S. and Arab diplomats is the intensifying Iranian rearmament drive. "When you see them purchase long-range strike aircraft, it makes you worry," a well-informed Arab diplomat said in Washington.

U.S. officials said they believe Iran also is continuing to seek to build weapons of mass destruction. CIA Director Robert M. Gates told Congress Jan. 15 that Iran "has embarked on an across-the-board effort to develop its military and defense industries. This effort includes programs in weapons of mass destruction not only to prepare for the potential re-emergence of the Iraqi special weapons threat, but to solidify Iran's preeminent position in the gulf and Southeast Asia."

Iran "continues to shop Western markets for nuclear and missile technology," Gates said, "and is trying to lure back some of the technical experts" who fled the country earlier. Increasingly, Iran is turning to Asia for weapons, he added, getting long-range Scud missiles from North Korea, and battlefield missiles, cruise missiles and nuclear technology from China.

China also is supplying Iran with a miniature neutron-source reactor and an electromagnetic isotope separator, Gates said. While the material "has legitimate peaceful purposes," he added, "Iranian public statements that [Tehran] should have nuclear weapons suggest they intend otherwise." Under questioning, Gates said he agreed with a statement by the head of German intelligence that Iran, if allowed to continue building, could achieve a nuclear weapons status in 10 years. CIA officials said they do not believe, however, that Iran has a significant amount of the enriched uranium necessary to construct nuclear warheads.

Other administration officials said Iran plans to keep the Iraqi aircraft, including advanced warplanes, that were flown by Iraqi pilots to supposed haven in Iran during the war, and is looking to Russia for spare parts and more aircraft, as well as training. On Friday, however, Gen. Yevgeny Shaposhnikov, military commander of the new Commonwealth of Independent States, told The Washington Post that steps were being taken to reduce arms exports to Iran.

Iran also has had a long-standing interest in obtaining submarines for use against American warships in the gulf, and U.S. officials said they believe Iran, which had a few mini-subs, may be trying to obtain larger, more modern diesel models from the former Soviet republics.

570-3-3

0010

2. 北韓의 核査察要員 訓練 관련(2)

2.4(화) 아오반 (2/6신

o 최근 北韓이 核査察要員 訓練을 위해 專門家를 스웨덴에 派遣하였다는 美 스텐포드大 루이스 敎授의 제보와 관련, 스웨덴 外務部 및 原子力査察機關 關係者들은 北韓 要員들이 스웨덴을 訪問한 사실이 없음을 우리측에 알려옴.

(駐스웨덴大使 報告)

0011

공 란

공　　　　란

관리 번호	92-25

	분류번호	보존기간

발 신 전 보

번 호 : WJA-0485 920206 1653 FL 종별 : 지급

수 신 : 주 일 대사. 총영사

발 신 : 장 관 (국기)

제 목 : 북한 핵 안전협정 체결

(동아 및 중앙일보)

금일(2.6)자 국내신문은 귀지 도쿄신문(2.6) 내용을 인용 일본 외무성은 북한이 빠르면 올 상반기중 핵안전협정에 따른 사찰에 응할것으로 보고있다고 보도했는바, 귀 주재국 외무성에 동내용의 사실여부를 지급 확인후 보고바람. 끝.

(국제기구국장 김 재 섭)

일반문서로 재분류 (1992.6.30.)

보안 통제	

앙고재	92년 2월 6일	국제기구과	기안자 성명		과 장	심의관	국 장		차 관	장 관
			신동익				전결			

외신과통제

0014

92. 2.6 <동아> 2면

北韓 核사찰수락 불구 地下서 核彈 제조할듯

솔라즈議員 주장

【워싱턴AP聯】北韓은 핵사찰 수락에도 불구하고 숨겨진 시설에서 핵폭탄 제조를 시도할것 같다고 최근 북한의 金日成주석과 회담한 스티븐 솔라즈 美하원외교위 아시아 태평양소위원회 위원장이 4일 말했다.

지난해12월 북한과 캄보디아를 방문한 솔라즈의원은 이날밤 아시아협회에서 북한은 IAEA의 사찰을 허용하면서 지하시설에서 핵무기개발을 계속할 가능성이 크다고 주장하고 걸프전당시 이라크가 이같은 일이 가능하다는 것을 입증했다고 덧붙였다.

그는 미국과 기타 국가들이 북한 핵연료재처리시설의 해체를 주장하고 유엔안전보장이사회의제재위협을 곁들인 IAEA의 기습사찰을 고집해야 한다면서 「세계에서 가장 전제적

北"상반기중 핵사찰"

田仁徹 밝혀

【東京聯】日本 외무성은 北韓이 빠르면 올 상반기중 핵안전협정에 따른 사찰에 응할 것으로 보고있다고 일본의 도쿄(東京)신문이 6일 보도했다.

도쿄신문은 이날 日외무성 소식통을 인용, 이같이 전했다.

이 신문은 또 日 北韓수교회담의 북한측 수석대표인 田仁徹 외교부부장은 北京에서 가졌던 단독 인터뷰에서「북한의 핵안전협정 비준이 올 가을에 있을 것이라는 전망이 있는데 사실이냐」는 질문을 받고「왜 질질 끌겠는가. 가장 빠른 시일 내에 비준을 끝낼 것」이라고 말했다면서 비준이 올봄에라도 이뤄질 공산이 크다고 강조했다.

0015

공 란

공 란

공 란

공 란

관리 번호	92-183

외 무 부

종 별 :

번 호 : UNW-0376　　　　일 시 : 92 0207 1830

수 신 : 장관(연일,미이,정특,기정)

발 신 : 주 유엔 대사

제 목 : 안보리(북한대사 안보리의장 면담)

연:UNW-0353,0368

1. 안보리는 금 2.7 유고사태 결의안, TURKMENISTAN 가입권고 결의안 처리를 위한 공식회의 개최직전 유고관련 결의안 문안 최종토의를 위해 비공식 협의를 가진바, 당관 원참사관이 탐문한바에 의하면 동 비공식 협의벽두 본안 토의에앞서 의장인 T.PICKERING 미대사는 (관례에 따라) 연호 2.6 북한 대사와의 면담결과에 관해 다음요지로 이사국들에게 설명하였다고함.

가. 박대사는 한반도 상황에 관한 북한 정부입장을 안보리 의장을 통해 이사국들에게 전달하기 위해 본인 방문

검토필(1992.6.30.)

나. 남북대화 현황관련 박대사는 화해.불가침, 교류협력 합의서 및 비핵화 공동선언 합의에 언급하였으며, 북한의 동 합의 조건 전면이행 약속. 또한 박대사는 2.18 고위회담까지 상기 합의관련 마무리가 끝날것으로 전망하면서, 이와같은 성공적인 남북대화 진척을 이사국들에게 알려줄것을 요청

다. 북한의 NPT 관련 의무이행문제에 대해 박대사는 지난주 북한정부가 IAEA 안전협정에 서명한바 조속한 시일내에 동협정을 비준할것이며, 동 비준후 모든 북한 핵시설을 동 협정에 의거 IAEA 사찰을 위해 공개할 것이라고 언급

(구체적 비준시기는 말하지 않으면서, 비준이 멀지 않았다고 표현)

라. 박대사는 1.31 안보리 정상회의 선언문을 특히 핵비확산문제와 관련하여 TAKE NOTE 하였으며, 지난달 미.북한 대표간 접촉에 대해서도 긍정적으로 언급한바, 동 접촉이 한반도 긴장완화에 이로운 영향을 미칠것이라고 평가

마. 본인은 상기 언급사항을 이사국들에게 전달해 줄것을 박대사에게 약속,(핵비확산 및 조약의무준수 문제는 이사국들에게 매우 중요하며 직접 관련되는사안)한바 여러 이사국들도 북한이 IAEA 안전협정의 비준과 이행을 위해 신속히 조치할 방침임을

국기국　장관　차관　1차보　2차보　미주국　외정실　분석관　청와대
안기부

PAGE 1　　92.02.08　09:19
외신 2과　통제관 BX

0020

듣게되어 기쁠것으로 믿음.

2. 상기 PICKERING 대사의 설명청취후 헝가리 대표가 동 설명 내용을 이사국들에 서면으로 통보해줄것을 요청한바, 이에대해 PICKERING 대사는 본건과 같은 경우의 설명은 구두로 해온것이 관례임을 지적하면서 서면통보는 하지 않을것이라고 언급하였다 하며 이사국들의 여타 반응은 없었다함.

3. 미대표부 D.RUSSEL 담당관에 의하면 박대사가 제기한 연호 일본 핵개발문제는 일측 요청으로 금일 이사국들에 대한 설명시에는 언급치 않았다고함. 끝

(대사 노창희-국장)

예고:92.12.31. 일반

2/8 산

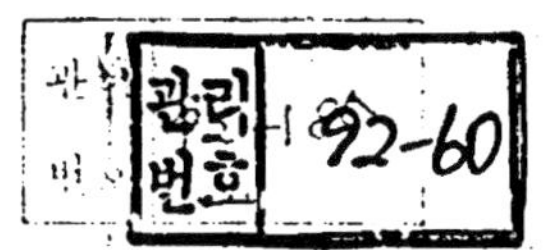

발 신 전 보

번 호 : WUS-0562 920207 1905 FL 종별 :

수 신 : 주 미 대사 (WAV -0116) (참조 : 이호진 북미2과장)

발 신 : 장 관 (미이) (사본 : 주오지리대사)

제 목 : 북한 핵문제

연 : WUS-0453

1. 금 2. 7(금) 판문점에서 개최된 「분과위원회 구성.운영을 위한 제3차 남북대표 접촉」시 핵문제 관련 협의결과를 아래 통보함.

가. 북한의 핵안전협정 조기 비준 문제

o 우리측이 남북 합의서 발효이전 협정 비준을 강력히 촉구한 데 대해, 북측은 동건이 기본적으로 북한이 IAEA와 협의, 주체적으로 해결할 문제이며 남측이 간섭하려는 것은 냉전적 사고와 불신에서 비롯된 것이라고 반박함.

o 이어 북측은 국제적으로 약속한 것이니 만큼 지킬 것은 지킬 것이라고 언급함.

나. 핵통제 공동위 구성 문제

o 우리측이 비핵화 공동선언의 조속한 이행을 위해 제6차 고위급 회담 이전 핵통제 공동위 문제 협의를 요구한데 대해, 북측은 양측이 기 합의한 데로 공동선언 발효후 대표 접촉을 거쳐 협의.해결할 것이라 하고, 1개월이내에 구성한다는 약속은 지킬 것이라고 언급함.

/계 속/

국제기구국장
특수정책과장

보 안 통 제

앙 고 재	92년 2월 7일	북미2과	기안자 성명		과 장		국 장		차 관	장 관
			김병제				전결			

외신과통제

0022

다. 시범사찰 문제

- o 동 문제에 대해서도 북측은 핵통제 공동위가 구성된 후 논의하면 될 것이라는 종전 주장을 되풀이 하였음.

2. 금번 접촉시 북측은 핵문제와 관련하여, 상당히 격앙된 어조로 우리측의 제의를 반박하였으며, 우리측이 내주중 핵문제 협의를 위한 추가 접촉을 제의하였으나, 북측은 이를 거부하였음(분과위 구성 문제는 금일 타결됨 : 별전 통보)

3. 금번 접촉 결과에 대한 평가 및 향후 대책은 추후 통보 예정인바, 상기 우선 [illegible] 참고[illegible] 바람.

~~(상기 내용을 주한 미대사관측에는 금일 통보하였음.~~)

(미주국장 반기문)

예 고 : 92. 12. 31 일반

0023

공 란

공 란

공 

공 란

공 란

공 란

공 란

공 란

공　　　란

공 란

공　　　란

공 란

공 란

공 란

공 란

공 란

관리번호	92-63

분류번호	보존기간

발 신 전 보

WNY-0232 920208 1617 FL

번 호 : 종별 : 지급

수 신 : 주 뉴욕 (장관) 대사// 총영사

발 신 : 장 관 (국기)

제 목 : 부재중 보고사항 (IAEA 2월 이사회 대책)

1. 주한 미대사관측은 2.8 북한의 핵안전 조치협정 비준지연에 대비한 미국의 IAEA 2월이사회 (2.24-28)대책을 NON-PAPER로 전달해온바 그요지는 아래와 같음. (동 non-paper는 중국, 러시아, 영국, 불란서, 호주, 카나다, 일본에도 전달 조치중이라 함)

가. 북한의 즉각적인 국내비준절차완료를 촉구하는 가능한 조치를 취할 것인바, 한국의 동참 희망

나. 북한이 2.24 시작되는 IAEA이사회까지 협정을 비준하지않을 경우, 이사회는 북한의 지연에 대하여 결의안 채택등의 가능한 방법으로 불만을 표시하는 것이 필요

2. 주한 미대사관 관계관은 상기관련 설명시 IAEA 이사회에서의 대북한 결의안 채택이 불가할 경우 대안으로 다수이사국의 대북한 협정이행촉구 발언을 고려하고 있다고 말함.

3. 상기 미국의 대책은 장관님의 재가를 받은 우리의 IAEA 대책과 부합됨으로 미국의 상기제의 내용과 우리의 대책을 아래와 같이 2.10(월) 특별보고 예정임.

- 미측과 협의, 결의안 채택을 우선적으로 추진함(미국과 상기 7개국과의 협의결과를 기초로 구체적 방안수립)
- 결의안 채택이 여의치 않을것으로 판단되면, 이사국들의 대북한 촉구 발언 및 이사회의장 요약, 발언 추진 끝.

(차 관)

보안통제	

예고 : 92.6.30. 일반.

앙 고 재	92년 2월 8일	국제기구과	기안자 성명		과 장	심의관	국 장	차관보	차 관	장 관
			신동익							

외신과통제

0040

2/11 신

관리 번호	92-65

원 본

외 무 부

종 별 : 지 급

번 호 : JAW-0753 일 시 : 92 0210 1546

수 신 : 장관(국기,아일)

발 신 : 주 일 대사(일정)

제 목 : 북한 핵안전협정 이행관련

대:WJA-0485

연:JAW(F)-0485

1. 대호, "일 외무성 관계자가 북한이 빠르면 올 상반기중 핵안전협정을 이행할 것이라는 전망을 밝혔다"는 보도와 관련, 당관 김영소 정무과장이 외무성 북동아과장 및 원자력 과장에게 보도의 사실여부등에 대해 각각 문의한바, "동 전망을 밝힌 당사자가 누구인지 모르겠으나, 특별한 근거가 있었다기 보다는 91.12 말 한반도 비핵화에 관한 공동선언 합의, 92.1.30. 북한의 IAEA 핵안전협정서명등에 비추어 볼때, 순조롭게 이루어질 경우 금년 상반기에 핵사찰이 실현되지 않겠느냐는 낙관론에 불과할것"이라는 반응을 보였음.

2. 또한 상기 양인은 지난 1.30-2.1. 간 개최된 제 6 차 일.북한 수교 회담시에는 북한의 핵사찰 이행 구체 일정등에 대해서는 북한측으로 부터 전혀 언급이 없었다고 말하였음. 끝.

(대사 오재희-국장)

예고:92.12.31. 일반

검토필(92.6.30.)

국기국 장관 차관 1차보 2차보 아주국 외정실 분석관 청와대
안기부

PAGE 1

92.02.10 16:20

외신 2과 통제관 BW

0041

2/12 신

외 무 부

종 별 :

번 호 : UNW-0403 일 시 : 92 0210 1900

수 신 : 장 관(정특,연일,해기,기정)

발 신 : 주 유엔대사

제 목 : 북한 프레스릴리스

당지 북한대표부는 2.10 북한이 핵협정 비준을 지연시키고 있다는 일본정부 발언관련 북한중앙통신 질의에 대한 북한외교부 대변인 답변(2.6 자)요지를 프레스릴리스로제작 배포한바 별전 송부함.

첨부: FAX 2 매: UNW(F)-152 끝

(대사 노창희-해공관장)

의정실 1차보 국기국 정와대 안기부 공보처

PAGE 1

92.02.11 09:50 WH

외신 1과 통제관

0042

UNW(71)-152 20210 1pd 총20M

Democratic People's Republic of Korea

PERMANENT MISSION TO THE UNITED NATIONS
225 East 86th Street, New York, N.Y. 10028
TEL (212) 722-3536 FAX (212) 534-3612

Press Release

No.5
February 10, 1992

JAPANESE GOVERNMENT AUTHORITIES WARNED ON NUCLEAR INSPECTION

A spokesman for the Ministry of Foreign Affairs of the Democratic People's Republic of Korea on February 6 answered a question put by KCNA regarding the unreasonable remarks of the Japanese Government authorities contending that the DPRK would "delay the ratification of the NSA to gain time for the development of nuclear weapons".

Referring to remarks of the Japanese Government authorities insulting our sovereignty, the spokesman said:

Such malicious clamor hastily raised by the Japanese Government authorities over the nuclear inspection problem which is making a smooth progress clearly shows that they have an axe to grind.

We think the anachronistic acts of the Japanese Government authorities might be motivated by their view that the opening of the prospect of the denuclearization of the Korean peninsula and the reunification of Korea stands in the way of realizing their wild ambition for "domination" and "reinvasion" against the entire Korean nation.

The world is on the alert over Japan's stockpiling of more plutonium than needed and assesses that it is directly linked to Japan's scheming of nuclear armament.

While denying this fact, the Japanese Government authorities continuously take issue with the DPRK. This clearly tells they fear that the pretext for their nuclear armament should disappear.

We will ratify as soon as possible the NSA after passing through necessary legal and practical formalities and then accept inspection at a time agreed upon with the IAEA, thus clinching the problem of nuclear inspection on the DPRK at an early date.

#UNW-0403
전문

152-2-1

0043

2

The problem of nuclear inspection is a matter to be settled between the DPRK and the IAEA. It is none of Japan's business.

The Japanese Government authorities delayed the ratification of the NSA for nearly one year. But we make it clear that we will not do so.

We demand that the Japanese Government authorities discard the dream of the old imperial age and act with discretion, looking squarely at the trend of the times.

152-2-2

0044

공 란

공　　란

공 란

공 란

공 란

공 란

공 란

2/15 신
회신

3

관리 번호	92-96

원 본

외 무 부

종 별 :

번 호 : AVW-0233 일 시 : 92 0214 2100

수 신 : 장 관(국기) 사본:주미대사

발 신 : 주 오스트리아 대사

제 목 : IAEA 2월 이사회대책

대:WAV-0149(USW-0743)

대호 4 항 주미 아국대사관이 미측에 전달한 결의안 초안(NON-PAPER)를 송부하여 주시기바람. 끝.

예 고:92.6.30 일반.

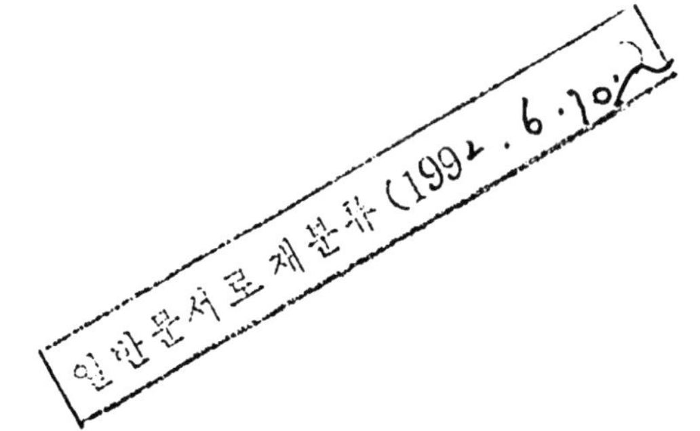

국기국 중계

PAGE 1

92.02.15 07:51

외신 2과 통제관 BN

0052

공 란

공 란

2/15 신

관리번호	12-95

원 본

외 무 부

종 별 :

번 호 : POW-0089 일 시 : 92 0214 2000

수 신 : 장관(국기,정특,구이,기정)

발 신 : 주 폴투갈 대사

제 목 : 북한대사관 동정(자료응신 92-13호)

당관 김참사관은 금 2.14 외무성 MATOS 아주국장을 면담하고, 최근의 남북대화 진전상황등에 관하여 설명한후 당지 북한대사관의 동정을 탐문하였는바 요지 아래 보고함

1. 동 국장은 최근 김경락 북한대사가 자신과의 면담석상에서 북한은 지난 1.30 서명한 핵안전협정을 오는 2.26 또는 27 일 비준할것 이라고 언급하였다함

2. 또한 오는 4.15 김일성 생일 기념행사에 주재국측의 경축사절을 초청하고, 동 파견을 요청하였다는바, 주재국은 동 파편 여부를 상금 결정치 않았다함. 끝

(대사조광제-국장)

예고:92.12.31 일반

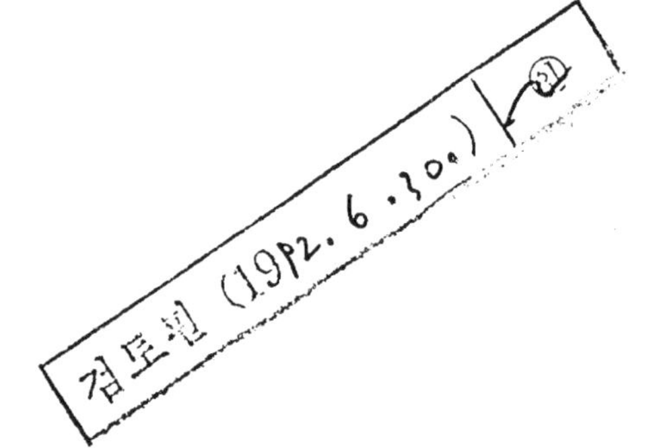

일반문서로 재분류 (1992.12.31.)

국기국 차관 1차보 2차보 구주국 외정실 분석관 청와대 안기부

PAGE 1

92.02.15 10:53

외신 2과 통제관 BX

0055

공 란

공 란

공 란

공　란

IAEA 2월이사회시 대북한 대책(안)

92. 2. 15.
국제기구과

1. 한.미간 협의 현황및 미측입장

가. 한.미간 협의 현황

o 2.8. 주한 미대사관 , IAEA 2월이사회 개최까지 북한이 협정 비준치 않을 경우 동 이사회에서 가능한한 결의안 통과등의 조치가 필요 하며 한국정부의 동참을 희망 하는 미측입장 전달

o 우리측은 2월이사회 대책으로 우선적으로 대북한 결의안 채택을 시도해 보고 여의치 않을 경우 다수 이사국들의 대북한 촉구 발언을 유도 하는 방안 추진 키로 결정, 2.11 미측에 통보

나. 미국정부 입장

o 2월 이사회시 결의안 추진 여부를 결정하기 위하여 아국과 주요 7개국 (중국,러시아,불란서,호주,카나다,영국,일본)의 반응타진중이며, 최종 입장은 제6차 남북 고위급회담 결과를 보고 결정 예정

o 결의안 채택시 안보리 회부를 요구하는 강력한 결의가 되어야하나 현 이사회 분위기로는 지난 9월이사회 결의와 같은 선언적 형태를 넘지 못할것으로 예상
- 이럴경우 이사국들의 개별적 촉구발언과 차이가 없음

o 현재 미 국무부에서는 대북한 결의안 채택에 난점이 예상되므로 다수 이사국들이 북한의 조속한 협정비준을 촉구발언토록 하자는 입장이 우세

- 결의안 통과를 둘러싼 이사회내 이견 표출은 북한에게 잘못된 신호를 줄 가능성 우려

- 대북한은 비준촉구 발언시에는 북한이 6월이사회이전 비준치 않을경우 동건을 안보리에 회부한다는 내용을 다수이사국들이 발언토록 하고 이를 이사회의장 토의요약에 포함시키도록 함

o 第6차 남북 고위급회담시까지 북한의 태도를 지켜본후 여의치 않을 경우 5개 안보리 상임이사국에 비공식 제기, 처리방안 협의도 고려

o 대북한 촉구발언을 할때 한국의 태도가 회의장 분위기 주도에 큰 영향을 미칠것 임

2. 기타 우방이사국 반응(우리 공관 파악내용)

가. 일본

o 2월이사회시 각이사국이 발언을 통해 북한의 조속한 협정비준을 촉구하고, 결의안 추진도 배제하지 않는 것이 필요

나. 캐나다

o 미국과 같은 입장이며, 결의안 채택이 어려울 경우 북한의 조속한 협정비준과 이행을 촉구하는 발언을 할 예정

다. 영국

o EC의 공동입장은 제6차 남북 고위급회담 결과를 본후 결정 예정이며, 영국은 한국및 미국측과 협조하는데 문제 없음

- 1.31. EC는 북한의 조속한 협정비준과 완전이행을 촉구하는 공동성명서 발표

3. 대책

ㅇ 우리의 기본입장은 이미 미측에 전달되었으므로 결의안 추진여부등에 대한 미국의 입장 표명이 있을 경우 이에 동의함

ㅇ 미국이 2월이사회에서 결의안 추진을 하지 않기로 결정할 경우 , 우리의 아래 대안 제시

- 2월이사회에서 다수이사국 이 대북한 강경 촉구발언 토록 유도
- 제6차 고위급 회담에서 우리측이 북한에 대해 협정 조기비준,발효 촉구
- 미국이 북경에서 북한측 에 늦어도 3월말까지 비준,발효시켜야 하며,그렇치 않을경우, IAEA 특별이사회 소집및 안보리회부 결의안채택 추진계획 통보
  * 1.22 「캔터」-김용순 면담시 김용순은 서명후 1-2개월내에 비준예정임을 언급
  * 차기 IAEA 정기이사회는 6월 15일 개최 예정

- 3월말까지 북한이 비준,발효시키지 않으면 곧 IAEA 특별이사회를 소집, 상기 대북한 결의안 채택 추진
  * IAEA 특별이사회는 1개국의 요청만으로도 소집 가능 끝.

3. IAEA 2월 이사회(2.24-28) 대책

o 우리는 북한이 2월이사회까지 핵안전조치협정을 비준,발효하지 않을경우 우선적으로 결의안 채택을 추진하고 여의치 않으면 이사회에서 대북한 강경 발언을 유도하는 방안에 대하여 미국측과 협의해 왔음

o 미국은 그동안 카나다,일본,호주등 7개국과 협의하면서 대책을 검토해 왔는데 최종 입장은 언제 결정될것으로 보는지? 우리는 2월이사회 대책에 있어 미국과 긴밀히 협의추진하고자 함.

※ 다수이사국은 결의안 채택이 다소 어려울것으로 평가

(미국의 입장 제시있을 경우 : 동의)

o 미국이 아직 최종입장을 결정하지 못했고 2월이사회에서 결의안 추진이 어려울 것으로 전망할 경우 아래를 대안으로서 제시

- 2월이사회에서 다수이사국이 대북한 협정이행 촉구발언토록 유도
- 제6차 고위급 회담에서 북한에 대하여 협정 조기 발효 촉구
- 미국은 북경에서 북한측에 늦어도 3월말까지 (3월서울 비준·) 발효시켜야 하며(북한 김용순의 서명후 1-2개월내 비준언급 관련) 그렇지 않을경우 IAEA 특별이사회 소집하여 안보리회부 결의안 채택 추진계획임을 통보

  ※ 차기 IAEA정기이사회는 6.15.개최
- 3월말까지 북한이 협정을 비준,발효치 않을 경우 IAEA 특별이사회를 소집

0063

北韓 核問題

(協議 事項)

1. 北韓 核問題 解決과 南北 關係 進展 (竝行 推進 原則)

o 우리는 南北 關係 進展과 北韓 核開發 沮止 問題를 모두 중요한 사안으로 보고 동 問題 解決 努力을 竝行推進한다는 立場을 堅持하고 있음.

北韓 核問題 解決만을 위해 우리가 對北韓 强壓的 措置만 취한다면 최악의 경우 南北 對話가 中斷되는 事態가 올 것이고 核問題는 未決인채 韓半島에는 오히려 緊張이 高潮될 것을 憂慮하지 않을 수 없음.

o 우리는 美國政府가 상기와 같은 우리의 基本 立場을 이해, 이를 原則 問題로서 支持하고 있는 것을 滿足스럽게 여기고 있음. 특히 지난 1월초 韓.美 頂上會談을 통하여 이러한 接近 方法에 兩 頂上이 意見의 一致를 보았다는 것은 큰 意味가 있다고 생각함.

o 물론 美側의 認識과 마찬가지로 우리도 보다 重要하다고 생각하는 것은 北韓이 旣 合意된 基本 原則과 行動 規範에 따른 諸般 責任과 義務를 誠實하게 履行하느냐 하는 것임.

0064

o 이러한 北韓의 義務履行 약속이 行動으로 實證되지 않는다면 北韓의 核武器 開發 疑惑이 拂拭될 수 없음은 물론, 南.北關係의 正常的인 發展도 期待할 수 없다는 認識임.

o 따라서, 韓.美 兩國은 앞으로 北韓의 態度를 銳意 注視하면서 北韓이 旣 合意한 事項을 지키지 않을 경우, 적절한 對應策을 共同으로 講究해 나가도록 해야 할 것임.

2. 第6次 南北高位級會談에서의 核問題 協議 方向

(非核化共同宣言 早期履行과 示範查察 實施)

o 우리측은 核統制共同委 構成.運營 問題와 示範查察 實施 問題에 대한 協議 開始를 긴급한 課題로 要求하고, 동 協議에 기초하여 3. 19. 이전 核統制共同委의 發足과 示範查察 實施를 促求하되, 여의치 않을 경우에는 核統制共同委 發足後 최단 시일내 相互查察 實施 決斷을 促求할 예정임.

0065

(IAEA 査察 受容)

o IAEA 査察 問題와 관련하여서는, 제6차 會談時까지 北韓이 IAEA 核安全協定을 批准하지 않을 경우, IAEA 理事國으로서 우리측은 北韓의 NPT 義務 履行 與否에 대해 正當한 關心을 가질 수 있음을 지적하면서, 北韓側의 約束 不履行에 대해 강력한 批判을 提起할 것임. 國內.外 政治的 負擔에 따른 南北 對話 進展의 「危機」 招來 가능성을 警告할 것임.

3. IAEA 2月 理事會 對策

o 우리는 北韓의 NPT 義務 履行 遲延에 對備하여 2월 理事會에서 강경한 내용의 決議案 採擇을 推進코자 하는 최근 美側 initiative 에 積極 呼應함.

o 이를 위하여 우선 主要國家의 反應을 타진한 다음, 韓.美 兩國이 긴밀히 協議하여 決議案 推進 與否를 決定하기 원하며, 決議案 採擇이 여의하지 않을 경우, 追後 早期 批准 促求 發言 誘導로 方向 旋回도 가능하다고 봄.

0066

o 그러나 만약 北韓이 3월말까지 IAEA 核安全協定을 批准, 發效시키지 않을 경우 우리는 IAEA 特別 理事會를 召集, 對北韓 强硬 決議案 採擇을 적극 推進하는 동시 이 문제를 유엔 安保理에 回附해야 할 것으로 봄.

o 우리는 國際機構에서 적정 수준의 對北韓 壓力을 유지하는 것이 北韓의 核査察 受容을 促進할 것으로 봄.

o 또한 우리는 이러한 IAEA 에서의 움직임과 竝行하여, 유엔 安保理 5개 常任理事國間의 非公式 協議 재개 問題를 檢討해 볼 必要가 있다고 보며, 이러한 國際機構에서의 움직임은 北韓側에 대한 壓力으로서 强力한 信號를 보낼 수 있다고 봄.

4. 相互査察制度 樹立 方向

o 相互査察制度 樹立과 관련하여 그간 美側의 여러가지 助言은 극히 有用한 것이라고 보며, 이를 最大한 受容코자 함.

o 특히 이번 우리측 査察 專門家들의 美國訪問은 향후 南.北韓間 相互査察 制度의 樹立과 運營에 크게 寄與 하리라고 생각하며, 우리측 專門家들에게 상세한 브리핑과 訓鍊을 제공해 준 데 대해 美側에 謝意를 표함. 向後에도 必要한 경우 이번과 같은 專門知識과 經驗交流가 계속되기를 기대함.

0067

5. 韓.美 合同 査察班 構成 問題

o 최근 議會 聽聞會 證言 과정에서의 Kanter 次官 發言을 계기로 公開 擧論되고 있는 韓.美 合同査察班 構成 問題는 국내 言論에 보도된 바도 있듯이 상당히 微妙한 성격의 事案이라고 생각함.

o 우리로서는, 北韓이 이에 反對할 경우 核査察制度 樹立을 위한 北韓과의 協商이 遲延되고, 이로 인하여 우리가 目標로 하고 있는 早期 査察 實施에 차질을 빚게 될 可能性을 憂慮하고 있음. 특히 이러한 問題가 公開的으로 擧論되어 論議되는 것은 바람직하지 않다고 봄.

o 우리는 Lehman 處長이 지난.12월 訪韓時, 美國의 參與가 核問題 解決에 걸림돌이 될 경우, 美國이 굳이 이에 참여치 않아도 無妨하다는 見解를 表明한 바 있으며 우리로서는 이것이 현실적인 見解라 보고 있음.
단, 査察 實施 過程에 美側의 參與를 가능토록 하는 適切한 方案을 모색할 豫定임.

6. 核問題 解決 繼續 遲延時 向後 南.北對話 推進 方向

o 우리가 南.北關係 進展과 核問題 解決努力을 竝行 推進한다는 것은 南.北 關係 進展이 核問題 解決을 促進시킬 것이라는 생각 때문임.

0068

o 따라서, 南.北 關係의 進展에도 불구하고 北韓이 核問題 解決에 誠意있는 態度를 보이지 않는다면, 南.北關係의 정상적인 進展은 불가능해질 것임.

o 우리는 제7차 高位級 會談때까지는 北韓이 示範査察이나 IAEA 査察중 최소한 한가지를 受容하여야 南.北關係가 國民과 國際社會의 支持를 받는 가운데 進展될 수 있다고 봄.

0069

관리 번호	92-100

분류번호	보존기간

발 신 전 보

번 호 : WAV-0165 920217 1434 ED 종별 :

수 신 : 주 오스트리아 대사. 총영사 (사본 : 주미대사) WUS -0726

발 신 : 장 관 (국기)

제 목 : IAEA 2월이사회 대책

연 : WAV-0134

대 : AVW-0233

대호 Non-Paper는 연호 5."나"항 내용을 주미대사관에서 자체적으로 작성한 것임을 참고 바람. 끝.

예고 : 92.6.30 일반

일반문서로 재분류 (1992.6.30.)

(국제기구국장 김 재 섭)

보안 통제	

앙 고 재	92년 2월 17일	국제기구과	기안자 성명		과 장	심의관	국 장		차 관	장 관
			신동익							

외신과통제

0070

공 란

공　　　란

공　　　란

공 란

공 란

공　　란

공　　　　란

공 란

공 란

공 

공 란

공 란

공 란

공 란

공 란

공 란

공 란

2/21 신

관리 번호	92-140

원 본

외 무 부

종 별 :

번 호 : AVW-0256 일 시 : 92 0219 2000

수 신 : 장 관(국기,미이)

발 신 : 주 오스트리아 대사

제 목 : IAEA 2월 이사회대책

연:AVW-0255.

연호 3 항. 다에 언급된 비준시한에 관련하여 그 구체적인 시기를 본부가 정하여 주기바람. 끝.

예 고:92.6.30 일반

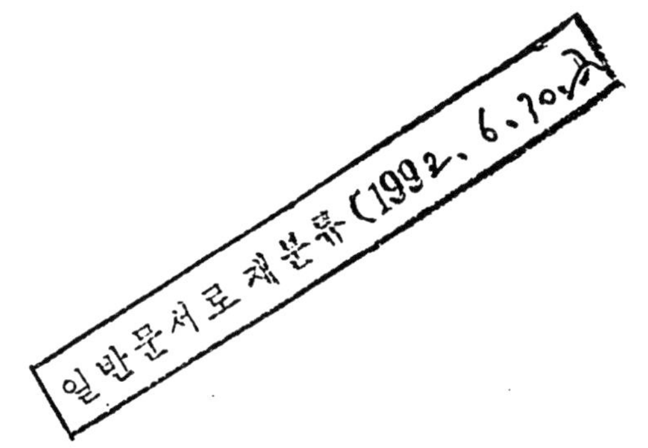

국기국 미주국

PAGE 1 92.02.20 17:55

외신 2과 통제관 BW

0088

2/21 신

관리번호	92-141

원 본

외 무 부

종 별 :

번 호 : AVW-0257 일 시 : 92 0219 2000

수 신 : 장 관(국기,미이)

발 신 : 주 오스트리아 대사

제 목 : 북한의 핵안전협정 비준문제(최고인민회의 소집)

1. 북한 중앙방송이 2.19 보도한 표제 관련 기사에 관해, 당지 우방이사국들은 북한 헌법상 동 인민회의가 조약비준에 관여하지 않는 것으로 이해하는데 핵안전협정문제를 다루는 것에 관한 법적근거에 관심을 표시하고 있음.

2. 상기 법적근거 문제와 더불어 북한정권에 의한 이러한 절차적 회부를 아국정부가 어떻게 풀이하며, 그 진의를 아국정부가 어떻게 보고있는지를 물어오고있으니 이에 관해 회시바람. 끝.

예 고:92.6.30 일반

일반문서로 재분류 (1992.6.30.)

국기국 장관 차관 미주국 외정실 조약국 정와대 안기부

PAGE 1 92.02.20 18:19

외신 2과 통제관 BW

0089

관리번호	92-152

원 본

외 무 부

3

종 별 :

번 호 : AVW-0258 일 시 : 92 0219 2000

수 신 : 장 관(김재섭 국기국장,정태익 미주국장)

발 신 : 주 오스트리아 대사 이장춘

제 목 : 외교정보및 교섭

대:WAV-0185(USW-0806)

연:AVW-0255

1. 대호에 언급된 전문 WUS-0744 및 WUS-0709 사본을 보내 주시기바랍니다.

2. 외교정보의 신속한 CIRCULATION 을 기하는데 본부로서 여러가지 제약이 있겠지만 가능한대로 외교일선에 정보보급이 적시에 이루어 지도록 선처해 주시기바랍니다.

3. 많은 나라를 상대로 하는 법자교섭의 수행은, 전재외공관이 동일한 악보를 사용하여 본부의 지휘를 받아 ORCHESTRATE 되는 경우에만 소기의 성과를 거둘수 있을 것이므로, 본부로서 여러가지 제약이 있겠지만, 악보에 해당되는 교섭문서(NON-PAPER, AIDE MEMOIRE, MEMORANDUM 등)를 가급적 본부(불연이면 관계공관)가 REPRESENTATIONAL LANGUAGE IN ENGLISH 로 작성하여 우리가 서로 활용해야할 것이며 평소에 연습성 교류가 있어야 한다고 봅니다.

4. 상기 2-3 항은, 지난 며칠간 특히 다른 재외공관으로 부터의 표제관련 전보 왕래를 보고, COMMUMICATION 상 상당한 간격이 있는것을 발견하여 이렇게 구차한 소리를 하게됨을 이해하시기바랍니다.

5. 건승을 빌며 잘 되기를 기원합니다. 끝.

예 고:독후파기.

국기국 장관 미주국

PAGE 1

92.02.20 18:19

외신 2과 통제관 BW

0090

2/21 신

원 본

암호수신

외 무 부

종 별 :

번 호 : AVW-0259 일 시 : 92 0219 2030

수 신 : 장 관(국기)

발 신 : 주 오스트리아 대사

제 목 : IAEA 2월 이사회(북한대표단)

북한은 표제회의에 아래 3 인을 파견할 것으로 알려졌음.

1. 오창림 외교부 순회대사

2. 허일록 외교부 연구관

3. 정송일 외교부 직원.끝.

국기국 분석관 청와대 안기부

PAGE 1

92.02.20 18:00

외신 2과 통제관 BW

0091

공 란

공　　　　란

공　　　란

공　　　란

공 란

공 란

공 란

공 란

공　　　란

관리 번호	92-135

	분류번호	보존기간

발 신 전 보

번 호 : WAV-0202 920220 1311 FE 종별 :

수 신 : 주 오스트리아 대사. 총영사

발 신 : 장 관 (국기)

제 목 : IAEA 2월이사회 대책

연 : AUW-0126

대 : AVW-0234

연호, 제1차관보는 캔버라 방문시 ~~Wilson대사를 만나는 기회에~~ 대호 귀관 건의대로 호주측에 금번이사회에서 비엔나주재 Wilson대사가 북한문제 처리에 있어 아측과 협조 ~~해줄 것을~~ 요청하였음을 참고 바람. 끝.

검토필 (1992. 6. 30.)

(국제기구국장 김 재 섭)

보 안 통 제	

앙 고 재	92년 2월 20일	국제기구과	기안자 성 명		과 장	심의관	국 장		차 관	장 관
			신동익							

외신과통제

0101

공　　　란

공 란

공　　란

공 

2/.21 설

관리번호	92-158

원 본

외 무 부

종 별 :

번 호 : AVW-0270 일 시 : 92 0220 1930

수 신 : 장 관(국기,미이) 사본:주미,일,호주,CN.영,불,유엔,북경대사

발 신 : 주 오스트리아 대사

제 목 : 북한대사와 BLIX 사무총장간의 면담

연:AVW-0259 및 0257

1. 이번 2 월 이사회 참석차 평양으로 부터 당지에 온 북한 외교부 대사 오창림은 금 2.20(목) 오후 BLIX 사무총장을 면담하고, IAEA 와 1.30 서명한 핵안전협정을 최고인민회의에 회부하기로 동 상설회의가 2.18 결정하였음을 통보하였다고 함(또한 북한대사는 BLIX 총장의 평양방문 초청을 되풀이 하였다고 함)

2.BLIX 총장은 상기 면담후 본직과의 통화에서 북한이 4 월중에 비준할 것 같다는 인상을 받았다고 말하면서, 보통때와 같이(그의 정치적 고려가 항상 작용하고 있듯이) 북한의 협정비준을 낙관적으로 내다 보았음.

3. 본직은, 2.19-20 평양 회담에서의 핵통제위원회 구성에 관한 난항을 BLIX총장에게 설명해 주면서, 2.27 판문점 접촉계획을 포함하여 북한이 절차적 지연전술(PROCEDURAL EXERCISES AND DELAY TACTICS)을 계속 할것이며, 영변에 대한사찰과 남한내 모든 미군기지의 개방을 연계 시키면서 사실상 새로운 조건을 내걸고 있는 것에 대하여 사무총장의 주의 환기하였음.

4. 또한 본직은 상기 1 항에 언급된 최고인민회의 절차가 북한 헌법상으로는 근거가 없음에도 불구하고 절차적 지연전술의 핑계 또는 경우에 따라서는, 비준거부의 구실로 이용될수도 있는 점에 대하여 경계해야 할것이라고 사무총장에게 말하였음.

5. 사무총장은 북한 방문이 협정 비준에따라 핵재고 신고(ORIGINAL INVENTORY)가 있은후 가능할수 있을 것이라는 입장(AVW-0148 제 2 항)을 되풀이 하였다고 함. 끝.

예 고:92.6.30 일반.

국기국	장관	차관	1차보	2차보	미주국	외정실	분석관	청와대
안기부	중계							

PAGE 1 92.02.21 09:19

외신 2과 통제관 BN

0106

공 란

2/21신
송부

원 본

외 무 부

암호수신

종 별 :

번 호 : AVW-0272 일 시 : 92 0220 1930

수 신 : 장 관(국기,정특)

발 신 : 주 오스트리아대사

제 목 : 대통령 담화

2.19 자 남북 합의서 발효 관련 대통령담화(북한 핵안전 협정조속 이행촉구) 전문을 FAX 송부바람. 끝.

국기국 외정실

PAGE 1

92.02.21 09:11
외신 2과 통제관 BN
0108

2/21 신

3 원 본

관리 번호	92 -155

외 무 부

종 별 :

번 호 : AVW-0274 일 시 : 92 0220 2000

수 신 : 장 관(국기,아이) 사본:주북경대사,주일대사

발 신 : 주 오스트리아대사

제 목 : 중공대사와의 오찬

연:AVW-0264 및 0270

1. 본직내외는 금 2.20(목) ENDO 일본대사및 CHEN SHIQIU 중공대사 내외를 오찬에 초청하고 상호 송별(본직및 ENDO 대사)을 겸한 대화를 나누었음.

2. 중공은 북한이 1.30 협정에 서명하고 비준 절차를 밟고 있는 시점에서 기다려야 할것이라고 말한데 대하여, 본직은 연호(0270)에 포함된 취지로 남북한간의 핵문제 답보및 북한의 지연전술등에 관해 설명하였음.

3. 본직은 금차 이사회에서 북한문제가 거론되는 경우에 중공이 작년 9 월 이사회때에 결의안에 기권한 것과는 대조적으로 더 자제적인 입장을 견지해 줄것을 당부하는 일방 양국간의 수교가 머지않아 실현될 것이라는 기대를 표시하면서불행하였던 19 세기와 20 세기와는 달리 21 세기가 한, 중, 일간의 우호와 협력의 계기가 될것으로 확신한다고 말하였음. 끝.

예 고:92.6.30 일반.

일반문서로 재분류 (1992. 6. 30.)

국기국 장관 차관 1차보 아주국 외정실 중계

PAGE 1

92.02.21 15:04

외신 2과 통제관 BN

0109

관리 번호	92-1523

	분류번호	보존기간

발 신 전 보

번 호 : WAV-0217 920221 1416 FL 종별 :

수 신 : 주 오스트리아 대사.총영사

발 신 : 장 관 (국기)

제 목 : IAEA 2월이사회 관련

대 : AVW-0258

1. 대호 1항 WUS-0744를 별첨 ~~송부~~ 타전하니 참고 바람.

2. WUS-0709는 "미이"에서 발신한 것으로서 그 내용이 제6차 남북 고위급 회담시 논의한 핵 통제공동위 구성.운영에 관한 합의서(안)에 관련한 기술적 내용에 관한 것임. 끝.

(국제기구국장 김 재 섭)

첨부: 상기 WUS-0744전문 1부.

일반문서로 재분류(1992.6.30.)

보 안 통 제	(서명)

미주국장: (서명)

앙 고 재	92년 2월 21일	국기과	기안자 성 명		과 장	심의관	국 장		차 관	장 관
			신국이		(서명)	(서명)	(서명)			(서명)

외신과통제

0110

공 란

공 란

공 란

공 란

	분류번호	보존기간

발 신 전 보

번 호 : WAV-0223 920221 1840 FL 종별 :

수 신 : 주 오스트리아 대사. 총영사

발 신 : 장 관 (국기)

제 목 : 남북합의서 발효관련 대통령 담화

대 : AVW-0272

대호, 표제 담화문을 별첨 fax 송부함.

WAVF-20

첨부 : 상기 fax 4매. 끝.

(국제기구과장 박 원 화)

보 안 통 제	

앙 고 재	92년 2월 21일	국제기구과	기안자 성 명		과 장	신의순	국 장		차 관	장 관
			신동익				전결			

외신과통제

0115

親愛하는 7千万 내외 同胞 여러분,

오늘부터 「南北사이의 和解와 不可侵 및 交流·協力에
WAVF-0020 920221 1841 FL
관한 合意書」와 「韓半島 非核化에 관한 共同宣言」이 정식으로 發效됩니다.

半世紀동안 서로가 對決과 反目속에 살아야했던 南과 北은 이제 不幸했던 分斷의 歷史를 淸算하고 共同繁榮과 統一의 길로 함께 나서게 되었습니다.

우리는 그동안 理念과 體制의 壁을 넘어 南北이 하나의 民族共同體 속에서 함께 發展해 나가기 위해 많은 努力을 기울여 왔습니다.

이제 우리의 努力은 結實을 맺기 시작했습니다.

우리의 自主的인 努力으로 이처럼 소중한 進展이 이루어졌다는 것은 온 겨레가 함께 나누는 보람입니다.

이제부터 南과 北은 함께 合意한 事項을 誠實하게 實踐에 옮겨야 합니다.

0116

約束은 그 內容을 충실히 實踐할 때 비로소 알찬 열매를 맺을 수 있습니다.

實踐이 뒤따르지 않을 때 그 約束은 오히려 새로운 불화의 씨앗이 될 수 있는 것입니다.

南과 北은 信賴를 바탕으로 和解와 不可侵, 交流와 協力을 實踐해 나가야 할 것이며, 나는 이것이 平和를 정착시키고 나아가 統一에 이르는 지름길이라는 점을 다시한번 強調합니다.

大韓民國 政府는 오늘 發效하는 合意와 宣言內容을 모든 誠意와 努力을 다하여 誠實하게 實踐할 것을 國內外에 엄숙히 宣言합니다.

나는 北韓의 最高責任者도 <南北合意書>와 <非核宣言>의 內容을 誠實하게 實踐하겠다는 뜻을 國內外에 宣言하기를 期待합니다.

나는 北韓이 核武器 開發에 대한 疑惑을 완전히 씻을 수 있도록 國際社會에 대한 모든 義務를 조속히 履行할 것을 다시한번 촉구합니다.

우리 國民은 겨레의 安全과 東北亞의 安定을 위협하는 이 問題에 대하여 비상한 關心과 警戒心을 갖고 있습니다.

北韓이 이와같은 조치를 취하지 않으면 南北關係가 어려워짐은 물론 國際社會의 강력한 비판을 면하지 못할 것입니다.

北韓은 이 위험한 걸림돌을 하루빨리 제거함으로써 「南北合意書」에 따른 和解와 協力의 길을 열어야 할 것입니다.

7千万 同胞 여러분,

오늘은 우리 民族에게 새로운 希望의 날입니다.

우리 民族은 모두 이 希望이 現實로 可視化될 것을 渴望하고 있습니다.

우리는 모두가 힘을 합쳐 하루라도 빨리 統一을 달성함으로써 待望의 21世紀에는 統一된 나라로 당당히 國際舞臺에 나서야 합니다.

- 3 -

0118

그것은 7千万 우리 겨레의 간절한 所望이며 우리 後孫들의 運命까지 좌우하는 歷史的인 課業입니다.

우리 世代는 歷史와 民族앞에 責任을 지고 이 중대한 課業을 반드시 完遂해야 합니다.

우리는 겨레의 運命을 스스로 결정하는 힘있는 나라, 戰爭의 두려움이 없고 民主와 繁榮이 넘치는 統一된 나라를 우리 손으로 이루어야 합니다.

오늘 겨레의 새 歷史가 시작되는 뜻깊은 날을 맞아 韓民族 榮光의 時代를 앞당기기 위한 우리 모두의 決意를 더욱 굳게 해야 하겠습니다.

感謝합니다.

0119

공 란

공　　　　란

공 란

관리번호	92-161

분류번호	보존기간

발 신 전 보

번 호 : WAV-0226 920221 1900 FL 종별 : ~~지급~~

수 신 : 주 오스트리아 대사. 총영사

발 신 : 장 관 (국기)

제 목 : 북한의 핵안전 협정비준 국내절차

대 : AVW-0257(1), 0270(2)

~~연 : WAV-1483 (91.12.26)~~

1. 북한 헌법상 비준은 국가주석이 하도록 되어있고 최고인민회의의 비준동의에 대한 언급은 없으며 최고인민회의의 조약비준 동의 필요여부에 관한 북한 법률이 있는지도 미상이지만, 지금까지 우리가 파악하고 있는 바로는 조약 및 협정에 대한 북한 최고인민회의의 비준 동의사례가 없음.

2. 그러나 「남북한 기본합의서」(91.12.13 채택)와 「비핵화 공동선언」(91.12.31 채택)의 경우, 중앙인민위원회와 최고인민회의 연합회의가 심의후 각기 91.12.26과 92.2.5에 승인하고 2.18 김일성이 비준하였음.

3. 북한이 핵안전협정 비준문제를 최고 인민회의 제9기 제3차회의 심의에 제기하기로 한것은 아래와 같이 풀이할수 있을것임.

가. AVW-0270 "4"항과 같이 절차적 지연전술 ~~의~~ 핑계또는 비준거부 ~~에~~ 를 위한 구실일수도 있음.

나. 북한측은 핵안전협정 비준을 중요한 사항이라고 주장하고 있는데 따라서 이를 상기 2항의 경우와 같이 입법부 심의를 거치는 경우일수도 있음.

보안통제	

앙고재	92년 2월 21일	국제기구과	기안자 성명		과장		국장		차관	장관
			신주영							

외신과통제

0123

4. IAEA 절차 및 남북한 핵공동위 구성.운영관련 북한의 불성실한 의도가 명백해 질때까지는 북한의 진의를 확인하는 대신 3."가"의 가능성을 고려하면서 대처해 나가는 것이 적절함. 끝.

예고 : 92.12.31 일반

(국제기구국장 김 재 섭)

0124

공 란

공 란

공　　　란

공 

21

관리번호	92-250

외 무 부

종 별 : 지 급

번 호 : AVW-0281 일 시 : 92 0222 1300

수 신 : 장 관(국기,미이,아동) 사본:주태국대사:중계필

발 신 : 주 오스트리아 대사

제 목 : 북한의 핵문제(대태국교섭)

참조:THW-0362

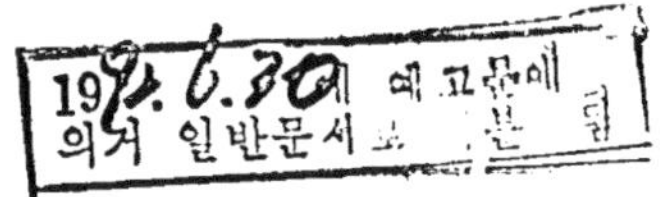

대:WAV-0232

1. 주오스트리아 태국대사 SANGIAMBUT 내외는 작 2.21(금) 본직내외를 위한송별 만찬을 주최하였으며, 태국대사는 만찬사에서 본국정부의 훈령이 없더라도, 핵비확산에 관한 자신의 소신에 따라 한반도의 안보를 위해 북한에 대하여 조기협정 비준을 촉구하는 발언을 내주 IAEA 이사회에서 하겠다고 말하였음.

2. 상기에 비추어 방콕 외무성을 건드리지 말고 그냥 두는것이 좋을것으로 생각되니 그렇게 해주시기바람. 끝.

예 고:92.6.30 일반 예고문에 의거 일반문서로 재분류 됨

국기국 아주국 미주국 구주국 중계

0129

PAGE 1 92.02.22 21:25

외신 2과 통제관 CH

공 란

공 란

공　　　란

공 란

공 란

1. 北韓 外交部 大使의 IAEA 事務總長 面談

o IAEA 理事會(2.25-27) 參席次 비엔나에 도착한 오창림 北韓 外交部 大使는 2.20 IAEA 事務總長을 面談, 旣署名한 核安全協定을 最高人民會議에 회부키로 2.18 決定했음을 통보했다함.

- 同 事務總長은 北韓이 4월중 上記 協定을 批准할 것이라는 印象을 받았다고 우리측에 言及하고, 北韓의 協定批准을 樂觀的으로 전망함. (駐오지리大使 報告)

0135

2/24 신

관리 번호	92 -179

원 본

외 무 부

종 별 : 지 급

번 호 : AVW-0281 일 시 : 92 0222 1300

수 신 : 장 관(국기,미이,아동) 사본:주태국대사:중계필

발 신 : 주 오스트리아 대사 WTH-0292

제 목 : 북한의 핵문제(대태국교섭)

참조:THW-0362

대:WAV-0232

1. 주오스트리아 태국대사 SANGIAMBUT 내외는 작 2.21(금) 본직내외를 위한송별 만찬을 주최하였으며, 태국대사는 만찬사에서 본국정부의 훈령이 없더라도, 핵비확산에 관한 자신의 소신에 따라 한반도의 안보를 위해 북한에 대하여 조기협정 비준을 촉구하는 발언을 내주 IAEA 이사회에서 하겠다고 말하였음.

2. 상기에 비추어 방콕 외무성을 건드리지 말고 그냥 두는것이 좋을것으로 생각되니 그렇게 해주시기바람. 끝.

예 고:92.6.30 일반

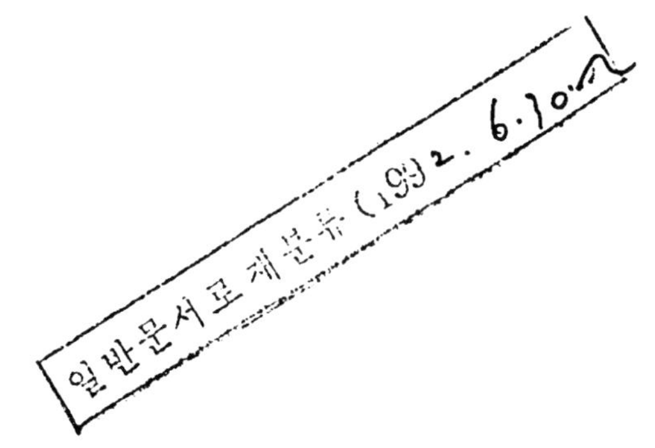

국기국 아주국 미주국 구주국 중계

PAGE 1

92.02.22 21:25

외신 2과 통제관 CH

0136

공　　　　란

2/24 신
지급

관리번호	92-174

원 본

외 무 부

종 별 :

번 호 : AVW-0284 일 시 : 92 0222 1530

수 신 : 장 관(국기,아서) 사본:주파키스탄대사:중계필

발 신 : 주 오스트리아 대사

제 목 : IAEA 이사회 대책(대파키스탄 교섭)

대:PAW-0148

1. 파키스탄대표(JAWAD HASHIMI 공사)는 지난 12 월 이사회시 대북한 기술원조 제공문제에 관련하여, 미국, 일본, EC 제국, 아국등이 북한의 핵안전협정 서명, 비준시까지 원조제공을 중단하여야 한다는 취지의 주장에 대하여 인도, 알제리아, 큐바등과함께 핵안전 협정의 자발적 성격과 IAEA 헌장상 이러한 차별적 규정이 없다는 이유로 이에 반대하는 발언을 하였음.

2. 또한 12.6 IAEA 이사회에서 안전조치 강화문제토의시 파키스탄은 본직의발언 일부를 시비하여 헤프닝이 생긴일 있음(별첨 속기록 FAX 참조)

3. 파키스탄은 특히 특별사찰제도 확립등 안전조치 강화에 반대하고 있으며, 또한 핵안전협정의 자발적 성격을 주장하는 입장에 있음을 참고하여 금번 2 월 이사회에서 북한핵문제 토의시 꼭자제해 줄것을 정부 고위층을 상대로 특별 교섭해 주시기바람.

4. 상기 1 항의 HASHIMI 공사는 타부처 소속으로서 대사의 오랜 공석 기간중 핵문제에 관하여 지나친 반응을 보여왔음.

5. 신임 JOSHUA 대사가 본직을 예방하였을때 상기 1-2 항에 관하여 주의를 환기하였음.

별첨:AVW(F)-026 8 매.끝.

예 고:92.6.30 일반.

일반문서로 재분류 (1992. 6. 30)

국기국 아주국 구주국 중계

PAGE 1

92.02.23 08:56

외신 2과 통제관 CH

0138

2/25 신

원 본

외 무 부

암호수신

종 별 : 긴 급

번 호 : AVW-0293 일 시 : 92 0224 2100

수 신 : 장 관(국기,미이,정특,기정,과기처)

발 신 : 주 오스트리아 대사

제 목 : IAEA 2월 이사회(북한 핵협정 문제)

연:AVW-0270

1. 표제 이사회는 금 2.24(월) 10:40 35 개 전이사국 참석(북한 옵서버 참석)리에 개막됨.

2. 의제채택후 사무총장의 보고가 있었는바 북한문제 관련 보고내용은 별첨과 같음.

첨부:사무총장보고 북한 관련 부문 AVW(F)-027 1 매.끝.

국기국	장관	차관	1차보	2차보	미주국	외정실	분석관	청와대
안기부	과기처							

PAGE 1

92.02.25 06:55

외신 2과 통제관 BX

0139

EMBASSY OF THE REPUBLIC OF KOREA

Praterstrasse 31, Vienna
Austria 1020 (FAX : 2163438)

No : AVW(F)-022	Date : 20224 2100
To : 장관(국기, 미이, 정특, 기정, 과기처) (FAX No :)	
Subject : 첨 부	

표지포함 2매

Total Number of Page :

2-1

0140

공 란

2/25,신

관리번호	92-193

원 본

외 무 부

종 별 : 긴 급

번 호 : AVW-0294 일 시 : 92 0224 2100

수 신 : 장 관(국기,미이,정특,기정,과기처)

발 신 : 주 오스트리아 대사

제 목 : IAEA 2월 이사회(북한문제)

연:AVW-0293

1. 북한 외교부 대사 오창림은 북한 핵문 토의시 특별히 발언권을 얻어 별첨(FAX)과 같이 첫번째로 발언하였음.

2. 상기 북한의 발언권 부여에 대해 한. 미간에 협의가 있었으며 북한이비준시기에 관하여 무슨 언질을 줄것으로 기대하고 이를 양해하였으나 서명사실, 남북대화, 남북한 한반도 비핵화 선언등으로 핵문제를 호도하려고 하였음.

첨부:상기 발언문 AVW(F)-028 4 매.끝.

예 고:92.6.30 일반.

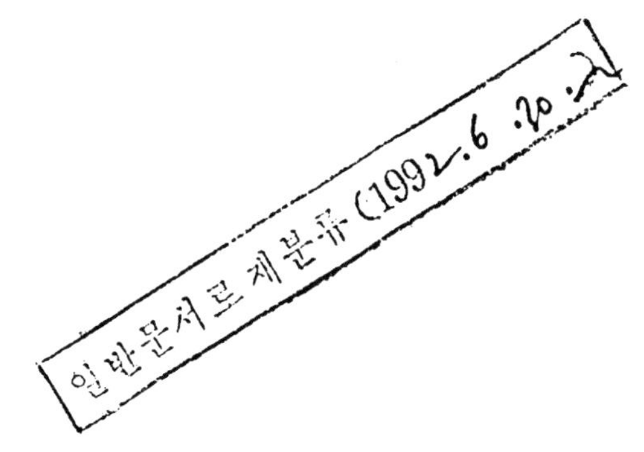

국기국	장관	치관	1차보	2차보	미주국	외정실	분석관	청와대
안기부	과기처							

PAGE 1

92.02.25 06:55

외신 2과 통제관 BX

0142

EMBASSY OF THE REPUBLIC OF KOREA

Praterstrasse 31, Vienna
Austria 1020 (FAX : 2163438)

No : AVW(F) - 028	Date : 20224 2100
To : 장관(국기. 미이. 정특. 기정. 과기처) (FAX No :)	
Subject : 첨부	

표지 포함 5매

Total Number of Page :

5-1

0143

S T A T M E N T

made by the Delegation of the
Democratic People's Republic of Korea

February Board of Governors meeting of IAEA

25 February 1992

5-2

0144

Mr. Chairman,

Prospects have opened at last for the solution of the nuclear issue on the Korean peninsula thanks to the just stand and active efforts by the Government of the Democratic People's Republic of Korea for a fair implementation of the Treaty on the Non-Proliferation of Nuclear Weapons (NPT).

We would like to thank the Secretariat of the International Atomic Energy Agency for its great co-operation for the solution of our nuclear issue.

We already signed the Safeguards Agreement under the NPT with the International Atomic Energy Agency on January 30.

The settlement of the signing of the Safeguards Agreement by the our independent initiative and the opening of the prospects for the solution of nuclear problem on the Korean peninsula were fruition of our consistent end tireless efforts for the fair implementation of NPT.

This was also a result of the final acceptance by the United States and south Korea of our principled demand to create circumstances and conditions favourable to the smooth solution of the nuclear inspection issues in our country.

Last December the south Korean authorities issued the "Declaration on the absence of nuclear weapons" and then agreed to our proposal for denuclearizing the Korean peninsula. And the United States welcomed south Korea's "Declaration on the absence of nuclear weapons" and they jointly announced their decision to suspend the annual "Team Spirit" joint military exercises this year. Which, in turn have helped to create preconditions and environment in the fair implementation of NPT in our country.

Besides the United States has responded positively to our call for bilateral negotiations between the DPRK and the United States on the nuclear inspection problem and expressed its preparedness for its full co-operation with the proposed North-South simultaneous inspections.

Thus, the basic obstacle was removed for the fair implementation of nuclear inspections.

Accordingly we have signed the Safeguards Agreement as a progressive step towards the solution of our nuclear problem.

On the ocassion of signing of the Safeguards Agreement we clarified our position that we would ratify it in the shortest possible date through the legal procedures of our country and then accept the inspection at the time agreed upon with the IAEA.

Mr. Chairman,

The 16th Session of the Standing Committee of the 9th Supreme People's Assembly of DPRK which was held on February 18 1992 reviewed the Safeguards Agreement concluded between the Government of our Republic and the IAEA, and decided to present it to the forthcoming 3rd Regular Session of the 9th Supreme People's Assembly of DPRK for its consideration.

We will inform the IAEA of the ratification of the Safeguards Agreement under the provisions of the Safeguards Agreement immediately after the consideration by the Supreme People's Assembly.

We will faithfully carry out our obligations under the Safeguards Agreement. We say what we mean and we don't say empty words.

Mr. Chairman,

"The Agreement on the Reconciliation, Nonagression and Co-operation and Exchange between the North and the South" and "Joint Declaration of the North and the South on Denuclearization of the Korean Peninsula" entered into force through the North-South high level talks which was recently held in Pyongyang.

Practical measures will be taken for the denuclearization on the Korean peninsula in accordance with "The Joint Declaration of the North and South on Denuclearization of the Korean Peninsula".

Neither have we nuclear weapons nor intention to manufacture them, and it is not necessary to make them. We do not want nuclear competition and confrontation with neighbouring big countries and it is totally unimaginable to develop nuclear weapons capable of exterminate our fellow countrymen.

Mr. Chairman,

As my delegation reaffirmed on several ocassions including the General Conference of the IAEA, our country put forward the policy of developing and utilizing nuclear power in company with hydro and thermopowers to meet the increasing demand for electricity.

On the basis of it we mapped out our own plan for the development of nuclear power and pursued necessary research and preparations for its realization.

Our nuclear activities are absolutely peaceful and everything will be clear when we receive inspections.

Being faithfully committed to the idea of NPT, our Republic will, in the future too, make every effort for the implementation of the NPT.

Thank you.

2/25 신

원 본

암 호 수 신

외 무 부

종 별 : 긴 급

번 호 : AVW-0295 일 시 : 92 0224 2100

수 신 : 장 관(국기,미이,정특,기정,과기처)

발 신 : 주 오스트리아대사

제 목 : IAEA 2월 이사회(북한 핵문제)

연:AVW-0294

본직은 원래 첫번째로 발언키로 되어 있었으나 연호 양해에 따라 북한에 이어 별첨(FAX)과 같이 발언하였음.

첨부:상기 본직 발언문 AVW(F)-029 4 매.끝.

국기국	장관	차관	1차보	2차보	미주국	외정실	분석관	청와대
안기부	과기처							

PAGE 1

92.02.25 06:56

외신 2과 통제관 BX

0148

EMBASSY OF THE REPUBLIC OF KOREA

Praterstrasse 31, Vienna
Austria 1020 (FAX : 2163438)

No : AVW(F) - 029	Date : 20224 2100
To : 장관(국기. 미이. 정특. 기정. 과기처) (FAX No :)	
Subject : 첨 부	

표지포함 5매

Total Number of Page :

5 -1

0149

Delivered copy

Statement by HE Ambassador Chang-Choon Lee
Governor from the Republic of Korea
on North Korea's Nuclear Safeguards Agreement
at the IAEA Board of Governors Meeting
on 24 February 1992 in Vienna

1. When we gave the floor to an observer delegation to speak first under Agenda item 2 (C), we expected it to give us a dramatic announcement on its plan to ratify the agreement. It was not the case.

2. Having carefully heard the report of the Director General this morning and the remarks of the observer delegation from the Democratic People's Republic of Korea (DPRK), I note that no specific mention has been made of the timing of the ratification of the agreement. I would like the DPRK delegation to make a concrete commitment to the date of its ratification. It is reminded that the Director General's expectations on this matter were not met not infrequently over the last two years.

3. Contrary to the Board's expectation that the Director General will make a report on the status of the implementation of the safeguards agreement with the Democratic People's Republic of Korea (DPRK) under the Agenda item 2.(c), the Board has been told (this morning or yesterday) that the agreement was only signed on 30 January 1992. The Director General had nothing to report about the implementation of the agreement. I must confess my deep disappointment and regret at North Korea's continued delay tactics.

4. The DPRK has not fulfilled the substantive part of the resolution which the Board adopted by an overwhelming vote last September — the early ratification and full implementation of the agreement. The DPRK should have ratified the agreement more than four and a half years ago.

f - 2

0150

5. Last week, the DPRK has ratified a North-South joint declaration on a non-nuclear Korean peninsula by taking its internal procedure without delay. However, North Korea has never taken, up until now, any critical action by which it will put its nuclear installations under either IAEA inspections or inter-Korean mutual inspections. It has transpired why the DPRK took a quick step in regard to the said declaration. The DPRK is going to treat the declaration as a mere letter of intent with no binding obligation. It has already served political sensationalism, part of the North Korean drama to camouflage the nuclear issue. The declaration as pactum de contrahendo is not so much a result of serious negotiation as a North Korean calculation to divert the world's attention. The key paragraph 4 of the declaration does not specify the nuclear installations to be inspected jointly by the two sides of Korea. There is no built-in mechanism in the declaration for verifying a non-nuclear Korea. Pyongyang continues to refuse to embark upon, as an interim measure, trial inspections of nuclear facilities both in South and North Korea.

6. Despite apparently successful developments in inter-Korean relations over the last two months, no single substantive progress has been made thus far and no breakthrough is envisaged in the immediate future, because of Pyongyang's intransigence on the nuclear matter. Procedural exercises have prevailed. For these reasons, the application of IAEA safeguards to all nuclear material and facilities in North Korea remains crucially important and urgently needed as the country approaches production of weapons-grade plutonium before long.

5 - 3

0151

7 Normally and by common sense, I should welcome North Korea's signing of the safeguards agreement with the Agency — an important procedural step to submitting its nuclear installations to IAEA safeguards verification. And I may not dispute the referral of the agreement in question to North Korea's Supreme People's Assembly as part of its ratification processes. If North Korea had not been engaged in clandestine, active nuclear activities and not belittled international law and the general precepts of the civilized world, this Board would not have called its NPT obligations into question. Its prompt ratification of the agreement would not be urged. The reason to do so derives from the urgency of the matter and the gravity of the issue. The development of nuclear weapons by North Korea poses the most serious threat to peace and security in Northeast Asia and could turn the entire region into a nuclear zone. This should be prevented by all means, if need be, through the action of the Security Council responsible for the maintenance of international peace and security.

8 . I would like to raise, through you, Mr Chairman, a question to the North Korean government: under which article of the DPRK constitution is it bringing the agreement to its legislative body ? I also want to know when the article concerned, if at all, was incorporated into the part of the North Korean constitution. I understand that there are no provisions in its constitution for consent by the Supreme People's Assembly to international agreements North Korea concludes and that the power of ratification rests solely with Mr Kim Il Sung, its President.

9 . I would like to call upon the DPRK to expedite the ratification process of the agreement and implement it faithfully and honestly with special reference to the submission of its initial nuclear material inventory and design information on all its installations either handling nuclear material or under construction. It must include all nuclear facilities in Yongbyon and other areas.

10. I also reques ~~e DPRK to submit the said ini■ nuclear material inventory and design information as well as other related information even before the agreement has entered into force. The DPRK is recommended to take into account how Iran has cooperated with the Agency in making arrangements for a visiting team of four IAEA inspectors to conduct their official duty from 7 to 12 February this year.

11. North Korea must understand its stereo-typed old pattern of behaviour has no place in the changed world. It might be tempted to come up with a cover-up strategy to hide its nuclear installation as its delay tactics will be exhausted culminating in the ratification of the agreement. Indeed, it must have been playing for time to conceal its nuclear locations in anticipation of IAEA inspections. But the DPRK should know perpetrators will not be tolerated by the effective execution of the strengthened system of IAEA safeguards.

12. Before concluding, I would like to appeal to the North Korean authorities to abandon immediately their nuclear ambitions. They might have been motivated by two considerations :

1. Nuclear weapons could help perpetuate the division of the Korean peninsula by providing the nuclear wall between South and North Korea;

2. Reunification under communism could be achieved by the use of nuclear weapons, leaving the Korean peninsula in the scourge of nuclear disaster.

I hope that it is not the case. Special attention is brought to the fact that nuclear weapons were not able to serve any political purpose for the former Soviet Union. Rather, they turn out to be an enormous burden on the country.

13. I look forward to seeing a new North Korea become a normal member of the international community and concentrate on the welfare of its people by removing immediately self-invited nuclear barriers to the normalization of its relations both with South Korea and the outside world.

2/25 신

원 본

암호수신

외 무 부

종 별 : 긴 급

번 호 : AVW-0296 일 시 : 92 0224 2130

수 신 : 장 관(국기,미이,정특,기정,과기처)

발 신 : 주 오스트리아 대사

제 목 : IAEA 2월 이사회(북한문제)

연:AVW-0295

1. 연호 본직 발언에 이어 폴부갈, 오스트리아, 태국, 불란서등 9 개국이 북한의 핵안전협정 조속한 비준및 이행을 촉구하는 발언을 하였는데 동 요지는 다음과같음.

가. 폴투갈(EC 12 개국 대표)

1.31 자 EC 공동 성명서 내용과 같이 북한의 조기협정 비준과 이행을 촉구

나. 오스트리아, 태국, 루마니아, 노르웨이

1.30 북한의 핵 안전협정 서명 환영및 조기 협정비준과 이행 촉구

다. 일본, 호주

-북한의 무조건적이고 조속한 협정, 비준 발효촉구

-비준후 가장 빠른 시일내 영변을 포함한 북한내 모든 핵시설, 물질에 대한안전조치 적용기대

-협정 발효전이라도 북한의 핵시설, 물질에 관한 정보를 접수할 준비가 되어 있다는 IAEA 사무총장제안 (91.9. 제 35 차 총회시)에 대한 북한의 긍정적 반응 촉구

-92.6 월 이사회 충분한 시간전에 핵사찰 결과가 나와야하며 사무총장이 이에대해 보고토록 요청(호주)

-92.4 월 북한의 협정 비준과 동시에 아무 조건없이 발효시킬것을 요구(일본)

라. 불란서

92.6 월 이사회시까지 북한의 완전한 협정 의무 이행이 이루어지지 않을 경우 이에대한 적절한 조치 강구

마. 알젠틴

-조기 비준및 이행촉구, 수개월내 핵사찰 받지 않는 경우 다른 국제기구 회부등 필요한 조치 경고

국기국	장관	차관	1차보	2차보	미주국	외정실	분석관	청와대
안기부	과기처							

PAGE 1 92.02.25 06:59

외신 2과 통제관 BX

0154

2. 명 2.25(화) 오전회의에서도 북한문제가 계속 토의될 예정이며 중국, 베트남, 인도, 파키스탄, 이집트, 모로코, 카나다, 영국, 체코, 코스타리카등이 발언 신청되어 있음. 끝.

長 官 報 告 事 項

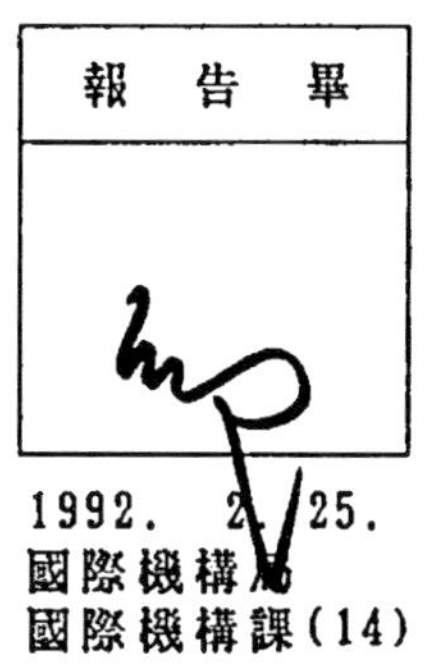

1992. 2. 25.
國際機構局
國際機構課(14)

題 目 : IAEA 2월이사회(2.24-28, 비엔나) 토의 경과

1. 2.24(월) 개회 당일 토의 경과

  o 의제 채택후 안건 "1. 재정상황 문제"를 간략 토의한 후 안건 "2. 안전조치" 토의 시작

  o 안건 "2" 토의중 "(a) 안전조치 강화"문제는 이사회 의장(알젠틴인)이 각 그룹별 비공식 협의가 진행중인 관계로 후반부 토의를 제의한 바, 이사회가 이를 수락

  o 상기결과 "(b) 안전조치 협정 체결" 토의시 3개국과의 핵안전협정 체결을 승인한후 "(c) 북한의 협정이행에 관한 사무총장의 보고" 순서에서 북한 핵안전 안전협정 문제 토의를 시작

2. 북한문제 토의내용

  o IAEA 사무총장의 북한 핵안전협정 이행에 관한 하기 보고 청취
    - 북한 1.30 협정 서명
    - 북한 최고인민 상설회의가 2.18 최고인민회의 전체회의에 협정안 송부키로 결정
    - 상기 전체회의는 4월 개최되며 4월중 협정 비준 기대

  o 북한 대표(오창림 본부순회 대사) 하기요지 발언
    ※ 한.미간 협의후 북한의 첫번째 발언 허용
    - 협정안은 북한 최고인민회의 제9기 제3차 회의시 심의할 것임

0156

- 최고인민회의 심의후 협정규정에 따라 협정비준을 IAEA에 통보할 것임
- 협정상 의무를 충실히 이행할 것임

o 북한대표 발언후 아국대표(이장춘 대사) 하기요지 발언
  - 협정 비준 시기에 관한 북한의 구체적 언급이 없음에 유의
  - 북한은 91.9월이사회 채택 결의중 본질 내용 - 협정비준과 이행 - 에 위배
  - 북한은 "남북 공동 핵선언"을 단순한 핵문제 호도용으로만 이용
  - 북한의 핵위협은 모든 수단을 통하여 저지되어야 하며 필요시 유엔안보리를 통한 조치 강구도 필요
  - 북한의 조속한 비준발효 및 이행 촉구
  - 북한이 영변을 포함한 모든 핵시설과 핵물질을 포함한 핵 재고목록을 협정 발효전이라도 제출할 것을 요청
  - 남북한 분단 영구화와 공산 통일 목적으로 핵을 개발하는듯 하는 북한은 구 소련이 현재 핵무기때문에 부담만지고 있다는 사실에 유의하여야 할것

3. 아국대표 발언이후 9개 이사국(폴투갈 : EC 12개국 대표 , 오스트리아, 태국, 루마니아, 노르웨이, 일본, 호주, 불란서, 알젠틴)이 발언, 북한의 조속한 협정 비준 및 이행 촉구

o 호주는 6월이사회에 앞선 충분한 시간전에 핵사찰 결과가 있어야 하며 사무총장의 동건관련 보고 요청
o 일본은 92.4월 북한이 협정비준과 동시에 무조건 발효시킬것을 요구
o 알젠틴은 북한이 수개월내 핵사찰 받지 않을 경우 다른 국제기구 회부등 필요한 조치 경고

4. 향후 북한문제 토의 전망

o 2.25(화) 오전 계속 토의될 예정
o 8개 이사국(중국, 베트남, 인도, 파키스탄, 이집트, 모로코, 카나다, 영국)과 2개 옵서버(체코, 코스타리카)가 동건관련 발언 신청중
o 특별한 상황전개가 없는한 2.25(화) 오전 북한 핵협정 이행문제 토의 종결 예상

끝.

0157

2/26신

원 본

암호수신

외 무 부

종 별 : 지 급

번 호 : AVW-0297 일 시 : 92 0225 1030

수 신 : 장 관(국기,미이,정특,기정,과기처)

발 신 : 주 오스트리아 대사

제 목 : IAEA 2월 이사회(이장춘대사 연설문)

연:AVW-0295

연호는 실제로 발언한 내용과 일부 자구상 차이가 있으니, 별전(FAX)을 기록상 정본으로 유지하기 바람.

별첨:동 연설물 AVW(F)-031 4 매.끝.

국기국 장관 차관 1차보 2차보 미주국 외정실 분석관 청와대
안기부 과기처

PAGE 1

92.02.25 18:50
외신 2과 통제관 BW

0158

EMBASSY OF THE REPUBLIC OF KOREA

Praterstrasse 31, Vienna
Austria 1020 (FAX : 2163438)

No : AVW(下) - 031	Date : 2022 / 1030
To : 장관 (국기. 미이. 정특. 기정. 과기처) (FAX No :)	
Subject : 현 부	

통지표함 5매

Total Number of Page :

5-1

0159

Delivered Copy

Statement by HE Ambassador Chang-Choon Lee
Governor from the Republic of Korea
on North Korea's Nuclear Safeguards Agreement
at the IAEA Board of Governors Meeting
on 24 February 1992 in Vienna

1. When we gave the floor to an observer delegation to speak first under Agenda item 2.(c), we expected it to give us a dramatic announcement on its plan to ratify the agreement in question. It was not the case.

2. Having carefully heard the report of the Director General this morning and the remarks of the observer delegation from the Democratic People's Republic of Korea (DPRK), I regret that no specific mention has been made of the timing of the ratification of the agreement. I would like the DPRK to make a concrete commitment to the date of its ratification. It is reminded that the Director General's expectations on this matter were not met not infrequently over the last two years.

3. Contrary to the Board's expectation that the Director General will make a report on the status of the implementation of the safeguards agreement with the Democratic People's Republic of Korea (DPRK) under the Agenda item 2.(c), the Board has been told that the agreement was only signed on 30 January 1992. The Director General had nothing to report about the implementation of the agreement. I must confess my deep disappointment and regret at North Korea's continued delay tactics.

4. The DPRK has not fulfilled the substantive part of the resolution which the Board adopted by an overwhelming vote last September — the early ratification and full implementation of the agreement. The DPRK should have ratified the agreement more than four and a half years ago.

5. Last week, the DPRK has ratified a North-South joint declaration on a non-nuclear Korean peninsula by taking its internal procedure without delay. However, North Korea has never taken, up until now, any critical

action by which it will put its nuclear installations under either IAEA inspections or inter-Korean mutual inspections. It has transpired why the DPRK took a quick step in regard to the said declaration. The DPRK is going to treat the declaration as a mere letter of intent with no binding obligation. It has already served political sensationalism, part of the North Korean drama to camouflage the nuclear issue. The declaration as pactum de contrahendo is not so much a result of serious negotiation as a North Korean calculation to divert the world's attention. The key paragraph 4 of the declaration does not specify the nuclear installations to be inspected jointly by the two sides of Korea. There is no built-in mechanism in the declaration for verifying a non-nuclear Korea. Pyongyang continues to refuse to embark upon, as an interim measure, trial inspections of nuclear facilities both in South and North Korea.

6. Despite apparently successful developments in inter-Korean relations over the last two months, no single substantive progress has been made thus far and no breakthrough is envisaged in the immediate future, because of Pyongyang's intransigence on the nuclear matter. Procedural exercises have prevailed. For these reasons, the application of IAEA safeguards to all nuclear material and facilities in North Korea remains crucially important and urgently needed as the country approaches production of weapons-grade plutonium before long.

7. Normally and by common sense, I should welcome North Korea's signing of the safeguards agreement with the Agency — an important procedural step to submitting its nuclear installations to IAEA safeguards verification. And I may not dispute the referral of the agreement in question to North Korea's Supreme People's Assembly as part of its ratification processes. If North Korea had not been engaged in clandestine, active nuclear activities and not belittled international law and the general precepts of the civilized world, this Board would not have called its NPT

obligations into question. Its prompt ratification of the agreement would not be urged. The reason to do so derives from the urgency of the matter and the gravity of the issue. The development of nuclear weapons by North Korea poses the most serious threat to peace and security in Northeast Asia and could turn the entire region into a nuclear zone. This should be prevented by all means, if need be, through the action of the Security Council responsible for the maintenance of international peace and security.

8. I would like to raise, through you, Mr Chairman, a question to the North Korean government: under which article of the DPRK constitution is it bringing the agreement to its legislative body ? I also want to know when the article concerned, if at all, was incorporated into the part of the North Korean constitution. I understand that there are no provisions in its constitution for consent by the Supreme People's Assembly to international agreements North Korea concludes and that the power of ratification rests solely with Mr Kim Il Sung, its President.

9. I would like to call upon the DPRK to expedite the ratification process of the agreement and implement it faithfully and honestly with special reference to the submission of its initial nuclear material inventory and design information on all its installations either handling nuclear material or under construction. It must include all nuclear facilities in Yongbyon and other areas.

10. I also request the DPRK to submit the said initial nuclear material inventory and design information as well as other related information even before the agreement has entered into force. The DPRK is recommended to take into account how Iran has cooperated with the Agency in making arrangements for a visiting team of four IAEA inspectors to conduct their official duty from 7 to 12 February this year.

11. North Korea must understand its stereo-typed old pattern of behaviour has no place in the changed world. It might be tempted to come up with a

cover-up strategy to hide its nuclear installation as its delay tactics will be exhausted culminating in the ratification of the agreement. Indeed, it must have been playing for time to conceal its nuclear locations in anticipation of IAEA inspections. But the DPRK should know perpetrators will not be tolerated by the effective execution of the strengthened system of IAEA safeguards.

12. Before concluding, I would like to appeal to the North Korean authorities to abandon immediately their nuclear ambitions. They might have been motivated by two considerations :

— Nuclear weapons could help perpetuate the division of the Korean peninsula by providing the nuclear wall between South and North Korea;

— Reunification under communism could be achieved by the use of nuclear weapons, leaving the Korean peninsula in the scourge of nuclear disaster.

I hope that it is not the case. Special attention is brought to the fact that nuclear weapons were not able to serve any political purpose for the former Soviet Union. Rather, they turn out to be an enormous burden on the country.

13. I look forward to seeing a new North Korea become a normal member of the international community and concentrate on the welfare of its people by removing immediately self-invited nuclear barriers to the normalization of its relations both with South Korea and the outside world.

2/25 신
2.25자 일일동향보고

3

2. 國際原子力機構 理事會 관련 動靜

o 2.24-28간 비엔나에서 開催되고 있는 表題 理事會에 즈음하여 블릭스 事務總長은 2.24 北韓이 지난 1월말 署名한 核安全協定에 대한 批准節次를 4월중에 끝낼 것으로 본다고 展望함. (A-4에 불일치)

- 금번 理事會에서는 特別査察등 核監視活動 强化方案에 관해서 중점 論議할 예정임. (外信綜合)

0164

공 란

공　　　란

2/26신

원 본

암호수신

외 무 부

종 별 : 지 급

번 호 : AVW-0299 일 시 : 92 0225 1500

수 신 : 장 관(국기,미이,정특,기정,과기처)

발 신 : 주 오스트리아 대사

제 목 : IAEA 92.2월 이사회(의장의 요약)

금일(2.25) 오전회의에서 북한의 핵문제에 관한 토의 결과를 마감하면서, MONDINO 이사회 의장은 별전(FAX)과 같은 SUMMING-UP 에서, 북한이 지체없이 협정을 발효시켜 전면 이행해야할 중요하고 시급한 과제가 남아있다는 것이 금차 이사회에서 강조되었으므로 북한이 지체없이 협정을 비준하고 필요한 최초의 재고 신고(THE REQUISITE INITIAL INFORMATION)를 제출하는데 IAEA 와 협조 할것을촉구한다고 말하였음.

별첨:AVW(F)-033 1 매.끝.

국기국 미주국 외정실 안기부 과기처

PAGE 1 92.02.26 04:44

외신 2과 통제관 FM

0167

EMBASSY OF THE REPUBLIC OF KOREA

Praterstrasse 31, Vienna
Austria 1020 (FAX : 2163438)

No : AVW(F)-037	Date : 20221 1500
To : 장관(국기. 미이. 정특. 기정. 과기처) (FAX No :)	
Subject : 첨 부	

표지포함 2 매

Total Number of Page :

0168

BOARD OF GOVERNORS
Notes for the Chairman
4304289/47

Meetings starting on
Monday, 24 February 1992

Item 2(c)

Report on the status of implementation of the safeguards agreement with the Democratic People's Republic of Korea
(4)

CONCLUSION

THE CHAIRMAN

There are no more speakers and we have concluded discussion on this sub-item. As always all observations and comments will, of course, be reproduced in our summary records.

Many speakers expressed satisfaction that the safeguards agreement required under NPT has been signed by the Democratic People's Republic of Korea. However, the fact was stressed that the DPRK Government still has the important - and urgent - task of bringing the agreement into force and ensuring its full implementation without further delay and in this connection many speakers noted the statement made by the distinguished representative of the DPRK that the Standing Committee of the Supreme National Assembly had reviewed the safeguards agreement and had decided to submit it to the Assembly for consideration at its forthcoming session, in April. The Board hopes that this is the only outstanding formality to be completed before the entry into force and full implementation of the agreement by the DPRK and urges the Government of the DPRK to have the agreement brought into force without delay and, in the meantime, to co-operate with the Agency by providing the requisite initial information.

May I therefore further take it that the Board wishes to request the Director General to keep in close contact with the authorities of the DPRK, and report to the Board in June on developments in the ratification and implementation of the safeguards agreement with the DPRK?

- brief pause and, if no comments -

It is so agreed.
1992-02-25, 11.40hrs

0169

2/26 신

원 본

암호수신

외 무 부

종 별 : 지 급

번 호 : AVW-0300 일 시 : 92 0225 1700

수 신 : 장 관(국기) 사본:주인도대사-중계필

발 신 : 주 오스트리아 대사

제 목 : IAEA 92.2월 이사회(북한의 핵문제 인도 발언)

1. 안전조치 제도의 자발적 성격과 기초를 강조하면서 어느나라나 국제의무를 수락한 이상 그 의무를 이행해야 한다는 원칙적 발언을 하였음.

2.KAMAL 인도대사는 발언전에 발언문을 본직에게 보여 주었음.

3. 본직은 인다대사에게 인도가 북한의 편을 든다는 인상을 주않도록 해 줄것을 당부하였음(인도대사는 본국의 훈령을 받지는 않고 있다고 말하였음). 끝.

국기국 구주국

PAGE 1 92.02.26 04:51

외신 2과 통제관 FM

0170

2/26신

원 본
암 호 수 신

외 무 부

종 별 : 지 급

번 호 : AVW-0301 일 시 : 92 0225 1700

수 신 : 장 관(국기,미이,정특,기정,과기처) 사본:IAEA 이사국주재대사

발 신 : 주 오스트리아 대사

제 목 : IAEA 92.2월 이사회(북한대표 재발언)

연:AVW-0294

1. 북한대표 오창림은 이사국들의 발언이 끝난후 작일 본직의 연설과 관련 별첨(FAX 1)과 같이 발언하였고, 이에대해 본직은 별첨(FAX 2)와 같이 짧게 응수하였음.

2. 본직의 상기 발언에 이어 북한대표 오창림은 북한은 가능한하 조속히 비준하겠다는 입장을 재차 분명히 하다고 하면서, 4 월초 까지는 비준할 가능성이 거의 확실하다고 언급하였음(MOST PROBABLY BY THE BEGINNING OF APRIL)

3. 한편 오창림은 상기 토의가 마감된후 별도로 가진 기자회견에서 4 월중 비준하고 6 월까지는 사찰을 받게 될것이라고 말했다함. 끝.

첨부:AVW(F)-034 7 매.끝.

국기국 미주국 외정실 안기부 과기처 중계 장관, 차관, 분석관, 1차보

PAGE 1

92.02.26 04:48

외신 2과 통제관 FM

0171

EMBASSY OF THE REPUBLIC OF KOREA

Praterstrasse 31, Vienna
Austria 1020 (FAX : 2163438)

No : AVW(F) - 034	Date : 20225 / 1200
To : 장관(국기, 미이, 정특, 기정, 과기처) (FAX No : 사본: IAEA 이사국 주재대사	
Subject : 첨 부	

통지도하는 ○ 씨

Total Number of Page :

0172

DPRK FAX 1

Mr. Chairman

At the Boardmeeting of yeyterday and today, some delegates like United States, Japan and Australia demanded us to ratify the Safeguard Aggeement quickly and to sumit the inventory list of nuclear materials to the International Atomic Anergy Agency before its ratification.

In this regard, I'd like to reclarify our stand.

We will ratify the Safeguard Agreement at an earlist possible date following our internal law procedure, whatever the others say or not, and will submit the initial inventory report and design information to the Agency. If some delegates really have interests to that much in our inspection, then, keep watch how we do. If we accept inspection, everything will be cleared.

Secondly, I could not help to comment on the statement made by the delegate from south Korea yesterday.

I have heard his statement with surprise. I even had a doubt whether he is really a Korean or not.

It is because;

Firstly, his statement did not confirm with the North-South Agreement that has been adopted rescently. I cannot take that such a delegate who represents the south Korea could have said like that without acknowledging this clear fact. I have to conclude that his statement clearly reflects the position of the south Korean authority, because this statement was made by a representative of one state not by an ordinary citizen. I could not but bear in mind a doubt on the position of south Korean authority towards this North-South Agreement.

As everyone knows well, historic events took place in the relation between the North and the South rescently.

Now the entire Korean people in the north and the south and abroad are welcomiong it. At the same time they are expecting that the faithful implementation of the provisions of the agreement will be made and susquently be continued toweards the natinal reunification. Howecer, the southj Korean delegate seriously slandered and accused us and made remarks against us withpout any hesitaticn at this board meeting which is being held not later that a week from the time when the historical areement and joint declaration of the north and the south entered into force. It is clearly stipulated in the articles of the agreement on the reconciliation nonaggression, cooperation and exchange between the north and the south wthich entered on force on 29 Febuary.

The Article 1 of this agreement defined that the North and the south shall recognize and respect the system that exist on the other side. Article 2, the north and the south shall not interfere in the internal affairs of each other. Article 3, the north and the south shall cease to abuse and slander each other . Article 6 the north and the south shall discontinue confrontation an competition, cooperate with each other and make concerted efforts for national dignity and interests in the international arena.

0174

In contradictory with this, ~~In spite of that~~ the South Korean delegate ~~yesterday~~ made unreasonable remarks that no progress has been made since the "Joint Declaration on the Denuclearization of the Korean Peninsula" was adopted

It clearly shows that his remarks is far away from the actual reality.

"Joint Declaration of the North and the South on the denuclearisation of the Korean peninsula" and the agreement between the North and the South entered into force through the high level talks which was held in Pyongyang on February 19. According to this Joint Declaration ~~Nuclear~~ Joint Committee on nuclear controll will be established and start its work ~~within~~ in one month's time; and inspection will be carried out on the North and the South and practical measures be taken for the denuclearisation of the Korean Peninsula.

0175

I can not take that such a delegate who represents south Korea could have said like that without acknowledging this clear fact.

I have to conclude that his statement clearly reflects the position of the south Korean authority, because he is not an ordinary citizen but a representative of one country.

I could not but to bear in mind a doubt on the position of south Korean authority towards the north south agreement.

0176

we will keep watch on the position of the south Korean authorities

Secondly,

The South Korean delegate said that the agreement will not be ratified in the session of Supreme people's assembly according to our constitution

~~We~~ have our own ~~detailed~~ regulation for ~~on procedure in approving and~~ ratification of treaty ~~that is concluded~~ singed with other country

Each country has its own procedures for the ratification and approval ~~approval~~ of the agreements to be concluded with other ~~Con~~ countries. our NSA will be ratified by ~~the~~ ~~be ratify the NSA~~ constitution and local legal procedures.

0177

Thirdly.

The south Korean delegate made a lot of unresonable remarks that we try to perpetuate the division and to reunify the North and the south with nuclear weapons.

Frankly speaking, ~~it takes no value to comment~~ these remarks carries no value.

We ~~no~~ do not think that ~~it~~ the ~~maek~~ remarks of the South Korean delegat which is not in conformity of the North-South Agreement reflected his own ~~opp~~ oppinion ~~at the~~ same time but the one of the South Korean authorities.

We ~~regard~~ think that his remarks also creates additional difficulties in the implementation of the North-South Agreement.

0178

once again, I would like to draw attention to the remarks of the south Korean delegate

FAX

Response of Ambassador Chang-Choon Lee
to the North Korean Remarks
made on 25 February 1992, Vienna

Very briefly, I would like to respond to what the North Korean observer delegation just said. As this Board is not a political forum, I would like to refrain from commenting on the North Korean remarks. I wish to give just a few words. I want North Korea not to propagate the inter-Korean drama it is staging in order to bury the nuclear issue.

I appeal again to the DPRK to ratify the agreement immediately, implement it faithfully and honestly and respond to the requests made by many Governors since yesterday.

0179

2/26 신

원 본

암호수신

외 무 부

종 별 : 지 급

번 호 : AVW-0302 일 시 : 92 0225 1700

수 신 : 장 관(국기,미이,정특,기정,과기처) 사본:IAEA 이사국 주재대사

발 신 : 주 오스트리아 대사

제 목 : IAEA 92.2월 이사회(북한 핵문제 발언국 현황)

연:AVW-0299

1. 금 2.25(화) 속개된 표제회의에서는 미국, 영국, 카나다, 독일, 러시아, 중국등 24 개국(비이사국인 체코, 코스타리카 포함)의 발언을 듣고 북한의 핵문제에 대한 토의는 종결하였음.

2. 미국은 별전(FAX)와 같이 강력히 비준을 촉구하였음.

3. 이사국중 발언하지 않은 나라는 알제리아, 카메룬, 희랍, 벨지움등 4 개국이며, 발언국들은 북한의 서명을 환영하면서 모두가 4 월 비준 또는 조기비준을 촉구하거나 기대하였고, 많은 이사국들이 협정 발효전이라도 핵시설의 재고신고(INVENTORY REPORT)를 제출할 것을 요구하였는데, 촉구의 강도면에서 좀 소극적인 발언국은 아래와 같음.

가. 인도(별전참조)

나. 중국

-남북한간 비핵화 공동선언등 한반도 긴장 완화 움직임을 환영함.

-북한의 조속한 협정 비준및 이행을 기대함.

다. 베트남

북한의 협정서명을 평가하며 조속한 시일내 협정이 비준되기를 기대함.

라. 큐바: 최근 남북한 관계진전을 환영하며, 북한의 조속한 협정 비준을 기대함.

마. 멕시코

NPT 비당사국은 NPT 에 조속 가입하고, NPT 당사국으로서 핵안전협정을 체결하지 않은 국가는 조속히 협정을 체결 해야함.

바. 파키스탄

북한 핵문제에 대한 국제적 관심을 고려 북한이 협정 비준을 위한 국내절차를

국기국 미주국 외정실 안기부 과기처 중계

PAGE 1

92.02.26 04:49

외신 2과 통제관 FM

0180

조속히 밟을 것을 기대함. 지역적 비핵지대화를 지지하는 자국의 기본정책에 따라 남북한 비핵화 공동선언을 환영함.

사. 브라질

북한의 협정 서명을 환영하며, 협정의 조기비준과 이행을 기대함.

아. 이란

한반도의 비핵지대화를 환영하며, 북한의 핵안전협정 비준을 위한 절차가 조속히 완결되기를 희망함.

4. 러시아

조기비준과 조기사찰을 요구하였음. 다만, 본직의 발언문 제 12 항 후단에 언급된 구소련에 관련하여, 북한문제를 구소련에 비교한것은 직접적으로 관련이 없기 때문에 유감을 표시한다고 짧게 논평 하였음.

5. 상기및 연호 의장의 토의요약에 비추어 금차 이사회는 예상보다 대북한 촉구가 강했다고 평가됨.

별첨:AVW-035 2 매.끝.

0181

EMBASSY OF THE REPUBLIC OF KOREA

Praterstrasse 31, Vienna
Austria 1020 (FAX : 2163438)

No : AVW(下)－035	Date : 20225 / 1200
To : 장관(국기, 미이, 정특, 기정, 과기처) (FAX No : 사본 : IAEA 이사국 주재대사	
Subject : 첨 부	

표지 포함 3 매

Total Number of Page :

0182

FEBRUARY 1992 BOARD OF GOVERNORS

AGENDA ITEM 2(c)

REPORT ON THE STATUS OF IMPLEMENTATION OF THE SAFEGUARDS AGREEMENT WITH THE DPRK

STATEMENT

Thank you, Mr. Chairman.

The U.S. takes note of the fact that the Democratic People's Republic of Korea signed its NPT safeguards agreement on 30 January. Implementation of this accord would be an important step toward dispelling the concerns of the world regarding the North Korean nuclear program.

At the same time, however, we note with regret that the DPRK has not indicated a specific date for ratifying the agreement, nor for bringing the agreement into effect. Based on North Korean statements, we had very much hoped that the agreement would have been ratified by the time of this meeting, an action my government would have welcomed. We now strongly urge the DPRK to take prompt action to ratify its NPT safeguards agreement and bring it into force, without any preconditions

0183

and without further delay, as is its obligation. This is an essential step, in keeping with the resolution adopted by an overwhelming majority at the 1991 September Board Meeting. Further delays in taking practical measures to put safeguards measures into place will only increase international concern and suspicion about the DPRK's ultimate intentions.

It is our expectation that, at the earliest possible time after ratification and entry into force, the IAEA's safeguards will be applied to all materials and facilities within the territory of the DPRK, under its jurisdiction, or carried out under its control anywhere, including facilities at Yongbyon. We urge the DPRK to respond positively to the statement made by Director General Blix at the 1991 General Conference in which he expressed his readiness to receive any relevant information, such as the initial inventory of facilities and materials, even before the agreement by the DPRK has entered into force. Finally, we call on the Director General ~~Blix~~, in the period immediately ahead, to keep Board Members informed on progress toward ratification and, thereafter, on implementation.

We share the view expressed by the Gov't of France and Australia concerning the expectation that the Board will receive a full report by the D.G. in June as a basis for its consideration. We look forward to hearing the response to the questions raised by the Republic of Korea and by Japan.

0184

2/26 신

원 본

암 호 수 신

외 무 부

종 별 : 지 급

번 호 : AVW-0305 일 시 : 92 0225 2200

수 신 : 장 관(국기,동구일) 사본:주러시아대사-중계필

발 신 : 주 오스트리아 대사

제 목 : 노국에 의한 본직 발언 논평

연:AVW-0302

1. 연호 4 항에 관련하여 본직은 금 2.25(화) 오후 노국 외무성의 핵문제 담당대사 BORIS MAYORSKY 와 접촉하고 작일 본직의 발언 12 항이 언짢았다면(BOTHER) 본의로 그렇게 된것은 아니었음을 이해해 달라고 하였음.

2. 본직은 북한이 핵무기를 보유할 이유가 없다는 것을 강조하는 가운데 구소련을 언급하게 되었다고 말하였음.

3. 상호 불문에 붙이기로 양해하였음. 끝.

국기국 구주국 분석관 중계

PAGE 1

92.02.26 07:11
외신 2과 통제관 BX
0185

2/26 신
사본 수부, 루마니아 대사 신청

원 본

외 무 부

암호수신

종 별 : 지 급

번 호 : AVW-0306 일 시 : 92 0225 2200

수 신 : 장 관(국기) 사본:주알젠틴,모로코대사-중계필

발 신 : 주 오스트리아 대사

제 목 : IAEA 92.2 이사회(촉구발언에 대한 사의)

1. 금차 이사회에서 대북한 촉구발언을 행한 이사국중 아래의 나라에 대하여 아국공관을 통해 사의를 표해 주기바람.

폴부갈, 태국, 루마니아, 노르웨이, 불란서, 영국, 독일, 러시아, 알젠틴, 모로코, 불가리아, 에쿠아도르, 에집트, 인도네시아, 우루과이, 자이르

2. 특히 알젠틴이 예상보다 대단히 강하게 북한에대해 촉구발언을 한것은 크게 도움이 되었음(금일 알젠틴대사는 북한으로 부터 일종의 항의를 받았다고 함)

3. 그리고 모로코의 경우도 당초의 교섭과정에서 나타난것과는 달리 대단히효과적으로 조리있게 촉구하였음을 참고바람.

4. 불란서의 경우에는 DE LA FORTELLE 전주한대사(현재 임시로 불란서 원자력위원회 국장으로 파견근무하면서 IAEA 이사 겸임)가 남북한 문제를 이해하고 아측입장을 강력히 지지하였음(당지의 상주대표도 91.12. 이사회시 강력히 발언하였음)

5. 루마니아는 어제와 오늘 두번에 걸쳐 대단히 명쾌하게 촉구하였음. 끝.

국기국 분석관 중계

PAGE 1 92.02.26 07:12

외신 2과 통제관 BX

0186

2/26 신

원 본

암호수신

외 무 부

종 별 : 긴 급

번 호 : AVW-0310 일 시 : 92 0226 0030

수 신 : 장 관(국기,미이,정특,기정)

발 신 : 주 오스트리아 대사

제 목 : 북한대표 기자회견(IAEA 2월 이사회)

북한 외교부 오창림대사는 금 2.25(화) 오전 핵문제 토의 종료후 약 30 분간 기자회견을 갖고(아국, 미, 일등 약 20 개 언론사 특파원 참석) 별첨(FAX) 발표문을 낭독하였음.

첨부:상기 발표문 AVW(F)-038 2 매.끝.

국기국 장관 차관 미주국 외정실 분석관 안기부

PAGE 1

92.02.26 09:44

외신 2과 통제관 BX

0187

EMBASSY OF THE REPUBLIC OF KOREA

Praterstrasse 31, Vienna
Austria 1020 (FAX : 2163438)

No : AVW(F) - 038	Date : 20226 0030
To : 장 관(국기. 미이. 정특. 기정) (FAX No :)	
Subject : 첨 부	

표지포함 3매

Total Number of Page :

3-1

0188

북한대표기자회견(2.25) 발표문

Since the first day when the United States introduced and deployed nuclear weapons in south Korea our people have waged continuous struggle for withdrawal of the nuclear weapons of the United States and the removal of the nuclear threat of the United States more than 30 years regarding it as a vital questions of survival of our nation and a key problem in the achievement of peaceful reunification.

Our tireless struggle and active endeavours have brought about a prospect for the solution of the nuclear problem on the Korean peninsula.

Since its entry into the NPT our Republic has been faithful to the mission and ideas of the Treaty and exerted sincere efforts for the fair implementation of the Treaty.

Historically, there has been neither a single nuclear weapon in our country nor a possibility for its existence but we have been under constant threat of nuclear weapons.

The United States threatened us with nuclear weapons and forced us to accept the unilateral and unjust inspections on the nuclear facilities shirking its legal compliance with the NPT.

Out of the basic ideas of the Treaty we have consistently maintained that for the fair solution of our nuclear problem first of all the US nuclear weapons must be withdrawn from south Korea and the US nuclear threat against us be removed and thereby the preconditions and circumstances for the implementation of the Treaty be provided.

The south Korean authorities published "Declaration on the absence of nuclear weapons" December last year and they agreed to the "Joint declaration on the denuclearization of the Korean peninsula".

And the United States welcomed the south Korean authorities declaration on the absence of nuclear weapons and announced jointly with the south Korean authorities that they would suspend "Team Spirit" joint military exercises this year.

And the United States has responded to our call for DPRK-US bilateral negotiations with regard to the nuclear inspection problem and the high-level talks between the DPRK and the US proceeded satisfactorily amid honest and constructive atmosphere.

As the United States and south Korea have accepted our consistent principle demand, the conditions and circumstances have been matured for our signing the safeguards agreement.

Subsequently, as a progressive step for settlememnt of the problem of inspection of nuclear facilities in our country we signed the safeguards agreement on January 30 and clarified that we would have it ratified at an earliest possible date and accept inspection in accordance with the procedures to be agreed upon with the IAEA.

The 16th Session of the standing Committee of 9th Supreme People's Assembly of the Democratic People's Republic of Korea which was held on 18 February reviewed the safeguards agreement concluded between the Government of our Republic and the IAEA, and decided to present it to the forthcoming 3rd Session of the 9th Supreme People's Assembly of the DPRK for its consideration.

We will inform the IAEA of the ratification of the safeguards agreement under provisions of the safeguards agreement after consideration by the Supreme People's Assembly.

We say what we mean and we don't say empty words.

Our people will never tolerate or allow, in the future, too, any unilateral pressure on us apart from equality and impartiality or interference in our internal affairs to insult our country's sovereignty and national dignity.

We look forward to active co-operation of all State parties to the NPT which love justice and peace for a fair settlement of the nuclear problem in our country.

Thank you.

3 - 3

0190

3 2/26 신 주오동향보고

2. 北韓, 금년 6월중 IAEA 核査察 受容 示唆

o IAEA 理事會에 參席中인 오창림 北韓代表는 2.25 外信記者 會見에서, 北韓이 오는 4월초 最高人民會議에서 IAEA 核安全 協定을 批准, 금년 6월중 對北 核査察을 受容할 수 있을 것이라고 밝힘. (外信綜合)

0191

공　　란

공 란

2/26 신

원 본

암호수신

외 무 부

종 별 : 긴 급

번 호 : AVW-0312 일 시 : 92 0226 0030

수 신 : 장 관(국기)

발 신 : 주 오스트리아 대사

제 목 : IAEA 92.2월 이사회

1. 본직의 작일 발언에 대하여 북한은 오창림대사의 연호 발언및 기자회견을 포함하여 거의 원색적으로 비방적인 반응을 아국 특파원들을 포함한 당관 관계관들에게 보였음.

2. 당지 북한대표부 관계관은 약 1 개월 전부터 북한이 협정에 서명하였음으로 본직이 금차 이사회에서 재발 조용히 있어 달라고 당부해왔음. 끝.

국기국 장관 차관 분석관

PAGE 1

92.02.26 09:46

외신 2과 통제관 BX

0194

북한 IAEA 대표 발언에 대한 당국자 논평 (안)

92.2.26

o 우리는 IAEA 이사회에 참석중인 북한측 대표가 북한 인민회의가 4월 회의에서 IAEA 안전협정을 비준하면, 6월 초순에 핵사찰이 실시될 수 있다고 한 발언에 유의한다.

o 북한이 최단 시일내에 동 안전협정의 비준절차를 종료하고, IAEA에 의한 전면 사찰을 수락할 것을 촉구하는 우리정부의 입장에는 변화가 없다.

o 우리는 IAEA에 의한 전면 사찰과는 별도로 남.북이 기합의한 대로 조속 핵통제 위원회를 구성, 상호사찰을 지체없이 시행할 수 있기를 강력히 희망하며, 특히 북한은 북한에 대한 국제적 불신을 해소할 수 있도록 시범사찰을 즉각 수락하기 바란다.

0195

공 란

공　　　란

공 란

공 란

공　　　　란

공 란

공 란

공　　　란

공 란

발 신 전 보

분류번호	보존기간

번 호 : WAV-0268 920227 1113 DQ 종별 : 암호송신

수 신 : 주 오스트리아 대사. 총영사

발 신 : 장 관 (국기)

제 목 : 사실확인

대 : AVW-0311

1. 별항 송부하는 바와 같이 금 2.27(목) 국내 일부 조간신문은 IAEA가 북한의 협정비준전에 전문가를 북한에 파견하는 문제에 관하여 북한측과 거의 합의하였다는 2.26자 워싱톤 포스트지 기사를 인용 보도하였는 바, 동 사실 여부 확인 보고 바람.

2. 아울러 귀직을 포함한 9개 이사국이 2.26저녁 별도 모임을 갖고 안보리를 통한 대북한 제재를 가하는데 합의하였다 하는 보도는 대호 7항 모임이 오보된 것인지 여부도 보고 바람.

별항 : 팍스 1매(2.27자 세계일보 기사) 끝.

(WAVFI-0026)

(국제기구국장 김 재 섭)

보안통제	

앙고재	92년 2월 27일	국제기구과	기안자 성명		과 장	심의관	국 장		차 관	장 관
			신동익							

외신과통제

0205

WAVT- 0076

92. 2. 27. 목 <세계> 1면

核전문가 訪北 의견접근

北韓-IAEA 核협정비준전 사찰문제 논의중

워싱턴포스트紙 보도

【워싱턴=연합】 국제원자력기구(IAEA)는 북한의 핵안전협정 비준전에 전문가 팀을 북한에 보내 영변 핵시설 등을 방문하는 문제에 관해 북한측과 거의 합의에 도달했다고 워싱턴포스트가 26일 보도했다.

이 신문은 익명을 요구한 IAEA 고위관리가 「북한의 핵안전협정 비준전에 전문가팀이 북한을 방문하는 문제를 주선하기 위한 회담이 진행중」이라고 전하고 「언제 누가 가느냐는 문제에 있어 상당히 의견이 접근되고 있다」고 말한 것으로 보도했다.

이 신문은 오스트리아의 빈發 기사에서 이 고위관리가 「전문가팀이 방문할 장소에 대해서는 최종 결말이 나지 않았으나 미국의 정보 소식통들이 북한의 핵개발계획이 진행중인 것으로 믿고 있는 영변의 핵단지가 방문지점에 포함될 것을 희망하고 있다」고 말한 것으로 전했다.

"北韓 강제제재 불가피"

安保理상임국-IAEA이사국 합의

【빈=연합】 유엔안보리 상임이사국을 포함한 국제원자력기구(IAEA) 주요이사국들은 北韓의 핵개발문제와 관련, 유엔안보리를 통한 강제제재가 불가피하게 될 것이라는데 의견의 일치를 보았다고 27일 IAEA관계자가 밝혔다.

관계자에 따르면 美·英·佛등 5개 안보리상임이사국과 한국 일본 독일 호주 등 IAEA이사국은 26일 저녁 IAEA이사회와는 별도의 모임을 갖고 오는 16일까지 만족스러운 對北핵사찰 결과가 나오지 않을 경우 안보리를 통해 강제핵사찰및 전면적인 경제·외교제재를 가해야 한다고 합의했다.

이 관계자는 이러한 상황으로 보아 北韓이 IAEA가 특별사찰을 강행하는 최초의 국가가 될 가능성이 매우 높다고 밝혔다.

북한寧邊 防空기지 5개서 40개로 확충

국방부관계자 밝혀

국방부는 26일 북한이 核시설밀집지역으로 보이는 영변 일대에 대공방어망을 크게 확충하는 한편 지하갱도를 건설하고 있는 것으로 외국정보망에 의해 확인됐다고 밝혔다.

국방부 관계자는 이날 「지금까지 5개로 알려진 영변지역 방공기지가 최근 40여개로 크게 늘어났으며 核시설 은닉용으로 추측되는 지하갱도를 건설중인 사실이 외국정보망에 의해 확인됐다」고 말했다.

이 관계자는 또 「북한이 남북합의서 발효에도 불구, 핵사찰을 최대한 지연하면서 핵무기 개발을 가속화함으로써 정치·외교적 실리를 최대한 얻으려 하고있는 것으로 분석된다」고 말했다.

0206

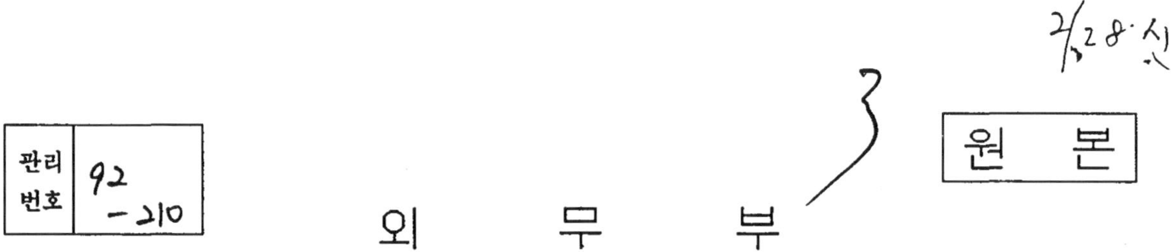

외 무 부

종 별 :

번 호 : AVW-0333 일 시 : 92 0227 1930

수 신 : 장 관(국기)

발 신 : 주 오스트리아 대사

제 목 : 우방 이사국 회동과 안보리 관련기사

대:WAV-0268

연:AVW-0311

1. 대호 2 항은, 연호 7 항에 언급된 만찬을 포함하여, 금차 이사회 기간중우방이사국들이 북한 핵문제의 안보리 회부 불가피성을 거론하고 있다는 것을 기자들과 애기한 것에 진원이 있는것으로 보임.

2. 특히 불란서는 작년 12 월 이사회 이래 상당히 강경한 태도를 표시해 오고 있음을 참고바람. 끝.

예 고:92.6.30 일반.

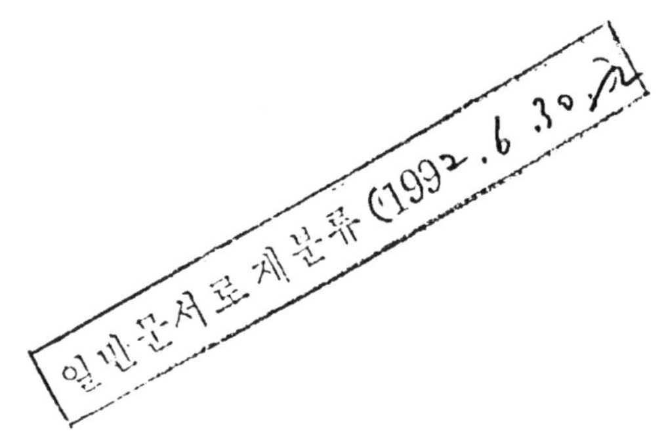

국기국

PAGE 1

92.02.28 06:15

외신 2과 통제관 FM

0207

2/27 신

3

원 본

암호수신

외 무 부

종 별 :

번 호 : AVW-0318 일 시 : 92 0226 1900

수 신 : 장 관(국기,미이,문홍) 사본:주미,유엔,뉴욕총영사-중계필

발 신 : 주 오스트리아 대사 WUN-0455

제 목 : 북한의 핵에 관한 NEW YORK TIMES 사설

1. 작 2.25(화) INTERNATIONAL HERALD TRIBUNE 사설에 게재된 'GIVE NORTH KOREA TIME'제하의 사설 기사중에 북한이 사찰대상 목록을 제출하였다는 것은 터무니없고, 남북 핵통제 위원회가 진전을 보이고 있다는 것도 형평을 잃은 기사임.

2. 상기 1 항에 관해서는 작 2.25 본직과 국무성의 핵문제담당 케네디대사가 함께 실망을 금치 못하였고, 핵안전담당 JENNEKENS IAEA 사무차장으로 부터도사실무근(목록제출부분)임을 확인하였음.

3. 국무성도 이에 관해 NYT 측에 주의를 환기하고 있는 것으로 알고 있는데, NYT 의 국제적 영향력에 비추어 그런일이 앞으로 없도록 아국으로서도 필요한조치를 취해 둘것을 건의함. 끝.

국기국 미주국 문협국 분석관 중계

PAGE 1 92.02.27 06:04

외신 2과 통제관 FK

0208

공 란

공 

공 란

2/28 신

관리 번호	92-78

원 본

외 무 부

3

종 별 : 지 급

번 호 : UNW-0563 일 시 : 92 0227 1900

수 신 : 장 관(국기)

발 신 : 주 유엔 대사대리

제 목 : NYT지 사설

대:WUN-0463

연:USW-0926

표제관련 2.24. 주미대사관에서 연호보고와 같이 기조치한바 있고, 뉴욕문화원장은 2.27. 동사설 집필 논설위원 LEON SIGAL 과 직접접촉, 관련사항 설명하여 주었다하는바, 당대표부로서도 앞으로 적절한 기회에 동인과 접촉, 동건관련 추가 설명위계임

(대사대리 신기복:국장)

예고:92.6.30 까지

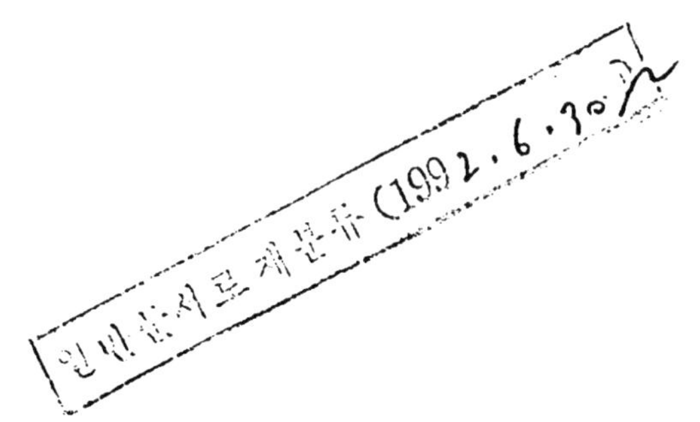

국기국 ~~1차보~~ 문협국.

PAGE 1

92.02.28 09:34

외신 2과 통제관 BX

0212

원 본

암호수신

외 무 부

종 별 :

번 호 : AVW-0322 일 시 : 92 0227 1830

수 신 : 장 관(국기,과기처)

발 신 : 주 오스트리아 대사

제 목 : IAEA 92.2월 이사회 성과(사무총장 기자회견)

금 2.27 오전에 있은 BLIX 사무총장의 2 월 이사회 성과에 대한 기자회견과관련 사무국 문서를 별전 FAX 송부함.

별첨:AVW(F)-040 2 매.끝.

국기국 과기처

PAGE 1

92.02.28 06:08

외신 2과 통제관 FM

0213

EMBASSY OF THE REPUBLIC OF KOREA

Praterstrasse 31, Vienna
Austria 1020 (FAX : 2163438)

No : AVW(F) - 040	Date : 20227 1830
To : 장관(국기, 과기처) (FAX No :)	
Subject : 첨부	

표지 포함 3매

Total Number of Page :

0214

Summary of the Director General's press conference on Thursday, 27 February 1992

The Director General opened the press conference by stating that the Board had made good progress on the strengthening of safeguards. Special inspections, discussed at the December meeting and informally in the interim, had now been approved. The expectation was that such inspections would be rare. Information in this regard might come from our own inspectors, from governments and indeed from the media. Incidentally, most recent media reports of alleged trafficking in nuclear material had proved unfounded (see separate sheet appended).

A further step had been taken by agreeing to the early submission of nuclear facility design information. By getting this at the conceptual stage, there would be a better opportunity to make facilities "safeguards friendly" and more openness would be encouraged.

Third and last in this area, the Board had decided to revert at its June meeting to the idea of notifying the export, import and production of sensitive technology, nuclear and non-nuclear materials. The cost of such a system had been a perceived drawback and the proposals would be modified prior to the June meeting. The point was to build up an "Early Warning" system to spot any mismatch between a declared programme and the volume of imports.

There would be more proposals in June, involving for example safeguards in nuclear weapon states.

The Director General noted the new agreements signed with Syria (INFCIRC/153) and Algeria (INFCIRC/66) as well as the fact that there had been two technical visits already to the new Algerian research reactor that would come into operation this year.

Finally, the Board had authorized establishment of an open-ended Working Group to prepare the structure and format of a convention on nuclear safety.

Questions and Answers

In response to questions, the Director General made the following main points:

He was not overly concerned about the validity of intelligence information he might receive being challenged. Such information was to be scanned critically before seeking explanations from the country concerned or a special inspection. The Director General must feel that reasonable grounds exist to suspect undeclared activities. He did not believe such evidence would be disputed simply because of its nature. He could be challenged if he used this exceptional procedure without sufficent grounds. If he were hesitant he could always consult the Board. Conceivably the source of the information could be challenged. On the other hand, he was not obliged to reveal his source to the country concerned in asking for explanations or a special inspection. It would be a matter of his judgement as to whether or not to do so.

He agreed that special inspections were limited for the time being only to countries with comprehensive safeguards agreements since that was where all nuclear materials were supposed to be declared. Other nations (INFCIRC/66)

0215

had not pledged not to import or produce materials. The Agency had not yet examined how special inspections might apply in those cases; if, at an individual safeguarded facility, there was reason to believe reporting was not complete, explanations and a special inspection of that facility could be envisaged.

Turning to the budget, he said lack of cash would mean cutting back on programmes, meetings and inspections: attainment of inspection goals would suffer. This was a pathetic situation at a time when more work in safeguards and safety were required. He would freeze professional posts that became vacant and cut back on temporary staff so as to ensure the Agency's functioning throughout 1992 in the hope that a Russian contribution would be forthcoming.

On Iraq he said the fact that the designations for the tenth mission had failed to turn up new evidence (e.g. of an underground facility or heavy water production effort) was not a discouraging precedent for a future special inspection scenario. The Agency pursued UNSCOM designations in Iraq without the thorough prior evaluation that would be imperative in the latter case.

On North Korea he said the Agency had not received the intelligence information about a potential weapons capability or concealment effort reported by the CIA nor would it request this information. It would wait until they submitted an initial inventory which they would have to do by the end of the month following ratification of their safeguards agreement. That inventory would be studied and evaluated, although the Agency had no satellite of its own. There would be no inspectors going to North Korea before ratification of the safeguards agreement, and he would be heading the first IAEA visit personally when the time came.

On Iran, he stressed that the recent four-man IAEA visit had been a familiarization trip and was neither an inspection or a special inspection. Media reports were incorrect if they suggested that the Agency was giving Iran a "clean bill of health". However, some of the sites visited had featured in media reports and doubts had been dispelled. He welcomed such greater openness. However, the Agency could not contend that it was 100% sure about the situation in any country - including Iraq where it had exceptional powers and had conducted ten investigative missions to which others would follow. The Agency would never seek to assess ambitions nor say something clandestine could not exist.

Lastly, Mr. Rosen discussed Greenpeace assertions that there was a one in four chance of a Chernobyl type accident in Eastern Europe or the former USSR within the next five years. The Agency's position was to insist that significant upgrading needed to be put in hand urgently and then to make a determination whether further major upgrading was warranted and achievable.

* * * * *

Attachments (2)

1992-02-27
DKyd/sch
Doc. 8347x

0216

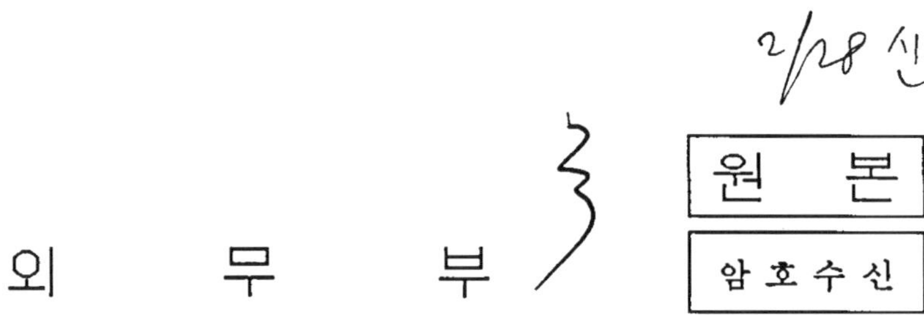

외 무 부

종 별 :

번 호 : AVW-0324 일 시 : 92 0227 1830

수 신 : 장 관(국기,미이) 사본:주미,유엔,뉴욕총영사-중계필

발 신 : 주 오스트리아대사

제 목 : 북한의 핵(NYT 기사)

연:AVW-0318

대:WAV-0271

1. 연호 2 항과 같이, IAEA 안전담당 사무차장이 북한으로 부터 목록을 받은일이 없다고 분명히 부인하였음.

2. 그럼에도 불구하고 대호 2 항에서 '목록을 제시하였을리 없음' 이라고 한다든지 대호 4 항에서 '논리에 맞지 않음'이라고 할 이유가 무엇인지 의아심을감추지 못함(논리의 문제가 아니라고 보며, 혹시 목록을 제시하지도 않았겠나 하고 HOPEFULLY 바랄일도 아니라고 봄). 끝.

국기국 미주국 중계

PAGE 1

92.02.28 06:02
외신 2과 통제관 FM

0217

3/10시

대 한 민 국

주 오스트리아 대사관

오스트리아 20332-237 1992 . 2 . 27 .

수 신 : 외무부장관 (보존기간 :)

참 조 : 국제기구국장, 과기처 원자력정책관

제 목 : 북한 핵안전협정 (표준 문안) 송부

92.1.30. 북한 - IAEA 간 체결한 핵안전협정문을 별첨과 같이 송부합니다.

첨부 : 동 문안 1부. 끝.

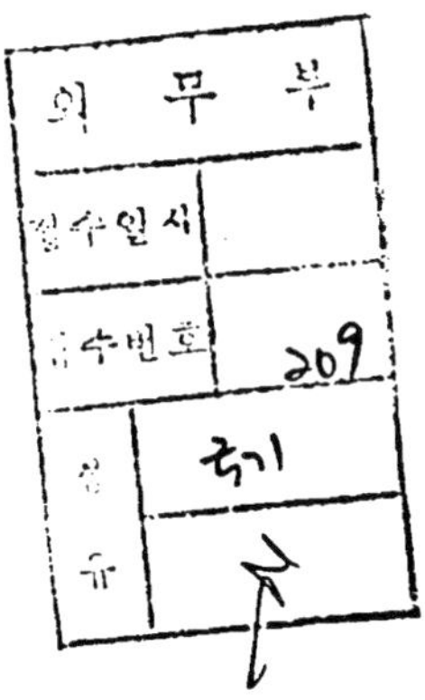

주 오스트리아 대사

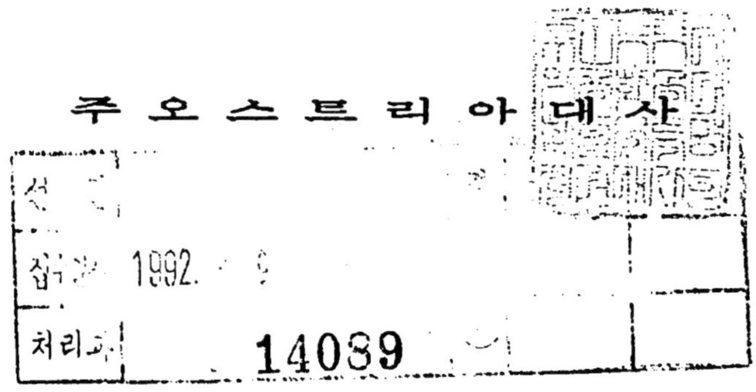

0218

핵무기전파방지조약에 따르는 담보적용에 관한
조선민주주의인민공화국 정부와 국제원자력기구
사 이 의 협 정

조선민주주의인민공화국 정부 (이하 조선민주주의인민공화국이라고 한다) 는 1968년 7월 1일 런던, 모스크바, 워싱톤에서 수표가 시작되고 1970년 3월 5일 효력을 발생한 핵무기전파방지조약 (이하 조약이라고 한다) 참가국이라는데 류의하면서,

조약 제3조 1항《조약참가국인 매개 비핵국가는 핵에네르기가 평화적리용으로부터 핵무기나 기타 핵폭발장치에로 전환되는것을 방지하기 위하여, 이 조약에 따라 지닌 자기의 의무수행을 검증할 유일한 목적으로 국제원자력기구의 규약과 기구의 담보체계에 따라 국제원자력기구와 협상하여 체결하여야 할 협정에 규정된 담보를 받을것을 공약한다. 이 조항이 요구하는 담보절차는 출발물질이나 특수분렬물질이 임의의 주요 핵시설에서 생산, 가공, 리용되고있거나 혹은 그러한 시설밖에 있거나에 관계없이 그러한 물질에 적용된다. 이 조항이 요구하는 담보는 비핵국가의 령토내, 그의 관할지역, 혹은 그 어느곳에서든지 그의 통제하에서 진행되는 모든 평화적핵활동중에 있는 모든 출발물질, 또는 특수분렬물질에 적용된다.》에 류의하면서,

국제원자력기구 (이하 기구라고 한다.) 는 규약 제3조에 따라 이러한 협정을 체결할 권한을 가진다는데 류의하면서,

조선민주주의인민공화국과 기구는 다음과 같이 합의하였다.

제 1 장

기 본 공 약

제 1 조

조선민주주의인민공화국은 조약 제3조 1항에 따라 자기의 령토내, 관할지역 혹은 그 어느곳에서든지 자기의 통제밑에서 진행되는 모든 평화적핵활동중에 있는 모든 출발물질 또는 특수분렬물질이 핵무기나 기타 핵폭발장치에로 전환되지 않는다는것을 검증하기 위한 유일한 목적으로 이런 물질에 대한 본 협정조항에 따르는 담보를 받을것을 공약한다.

담 보 의 적 용

제 2 조

기구는 조선민주주의인민공화국 령토내, 그의 관할지역 혹은 그 어느곳에서든지 그의 통제밑에서 진행되는 모든 평화적핵활동중에 있는 모든 출발물질 또는 특수분렬물질이 핵무기나 기타 핵폭발장치에로 전환되지 않는다는것을 검증할 유일한 목적으로 이런 물질에 본 협정조항에 따르는 담보적용을 보장할 권리와 의무를 지닌다.

조선민주주의인민공화국과 기구 사이의 협조

제 3 조

조선민주주의인민공화국과 기구는 본 협정에 규정된 담보의 리행을 촉진하기 위하여 협조한다.

－ 2 －

0220

담 보 의 리 행

제 4 조

본 협정에 규정된 담보는 다음과 같은 방법으로 리행된다.

1) 조선민주주의인민공화국의 경제및기술발전이나 핵물질의 국제적교환을 포함한 평화적핵활동분야에서의 국제적협조에 대한 방해를 피해야 한다.

2) 조선민주주의인민공화국의 평화적핵활동과 특히 설비들의 운영에 대한 부당한 간섭을 피해야 한다.

3) 경제적이며 안전한 핵활동진행에 필요한 합리적인 관리활동과 일치되여야 한다.

제 5 조

1) 기구는 본 협정리행과정에 알게 되는 상업및산업비밀과 기타 기밀자료를 보호하기 위한 모든 예방대책을 세운다.

2) ㄱ) 기구는 본협정리행과 관련하여 자기가 얻은 그 어떤 자료도 출판하지 않으며 그 어떤 국가, 조직 혹은 인물에게도 그것을 넘겨주지 않는다. 그러나 본 협정리행과 관련되는 특정한 자료는 기구관리리사회(이하 리사회라고 한다.)와 담보와 관련한 자기의 공식임무상 그러한 자료를 요구하는 기구직원들에게 본 협정리행을 위한 기구의 책임수행에 필요한 정도로만 제공될수 있다.

ㄴ) 본 협정에 따라 담보받는 핵물질에 대한 요약된 자료는 직접 관련되는 유관국들이 그에 동의하면 리사회의 결정에 따라 출판될수 있다.

제 6 조

1) 기구는 본 협정에 따르는 담보를 리행함에 있어서 담보분야에서의 기술발전을 충분히 고려하며, 일정한 전략적지점들에서 기재들과 기타 수법들을 현재 또는 장래기술이 허용하는 범위까지 리용하여 본 협정에 따라 담보받는 핵물질의 흐름을 효과적으로 담보감시하는 원리적용과 비용의 최대효과성을 보장하기 위해 모든 노력을 다한다.

2) 비용의 최대효과성을 보장하기 위하여 례하면 다음과 같은 수단들이 리용된다.

ㄱ) 회계목적을 위한 물질바란스구역을 규정하는 수단으로서의 봉쇄

ㄴ) 핵물질의 흐름을 평가하는데서 통계적수법과 임의의 시료채취

ㄷ) 핵무기나 기타 핵폭발장치들을 쉽게 제작할수 있는 핵물질의 생산, 가공, 리용 혹은 보관을 포함하는 이러한 핵연료순환단계들에 대한 검증절차의 집중과 본 협정에 따르는 담보를 적용하는데서 이것이 기구를 방해하지 않는다는 조건에서 기타 핵물질에 대한 검증절차의 최대간소화

국가의 물질통제체계

제 7 조

1) 조선민주주의인민공화국은 본 협정에 따라 담보받는 모든 핵물질에 대한 회계및통제체계를 세우고 유지한다.

2) 기구는 핵물질이 평화적리용으로부터 핵무기나 기타 핵폭

발장치들에로 전환된것이 없다는것을 확인하는데서 조선민주주의인민공화국 통제체계의 조사결과들을 검증하는 방법으로 담보를 적용한다. 기구의 검증은 다른 검증활동과 함께 본 협정 제2장에 서술된 절차에 따라 기구가 진행하는 독자적인 측정과 관측을 포함한다. 기구는 검증을 진행함에 있어서 조선민주주의인민공화국 통제체계의 기술적효과성을 응당 고려한다.

기구에 통보제공

제 8 조

1) 본 협정에 따르는 담보의 효과적인 리행을 보장하기 위하여 본 협정 제2장에 서술된 규정에 따라 조선민주주의인민공화국은 본 협정에 따라 담보받는 핵물질과 그러한 핵물질을 담보감시하는데 관련있는 시설들의 특성에 관한 통보를 기구에 제공한다.

2) ㄱ) 기구는 본 협정에 따르는 자기의 책임수행에 적합한 최소량의 통보와 자료만을 요구한다.

ㄴ) 시설과 관련한 통보는 본 협정에 따라 담보받는 핵물질을 담보감시하는데 필요한 최소한의것이여야 한다.

3) 조선민주주의인민공화국이 요구한다면 기구는 조선민주주의인민공화국이 특별히 예민하다고 인정하는 설계통보를 조선민주주의인민공화국의 해당 기관에 가서 심의하도록 준비되여 있어야 한다.

기구가 조선민주주의인민공화국의 해당 기관들에 가서 더 검토하는데 이러한 통보가 쉽게 리용될수 있다면 조선민주주의인민공화국은 그러한 통보를 기구에 현물로 넘겨줄 필요가 없다.

기 구 검 열 원

제 9 조

1) ㄱ) 기구는 조선민주주의인민공화국에 보낼 담당검열원의 임명에 대하여 조선민주주의인민공화국의 동의를 받는다.

ㄴ) 조선민주주의인민공화국이 검열원임명제안시 또는 임명된후 임의의 시각에 그 임명을 반대한다면 기구는 조선민주주의인민공화국으로부터 다른 후보에 대한 동의를 받는다.

ㄷ) 조선민주주의인민공화국이 기구검열원들의 임명접수를 반복거절한 결과 본 협정에 따라 진행되는 검열이 지장을 받게 된다면 이러한 거절은 기구총국장(이하 총국장이라고 한다.)의 제의에 의하여 해당한 대책을 취할 목적으로 리사회에서 토의된다.

2) 조선민주주의인민공화국은 기구검열원들이 본 협정에 따르는 자기의 기능을 효과적으로 수행할수 있도록 필요한 조치를 취한다.

기구는 본 협정의 기타 조건과 모순되지 않는 한 그러한 조치들과 관련되는 조선민주주의인민공화국의 법적절차와 규정을 존중한다.

3) 기구검열원들의 방문과 활동은 다음과 같은 방향에서 조직된다.

ㄱ) 조선민주주의인민공화국에 그리고 검열받는 평화적활동에 줄수 있는 불편과 방해를 최소한 줄이도록 한다.

ㄴ) 검열원들이 알게 되는 산업비밀이나 기타 임의의 기밀통보의 보호를 담보한다.

특권과 특전

제 10 조

조선민주주의인민공화국은 기구(그의 재산, 자금 및 부동산 포함)와 본 협정에 따라 자기의 기능을 수행하는 기구검열원들 및 기타 공무원들에게 국제원자력기구의 특권과 특전에 관한 협정(INFCIRC/9/Rev. 2)의 해당 조항들에 제시된것과 같은 특권과 특전을 제공한다.

담보의 종결

제 11 조
핵물질의 소비와 희석

핵물질이 소비되였거나 담보의 견지에서 볼 때 그 어떤 핵활동에도 더는 리용할수 없을 정도로 희석되였거나 실천적으로 다시 회수할수 없게 되였다고 기구가 결정하면 그 물질에 대한 담보는 종결된다.

제 12 조
조선민주주의인민공화국 경외로의 핵물질의 이동

조선민주주의인민공화국은 본 협정에 따라 담보받는 핵물질을 조선민주주의인민공화국 경외로 이동하려는 경우 본 협정 제2장에 서술된 조항에 따라 그에 대해 사전에 기구에 통지한다. 기구는 본 협정 제2장에 규정된바와 같이 접수국이 그에 대한 책임을 졌을 때 본 협정에 따르는 그 핵물질에 대한 담보적용을 종결한다. 기구는 매 전당 이동을 밝힌 문건을 보관하며 담보를 적용할수 있는 곳에서는 이동된 핵물질에 대한 담보를 다시 적용한다.

제 13 조
비핵활동에 리용되는 핵물질과 관련한 조항

조선민주주의인민공화국은 본 협정에 따라 담보받는 핵물질을 합금이나 도자기생산과 같은 비핵활동에 리용하려고 하는 경우 그 물질이 그렇게 리용되기전에 그 물질에 대한 담보적용을 종결할수 있는 상황을 기구와 합의한다.

비평화적활동에 리용되는 핵물질에 대한 담보의 불적용

제 14 조

조선민주주의인민공화국은 본 협정에 따라 담보받아야 할 핵물질을 본 협정에 따르는 담보의 적용을 요구하지 않는 핵활동에 리용하려는 자기의 권리를 행사하려고 하는 경우 다음의 절차에 준한다.

1) 조선민주주의인민공화국은 다음의것들을 명백히 하면서 기구에 이러한 활동에 대하여 통지한다.

ㄱ) 금지되지 않은 군사활동에 핵물질을 리용하는것이, 핵물질을 평화적핵활동에만 리용할것이라고 조선민

주주의인민공화국이 하였을수 있는 그 어떤 공약, 그와 관련하여 기구의 담보가 적용되는 공약에 모순되지 않는다는것

ㄴ) 담보가 적용되지 않는 기간 핵물질이 핵무기나 기타 핵폭발장치들의 생산에 리용되지 않을것이라는것

2) 조선민주주의인민공화국과 기구는 핵물질이 그러한 군사활동에 있는 동안에만은 본 협정에 규정된 담보가 적용되지 않도록 합의한다. 이 협의에서는 담보가 적용되지 않는 기간과 상황을 가능한 범위까지 규정한다. 그 어떤 경우에도 핵물질이 평화적핵활동에 다시 인입되는 즉시에 본 협정에 규정된 담보가 다시 적용된다. 기구는 조선민주주의인민공화국에 있는 그러한 비담보물질의 총량과 조성에 대해서와 그러한 물질의 그 어떤 수출에 대하여서도 계속 통보받는다.

3) 매 합의는 기구와의 협정으로 이루어진다. 이러한 협정은 가능한 빨리 이루어져야 하며 그것은 다만 림시적이며 절차적인 규정들과 보고절차와 같은 문제들과만 관련된다. 그러나 그것은 군사활동에 대한 그 어떤 찬동이나 비밀정보를 포함하지 않으며 그러한 활동에 있는 핵물질의 리용과는 관계되지 않는다.

재 정

제 15 조

조선민주주의인민공화국과 기구는 본 협정에 따르는 자기의 해당한 책임을 리행하는 과정에 초래된 비용을 각기 부담한다.

그러나 조선민주주의인민공화국이나 그의 관할하에 있는 인원

들이 기구의 특정한 요구에 따라 추가적인 지출을 초래하였다면 만약 기구가 그렇게 하기로 사전에 합의하였다면 기구는 그러한 지출을 보상한다. 그 어떤 경우에도 기구는 검열원들이 요구하는 임의의 보충적인 측정이나 시료채취에 대한 비용을 부담한다.

핵손상에 의한 제3자앞에서의 책임

제 16 조

조선민주주의인민공화국은 자기의 법과 규정에 따라 제공할수 있는 보험이나 재정적담보를 포함하여 핵손상과 관련하여 제3자앞에서의 책임에 대한 임의의 보호가 조선민주주의인민공화국 공민들에게 적용되는것과 같은 방법으로 본 협정리행의 목적을 위한 기구와 그의 공무원들에게 적용되도록 한다.

국 제 적 책 임

제 17 조

핵사고로부터 발생하는 손상을 제외하고 본 협정에 따르는 담보리행으로부터 생기는 임의의 손상과 관련하여 조선민주주의인민공화국이 기구에 혹은 기구가 조선민주주의인민공화국에 제기하는 임의의 청구는 국제법에 따라 해결된다.

비전환의 검증과 관련한 조치

제 18 조

리사회가 총국장의 보고에 기초하여 본 협정에 따라 담보받는 핵물질이 핵무기나 기타 핵폭발장치에로 전환되지 않는다는것을 검증하기 위하여 조선민주주의인민공화국에 의한 조치가 필수적이며 긴급한것이라고 결정하면 리사회는 본 협정 제22조에 따르는 분쟁해결을 위한 절차가 적용되겠는가에는 관계없이 지체없이 필요한 대책을 취하도록 조선민주주의인민공화국에 요구할수 있다.

제 19 조

리사회가 총국장에 의하여 리사회에 보고된 해당한 통보를 심의한데 기초하여 기구가 본 협정에 따라 담보받아야 할 핵물질이 핵무기나 기타 핵폭발장치에로 전환된것이 없다는것을 검증할수 없다고 인정하면 리사회는 기구규약 (이하 규약이라 한다) 제12조 3항에 규정된 보고서를 작성할수 있으며 또한 적용할수 있는 곳에서는 이 조항에 규정된 다른 대책을 취할수 있다. 이러한 조치를 취함에 있어서 리사회는 이미 적용되고있는 담보조치에 의하여 보장되는 확신성정도를 고려하며 임의의 필요한 재증명을 리사회에 제기할 모든 적당한 기회를 조선민주주의인민공화국에 준다.

협정의 해석, 적용, 분쟁의 해결

제 20 조

조선민주주의인민공화국과 기구는 어느 일방이 요구하면 본 협정의 해석과 적용으로부터 생기는 임의의 문제에 대하여 협의한다.

제 21 조

조선민주주의인민공화국은 본 협정의 해석과 적용으로부터 생기는 임의의 문제를 리사회에서 심의할것을 요구할 권리를 가진다. 리사회는 임의의 이러한 문제를 토의하는데 참가하도록 조선민주주의인민공화국을 초청한다.

제 22 조

제19조에 따라 리사회가 내린 결론이나 그러한 리사회가 취한 대책과 관련되는 분쟁을 제외하고 협상의 방법 또는 조선민주주의인민공화국과 기구가 합의한 다른 방법으로 해결되지 않는 본 협정의 해석이나 적용에서 생기는 임의의 분쟁은 어느 일방이 요구하면 다음과 같이 구성되는 중재재판소에 제기된다. 즉 조선민주주의인민공화국과 기구는 각각 한명의 중재자를 지명한다. 이렇게 지명된 두명의 중재자는 의장으로 될 제3자를 선거한다. 중재를 요구한 때로부터 30일내에 조선민주주의인민공화국이나 기구가 중재자를 지명하지 못하면 조선민주주의인민공화국이나 기구는 국제재판소장에게 중재자를 임명할것을 요청할수 있다. 만일 두번째 중재자의 지명이나 임명으로부터 30

일이내에 세번째중재자가 선거되지 못하면 동일한 절차가 적용된다.

중재재판소 성원들의 다수는 최소한의 인원으로 구성되며 모든 결정은 2명의 중재자의 찬성을 요구한다.

중재절차는 재판소가 결정한다. 재판소의 결정은 조선민주주의인민공화국과 기구에게 있어서 의무적이다.

기타 협정에 따르는 기구담보적용의 중지

제 23 조

기구와 체결한 기타 담보협정에 의하여 조선민주주의인민공화국에서 진행되고있는 기구담보의 적용은 본 협정이 효력을 발생하는동안 중지된다. 조선민주주의인민공화국이 기술협조대상의 실현을 위하여 기구로부터 원조를 받았다면 그 기술협조대상에 대한 협정에 속한 품목들을 군사적목적장려에 쓰지 않을것이라고 그 협정에 규정한 조선민주주의인민공화국의 공약은 계속 적용된다.

협정의 수정

제 24 조

1) 조선민주주의인민공화국과 기구는 어느 일방이 요청하면 본 협정을 수정할데 대하여 서로 협의한다.
2) 모든 수정들은 조선민주주의인민공화국과 기구의 합의를 요구한다.
3) 협정에 대한 수정은 본 협정자체의 효력발생과 같은 조건

으로 효력을 발생한다.

4) 총국장은 본 협정의 수정에 대하여 기구의 모든 성원국들에 즉시 통보한다.

효력발생과 효력발생기간

제 25 조

본 협정은 기구가 조선민주주의인민공화국으로부터 효력발생을 위한 조선민주주의인민공화국의 법규정과 헌법적요구가 충족되였다는 서면통지를 받은 날부터 효력을 발생한다.

총국장은 본 협정의 효력발생에 대하여 기구의 모든 성원국들에 즉시 통보한다.

제 26 조

본 협정은 조선민주주의인민공화국이 핵무기전파방지조약참가국으로 있는 한 효력을 가진다.

제 2 장

서 론

제 27 조

협정 제2장의 목적은 제1장 담보조항들의 리행에서 적용되여야 할 절차들을 규정하는것이다.

담 보 의 목 적

제 28 조

협정 제2장에 제시된 담보절차의 목표는 핵물질의 의의있는 량이 평화적핵활동으로부터 핵무기나 기타 핵폭발장치의 제조, 또는 알려지지 않은 목적에로 전환되는것을 적시적발하며 또한 조기적발단행에 의하여 그러한 전환을 저지하는것이다.

제 29 조

제28조에 제시된 목적을 달성하기 위하여 물질회계는 중요한 보충적조치인 봉쇄및감시와 함께 가장 중요한 담보조치로 리용된다.

제 30 조

매개 물질바란스구역에 대하여 일정한 기간동안 회계되지 않은 물질의 량을 지적하며 그 량의 정확도한계를 보여주는 보고서는 기구검증활동의 기술적결론으로 된다.

핵물질회계및통제에 관한 국가체계

제 31 조

제7조에 따라 기구는 자기의 확인활동을 수행하는데서 본 협정에 따라 담보받는 모든 핵물질에 대한 조선민주주의인민공화국의 회계및통제체계를 충분히 리용하며 조선민주주의인민공화국의

회계및통제활동의 불필요한 중복을 피한다.

제 3 2 조

본 협정에 따라 담보받는 모든 핵물질에 대한 조선민주주의 인민공화국의 회계및통제체계는 물질바란스구역의 구조에 기초하며 필요에 따라 보조세칙에서 구체화되는 다음의 대책수립을 위한 규정을 만든다.

1) 접수, 생산, 발송 및 손실 혹은 다른 방법으로 재고목록에서 삭제된 핵물질의 량과 재고목록에 있는 량을 결정하기 위한 측정체계
2) 측정의 정밀성과 정확성 평가, 측정의 불확실성 평가
3) 발송자와 접수자 측정치의 차이를 확인, 검토 및 평가하기 위한 절차
4) 현물재고량실사를 위한 절차
5) 측정되지 않은 재고량과 측정되지 않은 손실량의 루적량을 평가하기 위한 절차
6) 매개 물질바란스구역에서 핵물질재고량과 그 물질바란스구역에서의 반출입을 포함하여 그 재고량에서의 변화를 보여주는 기록및보고체계
7) 회계절차와 조치들이 정확히 적용되도록 보장하는 규정
8) 제59조-제69조에 따라 기구에 제출할 보고서준비를 위한 절차

담보의 출발점

제 33 조

본 협정에 따르는 담보는 채취 또는 광석가공중에 있는 물질에는 적용되지 않는다.

제 34 조

1) 3)에 언급된 핵연료순환단계에 이르지 못한 우라니움 혹은 토리움을 포함하고있는 임의의 물질이 직접 혹은 간접적으로 비핵국가에 수출되는 경우 조선민주주의인민공화국은 그 물질이 특별히 비핵적인 목적으로 수출되지 않는다면 그 물질의 량, 조성 및 목적지를 기구에 통보한다.

2) 3)에 언급된 핵연료순환단계에 이르지 못한 우라니움 또는 토리움을 포함하고있는 임의의 물질이 수입되는 경우 조선민주주의인민공화국은 그 물질이 특별히 비핵적인 목적으로 수입되지 않는다면 그 물질의 량과 조성을 기구에 통보한다.

3) 연료제조나 동위원소농축에 적합한 조성과 순도를 가진 임의의 핵물질이 그것을 생산한 공장이나 공정을 떠나는 경우 또는 이런 핵물질 혹은 핵연료순환의 뒤단계에서 생산된 임의의 기타 핵물질이 조선민주주의인민공화국에 수입되는 경우 그 핵물질에는 본 협정에 규정된 다른 담보절차가 적용된다.

담 보 의 종 결

제 35 조

1) 본 협정에 따라 담보에 속하는 핵물질에 대한 담보는 제 11조에 규정된 조건하에서 종결된다.
제11조의 조건에 부합되지 않으나 조선민주주의인민공화국이 폐설물로부터 담보받는 핵물질의 회수가 당분간 현실적으로 불합리하거나 바람직하지 않다고 인정하면 조선민주주의인민공화국과 기구는 적용되여야 할 해당한 담보조치들을 협의한다.

2) 조선민주주의인민공화국과 기구가 본 협정에 따라 담보받는 핵물질이 실제적으로 회수될수 없는것이라고 합의하면 제13조에 규정된 조건에 따라 그러한 핵물질에 대한 담보는 종결된다.

담보로부터의 면제

제 36 조

기구는 조선민주주의인민공화국의 요청에 따라 다음과 같은 핵물질을 담보로부터 면제한다.

1) 측정기구의 수감요소로서 그람 또는 그 이하의 량으로 쓰이는 특수분렬물질
2) 제13조에 따라 비핵활동에 리용되는 회수할수 있는 핵물질
3) 플루토니움 238의 동위원소농도가 80%이상 되는 플루토니움

제 37 조

조선민주주의인민공화국의 요청에 따라 기구는 본 조항에 따라 조선민주주의인민공화국에서 면제되여있는 핵물질의 총량이 임의의 시각에 다음의 량을 초과하지 않는다는 조건이라면 다른 경우에는 담보에 속하는 핵물질을 담보로부터 면제한다.

1) 한개 혹은 그 이상의 다음과 같은 물질로 이루어질수 있는 총량이 1㎏인 특수분렬성물질

ㄱ) 플루토니움

ㄴ) 0.2 (20%) 또는 그 이상의 농축도를 가진 우라니움

여기서 우라니움의 량은 그것의 무게에 농축도를 곱하여 계산한다.

ㄷ) 0.2 (20%) 이하이나 천연우라니움 보다는 높은 농축도를 가진 우라니움

여기서 우라니움의 량은 5배의 무게에 농축도의 두제곱을 곱하여 계산한다.

2) 총량이 10톤인 천연우라니움과 0.005 (0.5%) 이상의 농축도를 가진 빈화우라니움

3) 0.005 (0.5%) 또는 그 이하의 농축도를 가진 20톤의 빈화우라니움

4) 20톤의 토리움

혹은 동일한 형식의 적용을 위해 리사회가 설정할수 있는 보다 큰 핵물질량

제 38 조

면제된 핵물질이 본 협정에 따라 담보받는 핵물질과 함께 가공되거나 보관되기로 되여있다면 면제된 핵물질에 담보를 재적용하기 위한 규정이 작성된다.

보 조 세 칙

제 39 조

조선민주주의인민공화국과 기구는 본 협정에 따르는 기구의 의무를 효과적으로, 능률적으로 수행하는데 필요한 범위까지 구체적으로 본 협정에 서술된 절차들을 어떻게 적용해야 하는가를 보여주는 보조세칙을 작성한다. 보조세칙은 본 협정을 수정함이 없이 조선민주주의인민공화국과 기구 사이의 합의에 의하여 확장되거나 변경될수 있다.

제 40 조

보조세칙은 본 협정의 효력의 발생과 동시에 혹은 효력발생후 가능한한 빨리 효력을 발생한다. 조선민주주의인민공화국과 기구는 본 협정 효력발생일로부터 90일이내에 보조세칙이 효력을 발생하도록 모든 노력을 다하며 그 기간의 연장은 조선민주주의인민공화국과 기구 사이의 합의를 요구한다. 조선민주주의인민공화국은 보조세칙을 완성하는데 필요한 자료를 기구에 즉시 제공한다. 본 협정이 효력을 발생하면 기구는 비록 보조세칙이 아직 효력을 발생하지 않았다 하더라도 제41조에 규정된 재고목록에 등록된 핵물질에 대하여 본 협정에 규정된 절차를 적용할 권리를 가진다.

재 고 목 록

제 41 조

제62조에 지적된 초기보고에 기초하여 기구는 핵물질의 출처에 관계없이 본 협정에 따라 담보에 속하는 조선민주주의인민공화국에 있는 모든 핵물질에 대한 유일재고목록을 작성하며 차후 보고서와 기구의 검증활동의 결과에 기초하여 이 재고목록을 정리한다. 재고목록의 부본은 합의된 시간간격으로 조선민주주의인민공화국에 제공된다.

설 계 통 보

일 반 규 정

제 42 조

제8조에 따라 현존 시설과 관련된 설계통보는 보조세칙을 토의하는 기간에 기구에 제공된다. 새로운 시설과 관련된 설계통보제공을 위한 시간한계는 보조세칙에 규정되며 그러한 통보는 핵물질이 새로운 핵시설에 인입되기전에 가능한한 빨리 제공된다.

제 43 조

매 핵시설과 관련하여 기구에 제공하는 설계통보는 적용할수 있다면 다음과 같은 내용을 포함한다.

1) 시설의 일반적특징, 사명, 공칭능력 및 지리적위치를 밝히는 시설의 식별자료와 그리고 일상적인 사업목적에 리용되게 되는 시설의 이름과 주소

2) 가능한 범위까지의 핵물질의 형태, 위치 및 흐름 그리고 핵물질을 리용, 생산 및 가공하는 설비의 중요항목들의 총편성과 관련되는 핵시설의 총배치에 대한 해설

3) 핵물질회계, 봉쇄 및 감시와 관련되는 핵시설의 특성에 대한 해설

4) 시설에서 핵물질 회계 및 통제를 위한 현존 및 제안된 절차에 대한 해설 특히 운영자가 설정하는 물질바란스구역과 물질흐름의 측정과 현물실사를 위한 절차에 대한 해설

제 44 조

담보적용과 관련되는 기타 통보, 특히 물질 회계 및 통제를 위한 조직적인 책임에 대한 통보는 시설별로 기구에 제공한다. 조선민주주의인민공화국은 기구가 준수하며 검열원들이 시설에서 그에 따라 행동할 건강 및 안전규정에 대한 보충통보를 기구에 제공한다.

제 45 조

기구는 담보목적과 관련되는 구조변경에 대한 설계통보를 심의를 위해 제공받는다. 또한 기구는 필요한 시기에 조절되는 담보절차를 위하여 제44조에 따라 기구에 제출된 통보에서 변화된 내용을 충분히 사전에 통보받는다.

제 46 조
설계통보심의목적

기구에 제출되는 설계통보는 다음과 같은 목적에 리용된다.

1) 검증을 쉽게 하기 위하여 핵물질에 대한 담보적용과 관련되는 시설 및 핵물질의 특성을 충분히 구체적으로 확인하기 위해

2) 기구의 회계목적에 리용되는 물질바란스구역을 설정하며 주요 측정점으로 되며 핵물질의 흐름과 재고량을 결정하는데 리용될 전략적지점들을 선택하기 위해; 이러한 물질바란스구역을 결정하는데서 기구는 다른것들과 함께 다음과 같은 기준을 리용한다.

ㄱ) 물질바란스구역의 규모는 물질바란스가 설정될수 있는 정확도에 관계된다.

ㄴ) 물질바란스구역을 결정하는데서 물질흐름측정의 완벽성을 보장하는것을 돕기 위하여 그리고 그것으로서 담보의 적용을 간소화하며 주요 측정점들에 측정노력을 집중하기 위하여 봉쇄와 감시를 적용하기 위한 모든 가능성을 리용한다.

ㄷ) 시설이나 혹은 개별적부지들에서 리용되고있는 몇개의 물질바란스구역은 기구가 그렇게 하는것이 기구의 검증요구에 부합된다고 결정하면 기구의 회계목적에 리용되는 한개의 물질바란스구역으로 통합될수 있다.

ㄹ) 조선민주주의인민공화국의 요구에 따라 상업적으로 예민한 통보를 포함하고있는 공정의 주위에는 특수물질바란스구역이 선정될수 있다.

3) 기구의 물질회계목적으로 핵물질의 현물실사를 위한 공칭시간표와 절차를 선정하기 위해

4) 기록및보고문건에 대한 요구와 기록문건평가절차를 설정하기 위해

5) 핵물질의 량과 위치를 검증하기 위한 요구와 절차를 설정하기 위해

6) 봉쇄 및 감시의 방법과 통계적수법의 적절한 결합과 그리고 그것들이 적용될 전략적지점들의 선택을 위해

설계통보심사결과는 보조세칙에 포함된다.

제 47 조

설계통보의 재심의

설계통보는 제46조에 따라 기구가 취한 조치를 변경하기 위하여 운영조건변화, 담보기술발전 혹은 검증절차적용에서 얻은 경험에 비추어 재심의한다.

제 48 조

설계통보 검증

기구는 조선민주주의인민공화국과 협력하여 제46조에 지적된 목적을 위해 제42조-제45조에 따라 기구에 제공된 설계통보를 검증하기 위해 검열원들을 시설들에 파견할수 있다.

시설밖에 있는 핵물질에 대한 통보

제 49 조

핵물질이 시설밖에서 일상적으로 사용되는 경우 그것이 적용된다면 기구는 다음과 같은 통보를 제공받는다.

1) 핵물질의 리용에 대한 일반적해설, 그의 지리적위치, 일상적인 사업목적을 위한 사용자의 이름과 주소

2) 물질 회계 및 통제를 위한 조직적책임을 비롯하여 핵물질 회계 및 통제를 위한 현존 및 제안된 절차에 대한 일반적인 해설

기구는 본 조항에 따라 제공받은 통보에서 변화된 내용에 대하여 제때에 통보받는다.

제 50 조

제49조에 따라 기구에 제공된 통보는 제46조 2)-6)에 서술된 목적을 위해 관계되는 범위까지 리용될수 있다.

기록문건체계

일반규정

제 51 조

제7조에 언급된 물질통제체계를 수립하는데서 조선민주주의인민공화국은 기록문건이 매개 물질바란스구역별로 작성되도록 한다. 작성될 기록문건은 보조세칙에 언급된다.

제 52 조

조선민주주의인민공화국은 특히 기록문건이 영어, 프랑스어, 로어 또는 에스빠냐어로 작성되여있지 않다면 검열원들이 기록문건 심의를 쉽게 할수 있도록 조치를 취한다.

제 53 조

기록문건은 적어도 5년동안 보관된다.

제 54 조

기록문건은 필요한 경우 다음과 같이 구성된다.

1) 본 협정에 따라 담보받는 모든 핵물질에 대한 회계기록문건
2) 본 협정에 따라 담보받는 그러한 핵물질을 포함하고있는 시설들에 대한 운영기록문건

제 55 조

보고서준비를 위해 리용되는 기록문건이 기초하고있는 측정체계는 최신국제기준과 일치하거나 혹은 질에서 그러한 기준과 등가이다.

회 계 기 록 문 건

제 56 조

회계기록문건은 매개 물질바란스구역에 대하여 다음과 같은것을 반영한다.

1) 장부재고량을 임의의 시간에 결정할수 있도록 하는 모든 재고량변화
2) 현물재고량결정에 리용되는 모든 측정결과
3) 재고량변화, 장부재고량 및 현물재고량과 관련하여 진행되는 모든 보정과 정정

제 57 조

모든 재고량변화와 현물재고량을 위하여 기록문건은 핵물질의 매개 회계단위에 대하여 즉 물질식별자료, 회계단위자료 및 출발자료를 보여준다. 기록문건은 핵물질의 매개 회계단위속에 있는 우라니움, 토리움, 플루토니움을 개별적으로 설명한다. 매개 재고량변화에 대하여서는 재고량변화날자, 필요한 때에는 발송물질바란스구역과 접수물질바란스구역 혹은 접수자를 지적한다.

제 58 조
운 영 기 록 문 건

운영기록문건은 필요한 경우 매개 물질바란스구역에 대하여 다음과 같은것을 반영한다.

1) 핵물질의 량과 조성에서의 변화를 결정하는데 리용되는 운영자료

2) 탕크와 측정기구의 교정 그리고 시료채취와 분석에서 얻은 자료, 측정의 질과 우연및계통오차의 유도평가를 검사하는 절차

3) 현물실사가 정확하며 완전하다는것을 보장하기 위하여 현물실사를 준비하고 진행하는데서 취해지는 조치들의 순차에 대한 설명

4) 발생할수 있는 임의의 사고에 의한 손실 혹은 측정되지 않은 손실의 원인과 크기를 확인하기 위하여 취해지는 조치들에 대한 설명

보 고 서 체 계

일 반 규 정

제 59 조

조선민주주의인민공화국은 본 협정에 따라 담보받는 핵물질에 대하여 제60조-제69조에 구체적으로 서술된바와 같이 보고서를 기구에 제공한다.

제 60 조

보고서는 보조세칙에 달리 언급되지 않았다면 영어, 프랑스어, 로어 혹은 에스빠냐어로 작성된다.

제 61 조

보고서는 제51조-제58조에 따라 작성되는 기록문건에 기

초하며 필요한 경우 회계보고서와 특별보고서로 이루어진다.

회 계 보 고 서

제 62 조

기구는 본 협정에 따라 담보받는 모든 핵물질에 대한 초기보고서를 제공받는다. 조선민주주의인민공화국은 본 협정이 효력을 발생하는 달의 마지막날로부터 30일이내에 기구에 초기보고서를 발송해야 하며 그 보고서에는 그달 마지막날 현재의 상태가 반영된다.

제 63 조

조선민주주의인민공화국은 매개 물질바란스구역에 대한 다음과 같은 회계보고서를 기구에 제공한다.

1) 핵물질의 재고량에서의 모든 변화를 보여주는 재고량변화보고서
   이 보고서는 될수록 빨리 발송되여야 하며 그 어떤 경우에도 재고량변화가 생겼거나 확증된 달의 마지막날부터 30일이내에 발송되여야 한다.
2) 물질바란스구역안에 실제적으로 존재하는 핵물질의 현물재고량에 기초한 물질바란스를 보여주는 물질바란스보고서
   이 보고서는 가능한 빨리 발송되여야 하며 어떤 경우에도 현물재고량실사가 진행된후 30일이내에 발송되여야 한다.

이 보고서들은 보고서를 작성하는 날 현재 리용할수 있는 자료에 기초하며 요구되면 그후에 정정될수 있다.

제 64 조

재고량변화보고서는 핵물질의 단위별 식별자료와 단위자료, 재고량변화날자, 필요한 경우 발송물질바란스구역과 접수물질바란스구역 또는 접수자를 밝힌다. 이 보고서는 다음과 같은 간단한 주해를 동반한다.

1) 제58조 1)에 따라 제공되는 운영기록문건들에 포함되여있는 운영자료에 기초한 재고량변화에 대한 설명
2) 보조세칙에 명기된대로 예견되는 운영계획, 특히 현물재고량실사진행에 대한 설명

제 65 조

조선민주주의인민공화국은 매 재고량변화, 보정 및 정정을 종합하여 주기적으로 또는 건당으로 보고한다. 재고량변화는 단위로 보고된다. 보조세칙에 규정된것처럼 분석시료들의 이동과 같은 핵물질재고량에서의 작은 변화들은 한개의 단위로 통합되여 하나의 재고량변화로서 보고될수 있다.

제 66 조

기구는 매개 물질바란스구역별로 본 협정에 따라 담보받는 핵물질의 장부재고량에 대한 반년간의 통지서를 조선민주주의인민공화국에 제공한다. 이 통지서는 그것이 포괄하는 기간내의 재고량변화보고서에 기초한다.

제 67 조

물질바란스보고서는 조선민주주의인민공화국과 기구가 달리 합의한것이 없다면 다음과 같은 기입사항을 포함한다.

1) 초기현물재고량

2) 재고량변화 (처음에는 증가를, 다음에는 감소를 기입한다)

3) 마지막장부재고량

4) 발송자와 접수자 차이

5) 보정한 마지막장부재고량

6) 마지막 현물재고량

7) 회계되지 않은 물질의 량

모든 단위를 개별적으로 기입하고 매개 단위에 대한 물질식별자료와 단위자료를 밝히는 현물재고량통지서가 매개 물질바란스보고서에 첨부된다.

제 68 조
특 별 보 고 서

조선민주주의인민공화국은 다음과 같은 경우에 지체없이 특별보고서를 작성한다.

1) 어떤 비정상적인 사고 또는 정황으로 하여금 조선민주주의인민공화국이 보조세칙에 이러한 목적을 위해 명기된 한계치를 초과하는 핵물질의 손실이 있거나 있었을 수 있다고 믿게 되는 경우

2) 보조세칙에 명기된 봉쇄가 허가되지 않은 핵물질의 이동이 가능했을 정도로 예상외로 변화되였을 경우

제 69 조

보고서의 보충과 해명

기구가 요청하면 조선민주주의인민공화국은 담보의 목적을 위해 관계되는 한에 있어서는 임의의 보고에 대한 보충과 해명을 기구에 제공한다.

검 열

제 70 조

일 반 규 정

기구는 제71조-제82조에 규정된바와 같이 검열을 진행할 권리를 가진다.

검열의 목적

제 71 조

기구는 다음의 목적으로 비정기검열을 진행할수 있다.

1) 본 협정에 따라 담보받는 핵물질에 대한 초기보고서에 포함되여있는 통보를 검증하기 위해

2) 초기보고서 제출후 생긴 정황에서의 변화를 식별검증하기 위해

3) 핵물질의 조선민주주의인민공화국 경외로의 이동전이나 또는 경내로의 이동후 제93조와 제96조에 따라 그 핵물질의 량과 조성을 식별하고 가능하면 검증하기위해

-32-

0250

제 72 조

기구는 다음의 목적으로 정기검열을 진행할수 있다.

1) 보고서가 기록문건과 일치하는가를 검증하기 위해

2) 본 협정에 따라 담보받는 모든 핵물질의 위치, 동일성, 량 및 조성을 검증하기 위해

3) 회계되지 않은 물질, 발송자와 접수자간의 차이 및 장부재고량에서의 불확실성의 가능한 원인에 대한 통보를 검증하기 위해

제 73 조

제77조에 규정된 절차에 따라 기구는 특별검열을 진행할수 있다.

1) 특별보고서에 포함되여있는 통보를 검증하기 위해

2) 조선민주주의인민공화국의 해설과 정기검열에서 얻은 통보를 포함하여 조선민주주의인민공화국에 의해 제공된 통보가 본 협정에 따르는 기구의 책임을 수행하는데 불충분하다고 기구가 인정하는 경우

검열은 그것이 제78조-제82조에 규정되여있는 정기검열로력에 추가되거나 또는 비정기검열과 정기검열을 위한 제76조에 규정된 접근외에 통보나 장소에 접근하거나 또는 량자의 접근을 다 포함할 때 특별검열로 인정된다.

검 열 범 위

제 74 조

제71조－제73조에 명기된 목적을 위해 기구는

1) 제51조－제58조에 따라 작성된 기록문건들을 심의할 수 있다.

2) 본 협정에 따라 담보받는 모든 핵물질에 대한 독자적인 측정을 진행할수 있다.

3) 측정기구들과 기타 측정 및 조종설비들의 작용과 교정정형을 검증할수 있다.

4) 감시및봉쇄조치를 적용및리용할수 있다.

5) 기술적으로 실현가능하다고 증명된 기타 객관적인 방법을 리용할수 있다.

제 75 조

제74조의 범위내에서 기구는

1) 물질바란스회계를 위한 주요측정점들에서의 시료들이 표본시료제조절차에 따라 채취되는가를 그리고 그 시료의 처리와 분석과정을 관찰할수 있다. 또한 이러한 시료들의 부본을 얻을수 있다.

2) 물질바란스회계를 위한 주요 측정점들에서의 핵물질측정들이 대표적인것으로 되는가 관찰하며 리용되는 측정기구와 설비들의 교정을 관찰할수 있다.

3) 필요하면 조선민주주의인민공화국과 다음과 같은것을 협의할수 있다.

ㄱ) 보충측정의 진행과 기구의 리용을 위한 보충시료의

채취

ㄴ) 기구표준분석시료의 분석

ㄷ) 측정기구와 기타 설비를 교정할 때 해당한 절대표준값의 리용

ㄹ) 기타 교정의 진행

4) 독자적인 측정과 감시를 위하여 자체의 설비리용을 조직할수 있다. 또한 보조세칙에 그렇게 합의되여 명기되였다면 그러한 설비설치를 조직할수 있다.

5) 보조세칙에 그렇게 합의되여 명기되여있다면 봉쇄를 위해 자기의 봉인과 다른 식별 및 손댐지시장치를 봉쇄에 적용할수 있다.

6) 기구의 리용을 위해 채취한 시료들의 발송에 대하여 조선민주주의인민공화국과 협의할수 있다.

검열을 위한 접근

제 76 조

1) 제71조 1)과 2)에 명기된 목적을 위해 그리고 전략적지점들이 보조세칙에 명기되는 시기까지 기구검열원들은 초기보고나 그와 관련하여 진행된 임의의 검열들에서 핵물질이 존재한다고 지적한 임의의 장소들에 접근한다.

2) 제71조 3)에 명기된 목적을 위해 검열원들은 기구가 제92조 4)ㄷ) 또는 제95조 4)ㄷ)에 따라 통지받은 임의의 장소에 접근한다.

3) 제72조에 명기된 목적을 위해 검열원들은 보조세칙에 명기된 전략적지점들과 제51조-제58조에 따라 작성보관되는 기록문건들에만 접근한다.

4) 조선민주주의인민공화국이 그 어떤 비정상적인 정황에 의해 기구의 접근제한범위를 넓히는것이 필요하다고 인정하는 경우 조선민주주의인민공화국과 기구는 이러한 접근제한에 비추어 기구가 자기의 담보검열책임을 수행할수 있도록 신속히 협의한다.

총국장은 그러한 협의에 대하여 전당으로 리사회에 보고한다.

제 77 조

제73조에 명기된 목적으로 특별검열이 진행될수 있는 정황에서는 조선민주주의인민공화국과 기구는 곧 협의한다. 이러한 협의결과에 따라 기구는;

1) 제78조-제82조에 규정된 정기검열로력외에 보충적으로 검열을 진행할수 있다.

2) 조선민주주의인민공화국과 합의하여 제76조에 명기된것외에 보충적으로 통보와 장소들에 접근할수 있다. 보충적인 접근의 필요성과 관련한 임의의 의견상이는 제21조와 제22조에 따라 해결된다. 조선민주주의인민공화국에 의한 조치가 필수적이고 긴급한 경우에는 제18조가 적용된다.

정기검열의 회수와 강도

제 78 조

기구는 가장 합리적인 시간표를 적용함으로써 정기검열의 회수, 강도 및 기간을 본 협정에 규정된 담보절차의 효과적인 리행에 모순되지 않게 최소로 유지하며 기구가 쓸수 있는 검열자금을 가장 합리적으로, 가장 경제적으로 리용한다.

제 79 조

기구는 핵물질량 또는 년간생산량이 어느것이든지 더 큰것에 준하여 5유효키로그람을 초과하지 않는 시설들과 시설밖의 물질바란스구역에 대하여 년에 한번의 정기검열을 진행할수 있다.

제 80 조

핵물질량 또는 년간생산량이 5유효키로그람을 초과하는 시설들에 대한 정기검열의 회수, 강도, 기간, 시간표 및 방식은 최대 또는 제한된 경우 검열제도가 핵물질의 흐름과 재고량에 대한 통보의 지속성을 유지하는데 필요하고 충분한것보다 강도가 더 높지 말아야 한다는데 기초하여 결정된다.

이러한 시설들에 대한 최대정기검열로력은 다음과 같은 방법으로 결정된다.

1) 원자로와 봉인된 보관시설들에 대한 년간 정기검열최대 총로력은 이러한 매 시설에 대하여 6분의 1명-년검열공수를 허용하는 방법으로 결정된다.

2) 원자로 또는 봉인된 보관시설이 아닌것으로서 플루토니움 또는 5%이상 농축된 우라니움을 포함하고있는 시설들에 대한 년간정기검열최대 총로력은 이러한 매 시설에 대하여 년간 $30 \times \sqrt{E}$ 명-일검열을 허용하는 방법으로 결정된다.

   여기서 E는 유효키로그람으로 표시된 핵물질의 재고량 또는 년간생산량(어느것이던지 더 큰것을 취한다.)이다. 그러나 이러한 시설들에 대하여 설정된 최대검열로력은 1.5명-년 검열공수보다 작지 말아야 한다.

3) 조항 1)과 2)에 포함되지 않은 시설들에 대한 년간 정기검열최대 총로력은 이러한 매 시설에 대하여 3분의 1명-년검열공수+0.4×E명-일검열공수를 허용하는 방법으로 결정된다. 여기서 E는 유효키로그람으로 표시된 핵물질의 재고량 또는 년간생산량(어느것이던지 더 큰것을 취한다)이다.

조선민주주의인민공화국과 기구는 리사회가 최대검열로력에 대한 수자수정을 합리적이라고 결정하면 본 조항에 규정된 그러한 수자수정에 대하여 합의할수 있다.

제 81 조

제78조-제80조에 따라 임의의 시설에 대한 정기검열의 실제적인 회수, 강도, 기간, 시간표 및 방식을 결정하는데 리용될 기준은 다음과 같은것을 포함한다.

1) 핵물질의 형태 특히 핵물질이 산적형태로 되여있는가 또는 몇개의 개별적제품으로 되여있는가, 그것의 화학적조성, 우라니움인 경우에는 그것이 저농축인가 혹은 고농축인가 그리고 그것에로의 접근가능성

2) 조선민주주의인민공화국 회계및통제체계의 효과성
시설운영자들이 조선민주주의인민공화국 회계및통제체계와 기능상 독자적인 정도, 제32조에 명기된 조치들이 조선민주주의인민공화국에 의해 리행된 정도, 기구에 제공하는 보고서들의 신속성, 기구의 독자적인 검증과 그것들의 일치성 그리고 기구가 검증한 회계되지 않은 물질의 량과 정확도

3) 조선민주주의인민공화국 핵연료순환의 특성
특히 담보받는 핵물질을 포함하고있는 시설들의 수와 형태, 담보와 관련되는 이러한 시설들의 특성 특히 봉쇄의 정도, 이러한 시설들의 설계가 핵물질의 흐름과 재고량검증을 쉽게 하는 정도, 각이한 물질바란스구역에서 오는 통보가 호상 관련될수 있는 정도

4) 국제적인 호상 의존성 특히 핵물질을 리용 또는 가공하기 위해 다른 나라들로부터 접수하거나 다른 나라들에 발송하는 정도, 그와 관련한 기구의 검증활동 그리고 조선민주주의인민공화국의 핵활동이 다른 나라들의 핵활동과 호상 관련되는 정도

5) 담보분야에서의 기술발전, 핵물질의 흐름을 평가하는데서 통계적수법과 임의의 시료채취의 리용

제 82 조

조선민주주의인민공화국과 기구는 만일 조선민주주의인민공화국이 검열로력이 특정한 시설들에 부당하게 집중되고있다고 간주하면 협의한다.

검 열 통 지

제 83 조

기구는 시설 또는 시설밖에 있는 물질바란스구역에 검열원이 도착하기전에 조선민주주의인민공화국에 다음과 같이 사전통지를 한다.

1) 제71조 3)에 따르는 비정기검열에 대해서는 적어도

24시간전에, 제71조 1)과 2)에 따르는 비정기검열과 제48조에 규정된 활동에 대하여서는 적어도 1주일전에

2) 제73조에 따르는 특별검열에 대해서는 도착통지가 보통 협의의 일부분을 이룬다고 보기때문에 제77조에 규정된대로 조선민주주의인민공화국과 기구가 합의한후 가능한한 빨리

3) 제72조에 따르는 정기검열은 제80조 2)에 언급된 시설들과 플루토니움과 5%이상으로 농축된 우라니움을 포함하고있는 봉인된 보관시설들에 대해서는 적어도 24시간전에 그리고 기타 모든 경우에는 1주일전에.

이러한 검열통지에는 검열원들의 이름을 밝히며 방문하려는 시설들과 시설밖에 있는 물질바란스구역 그리고 검열원들의 방문기간을 지적한다.

검열원들이 조선민주주의인민공화국 경외로부터 도착할 예정이라면 기구는 또한 조선민주주의인민공화국에 검열원들이 도착하는 지점과 시간을 사전에 통지한다.

제 84 조

제83조의 규정들에도 불구하고 기구는 보충적인 조치로서 사전통지없이 임의의 시료채취원리에 따라 제80조에 따르는 정기검열의 일부를 수행할수 있다.

공포되지 않은 검열을 수행함에 있어서 기구는 제64조2)에 따라 조선민주주의인민공화국이 기구에 제공한 모든 운영계획을 충분히 고려한다. 더우기 기구는 실천적으로 가능하면 그리고 운영계획에 기초하여 검열이 예견되는 총기간을 밝히는 공포하고 하는 검열과 공포하지 않고 하는 검열의 총계획에 대하여

조선민주주의인민공화국에 주기적으로 통지한다.

공포하지 않고 하는 검열을 진행함에 있어서 기구는 제44조와 제89조의 관련규정을 념두에 두면서 조선민주주의인민공화국과 시설운영자들에게 주는 실제적인 난관을 최소로 하기 위하여 모든 노력을 다한다. 동시에 조선민주주의인민공화국은 검열원이 자기 과업을 쉽게 수행하도록 모든 노력을 다한다.

검 열 원 임 명

제 85 조

다음의 절차가 검열원임명시 적용된다.

1) 총국장은 조선민주주의인민공화국 담당검열원으로 임명하기 위해 제기하는 매개 기구공무원의 이름, 기술자질, 국적, 직급 및 관계될수 있는 기타 사항들을 서면으로 조선민주주의인민공화국에 통보한다.

2) 조선민주주의인민공화국은 이러한 제의를 접수한때로부터 30일이내에 그 제의의 수락여부에 대하여 총국장에게 통보한다.

3) 총국장은 조선민주주의인민공화국이 접수한 매개 공무원을 조선민주주의인민공화국 담당검열원의 한 사람으로 임명할수 있으며 이러한 임명에 대하여 조선민주주의인민공화국에 통보한다.

4) 총국장은 조선민주주의인민공화국의 요청에 호응하여 또는 자기자신의 발기로 조선민주주의인민공화국 담당검열원인 임의의 공무원의 해임에 대하여 조선민주주의인민공화국에 즉시에 통보한다.

그러나 제48조에 규정된 활동과 제71조 1)과 2)에 따르는 비정기검열을 수행하기 위한 필요한 검열원들에 대한 임명수속은 본 협정효력발생후 가능하면 30일이내에 완료되여야 한다.

만일 이러한 임명이 이 시간범위내에 불가능한것으로 보이면 이러한 목적을 위한 검열원들은 잠정적으로 임명된다.

제 86 조

조선민주주의인민공화국은 임명된 조선민주주의인민공화국 담당 매 검열원들에 대하여 요구되는 경우 해당한 사증을 가능한한 빨리 내주거나 연장하여준다.

검열원들의 행동과 방문

제 87 조

검열원들은 제48조와 제71조-제75조에 따르는 자기 직능을 수행함에 있어서 시설의 건설, 시동 및 운영을 방해 또는 지연시키지 않도록 혹은 시설의 안전에 영향을 미치지 않도록 계획된 방법으로 자기의 활동을 진행한다. 특히 검열원들은 시설을 자체로 운전할수 없으며 또 운전하도록 시설직원들에게 지시할수 없다. 검열원들은 제74조와 제75조에 따라 운전공에 의하여 시설에서의 일정한 조작이 수행되여야 한다고 인정하면 그에 대하여 요청한다.

제 88 조

검열원들이 검열수행과 관련하여 설비의 리용을 비롯하여 조선민주주의인민공화국에서 리용할수 있는 봉사를 요구하면 조선민주주의인민공화국은 그러한 봉사의 알선과 검열원에 의한 설비의 리용을 도와준다.

제 89 조

조선민주주의인민공화국은 검열원들의 기능수행에 지연 또는 기타 지장을 주지 않는 조건에서는 검열기간에 자기의 대표를 검열원과 동행시킬 권리를 가진다.

기구의 검증활동에 대한 통보서

제 90 조

기구는 조선민주주의인민공화국에 다음과 같은것을 통보한다.

1) 보조세칙에 규정되는 시간간격으로 통보하는 검열결과

2) 조선민주주의인민공화국에서의 기구검증에서 얻은 결론 특히 매 물질바란스구역과 관련한 통보서에 의한 결론 이 통보서는 기구에 의해 현물실사를 진행 및 검증되고 물질바란스를 맞춘후 가능한한 빨리 작성되여야 한다.

국제적 이동

제 91 조

일반규정

본 협정에 따라 담보에 속하거나 담보에 속하기로 되여있는 국제적으로 이동되는 핵물질은 본 협정의 목적을 위하여 다음과 같은 순간까지 조선민주주의인민공화국의 책임으로 인정된다:

1) 조선민주주의인민공화국에로 수입되는 경우에는 그러한 책임이 수출국으로부터 끝나는 순간부터 그러나 핵물질이 자기의 목적지에 도착하는 순간보다 늦어서는 안된다.

2) 조선민주주의인민공화국밖으로 수출하는 경우에는 접수국이 그러한 책임을 지는 순간까지, 그러나 핵물질이 자기의 목적지에 도착하는 순간보다 늦어서는 안된다.

책임이전이 진행되는 지점은 유판국들사이에 이루어지는 해당한 합의에 따라 정하여진다. 조선민주주의인민공화국이나 그 어떤 다른 국가도 핵물질이 자기 령토 또는 령공을 통과하거나 혹은 자기의 기발을 게양한 배 또는 자기 나라의 비행기로 수송되고있다는 사실때문에 핵물질에 대한 그러한 책임을 진다고 간주되지 않는다.

조선민주주의인민공화국 경외에로의 이동

제 92 조

1) 조선민주주의인민공화국은 발송량이 1유효키로그람을 넘는 경우 또는 3개월기간에 전당으로는 1유효키로그람을 넘지 않으나 그의 총량이 1유효키로그람을 넘는 여러차례의 개별적발송이 같은 나라에로 진행되는 경우 본 협정에 따라 담보받는 핵물질의 조선민주주의인민공화국 경외로의 예견되는 임의의 이동에 대하여 기구에 통지한다.

2) 이러한 통지서는 이동에 관한 계약적인 합의서를 체결한후 그리고 정상적으로는 핵물질이 발송을 위해 준비되기 적어도 2주일전에 기구에 제출된다.

3) 조선민주주의인민공화국과 기구는 사전통지에 대한 각이한 절차에 대하여 합의할수 있다.

4) 통지서에는 다음과 같은것들을 지적한다.

ㄱ) 이동되는 핵물질의 식별자료와 가능하면 예정량과 조성 그리고 핵물질이 출발하는 물질바란스구역

ㄴ) 핵물질이 도착할 나라

ㄷ) 핵물질이 발송을 위해 준비되는 날자와 장소

ㄹ) 핵물질의 출하 및 도착 예정일

ㅁ) 본 협정의 목적을 위하여 접수국이 핵물질에 대한 책임을 지는 이동지점과 그 지점에 도착하는 가능한 날자

제 93 조

제92조에 언급된 통지서는 기구로 하여금 핵물질이 조선민주주의인민공화국 경외에로 이동되기전에 필요하면 핵물질을 식별하며 가능하면 그의 량과 조성을 검증하며 그리고 기구가 원하거나 조선민주주의인민공화국이 요구하면 핵물질이 발송할 준비가 되였을 때 그것을 봉인하기 위하여 비정기검열을 할수 있도록 한다.

그러나 핵물질의 이동은 어떤 방법으로든지 이러한 통지서에 따라 기구가 취하거나 예견하는 그 어떤 행위로도 지연되지 말아야 한다.

제 94 조

만일 접수국에서 핵물질이 기구의 담보에 속하지 않는다면 조선민주주의인민공화국은 접수국이 조선민주주의인민공화국으로부터 핵물질에 대한 책임을 접수한 때로부터 3개월이내에 핵물질의 양도에 대한 확인을 접수국이 기구에 주도록 조치를 취한다.

조선민주주의인민공화국 경내에로의 이동

제 95 조

1) 조선민주주의인민공화국은 발송량이 1유효키로그람을 넘는 경우 또는 3개월기간에 건당으로는 1유효키로그람을 넘지 않으나 그의 총량이 1유효키로그람을 넘는 여러차례의 개별적발송량을 같은 나라에서 접수하기로 되여있는 경우 본 협정에 따라 담보받기로 되여있는 핵물질의 조선민주주의인

민공화국 경내에로의 예견되는 임의의 이동에 대하여 기구에 통지한다.

2) 기구는 예견되는 핵물질의 도착에 대하여 가능한한 사전에 그리고 그 어떤 경우에도 조선민주주의인민공화국이 핵물질에 대한 책임을 지는 날보다 늦지 않게 통지를 받는다.

3) 조선민주주의인민공화국과 기구는 사전통지에 대한 각이한 절차에 대하여 합의할수 있다.

4) 통지서에는 다음과 같은것들을 명기한다.

ㄱ) 핵물질의 식별자료와 가능하면 예견되는 량과 조성

ㄴ) 본 협정의 목적을 위하여 조선민주주의인민공화국이 핵물질에 대한 책임을 지게 되는 양도지점과 그 지점에 도착하는 가능한 날자

ㄷ) 예견되는 도착날자, 핵물질의 포장을 해체하기로 되여있는 장소와 날자

제 96 조

제95조에 언급된 통지서는 기구로 하여금 필요하면 화물의 포장을 해체하는 시기에 핵물질을 식별하고 가능하면 그의 량과 조성을 검증하기 위하여 비정기검열을 할수 있도록 한다. 그러나 해체는 이러한 통지에 따라 기구가 취하거나 예견하는 그 어떤 조치에 의해서도 지연되지 말아야 한다.

제 97 조
특 별 보 고 서

조선민주주의인민공화국은 비정상적인 사고와 정황이 조선민주주의인민공화국으로 하여금 국제적이동과정에 현저한 지연을 비롯

하여 핵물질의 분실이 있거나 있었을수 있다고 믿게 되는 경우 제68조에 예견된대로 특별보고서를 작성한다.

정 의

제 98 조

본 협정의 목적을 위하여

1. 보정이란 발송자와 접수자사이의 차이 또는 회계되지 않은 물질을 밝혀 회계기록문건이나 보고서에 기입하는것을 의미한다.
2. 년간생산량이란 제79조와 제80조의 목적에서 볼 때 공칭능력으로 운영되는 시설에서 년간에 나오는 핵물질의 량을 의미한다.
3. 회계단위란 주요측정지점에서 회계목적을 위한 단위로서 취급되며 조성과 량이 하나의 특성값이나 하나의 측정치에 의해 결정되는 핵물질의 묶음 의미한다. 핵물질은 산적형태로 또는 얼마간의 개별적제품으로 있을수 있다.
4. 회계단위자료란 핵물질의 매개 원소별 총무게를 의미한다. 플루토니움과 우라니움의 경우에는 해당한 경우 동위원소조성을 의미한다. 계산단위는 다음과 같다.
   1) 플루토니움의 함유량에 대해서는 그람
   2) 우라니움총량에 대해서는 그람, 우라니움 235와 우라니움 233로 농축된 우라니움함유량에 대해서는 그람
   3) 토리움, 천연우라니움 또는 빈화우라니움에 대해서는 키로그람

보고서작성을 위해서는 회계단위에 있는 개별적항목들의 무게

0266

는 반올림하기전에 합한다.

5. 물질바란스구역의 장부재고량이란 그 물질바란스구역의 가장 최근의 현물재고량과 그 현물실사를 한 후 생긴 모든 재고량변화의 산수적합을 의미한다.

6. 정정이란 기록문건이나 보고서에 이미 기입된 량에 대한 검증된 오기를 고치거나 개정된 측정값을 반영하기 위해 회계기록문건이나 보고서에 기입하는것을 의미한다. 매개 정정은 그와 관계되는 기입항목을 지적하여야 한다.

7. 유효키로그람이란 핵물질을 담보감시하는데서 리용되는 특수한 단위를 의미한다. 유효키로그람으로 표시된 량은 다음과 같은 방법으로 결정된다.

   1) 플루토니움에 대해서는 키로그람으로 표시된 그의 무게

   2) 0.01 (1%)과 그 이상의 농축도를 가진 우라니움에 대해서는 키로그람으로 표시된 그의 무게에 농축도의 두제곱을 곱한것

   3) 0.01 (1%) 이하와 0.05 (0.5%) 이상의 농축도를 가진 우라니움에 대해서는 키로그람으로 표시된 그의 무게에 0.0001을 곱한것

   4) 0.005 (0.5%) 혹은 그 이하의 농축도를 가진 빈화우라니움과 토리움에 대해서는 키로그람으로 표시된 그의 무게에 0.00005를 곱한것

8. 농축도란 론의하고있는 우라니움의 총무게에 대한 우라니움-233과 우라니움-235의 무게합의비를 의미한다.

9. 시설이란 다음과 같은것을 의미한다.

   1) 원자로, 림계장치, 전환공장, 제조공장, 재처리공장, 동위원소분리공장 및 개별보관시설

   2) 1유효키로그람보다 많은 핵물질이 일상적으로 사용되고 있는 임의의 장소

10. 재고량변화란 물질바란스구역에 있는 핵물질의 회계단위에 따르는 증가 혹은 감소를 의미한다. 이러한 변화는 다음과 같은것들중 하나를 포함한다.

1) 증 가

ㄱ) 수 입;

ㄴ) 국내접수; 다른 물질바란스구역으로부터의 접수, 담보받지 않는(비평화적) 활동으로부터의 접수 혹은 담보시점에서의접수

ㄷ) 핵적생성; 원자로에서 특수분렬성물질의 생성

ㄹ) 면제해제; 용도상 또는 량적리유로 하여 담보로부터 이미 면제되였던 핵물질에 대한 담보의 재적용

2) 감 소

ㄱ) 수 출;

ㄴ) 국내발송; 다른 물질바란스구역에로의 발송 혹은 담보받지 않는(비평화적) 활동에로의 발송

ㄷ) 핵적손실; 핵반응의 결과 다른 원소나 동위원소에로 핵물질이 전환됨으로써 생긴 손실

ㄹ) 측정 폐기물; 측정되였거나 측정에 기초하여 평가되였으며 금후 핵적용도에 적합치 않게 처분된 핵물질

ㅁ) 보관폐물; 가공과정이나 운영사고과정에 생긴것으로서 당분간 회수할수 없다고 인정되여 보관하고있는 핵물질

ㅂ) 면 제; 용도상 혹은 수량상 리유로 하여 담보로부터 핵물질의 면제

ㅅ) 기타손실; 실례로 사고손실(즉 운영사고의 결과 생긴 회복할수 없으며 우연적인 핵물질의 손실)또는 도난

11. 기본측정점이란 핵물질이 그의 흐름이나 재고량을 결정할수 있게 측정될수 있는 형태로 나타나는 장소를 의미한다. 따라서 기본측정점들은 물질바란스구역에 있는 입구와 출구(측정된 페물포함)그리고 보관고를 포함하지만 그에 국한되지 않는다.

12. 명-년검열공수란 제80조의 목적을 위하여 300명-일검열공수를 의미한다. 여기서 1명-일검열공수는 하루에 1명의 검열원이 총 8시간을 초과하지 않는 범위에서 임의의 시각에 시설에 접근한 날이다.

13. 물질바란스구역이란 기구의 담보목적에 맞게 물질바란스를 설정하기 위하여 다음과 같은것들이 결정될수 있는 시설의 내부나 밖에 있는 구역을 의미한다.

1) 매개 물질바란스구역안으로 혹은 밖으로 이동중에 있는 핵물질의 량이 전별로 결정될수 있어야 한다.

2) 매개 물질바란스구역에 있는 핵물질의 현물재고량이 필요할 때 명기된 절차에 따라 결정될수 있어야 한다.

14. 회계되지 않은 물질이란 장부재고량과 현물재고량 사이의 차를 의미한다.

15. 핵물질이란 규약 제20조에 규정된바와 같이 임의의 출발물질 또는 임의의 특수분렬물질을 의미한다. 출발물질이라는 술어는 광석, 광석잔사에 적용되는것으로 해석되지 않는다. 본 협정 효력발생후 규약 20조에 따라 출발물질 또는 특수분렬물질이라고 심의되고 그 물질에 첨부할데 대한 리사회의 결정은 조선민주주의인민공화국이 그것을 수락한후야 본 협정에 따라 효력을 가진다.

16. 현물재고량이란 물질바란스구역내에 주어진 시각에 실제 존재하는 회계단위에 의해 측정되고 유도평가된 모든 핵물질의 합계를 의미하며 그것은 구체적인 절차에 따라 얻어진다.

17. 발송자와 접수자사이 차이란 회계단위로 발송물질바란스구역에 의하여 통지된 핵물질량과 접수물질바란스구역에서 측정된 핵물질량 사이의 차이를 의미한다.

18. 출발자료란 측정 또는 교정기간에 기록되였거나 혹은 핵물질을 식별하고 회계단위자료를 확인하는 경험관계식을 유도하는데 리용되는 그러한 자료를 의미한다. 출발자료는 례하면 화합물의 무게, 원소의 무게를 결정하기 위한 전환결수, 비중, 원소의 농도, 동위원소비률, 체적과 압력 값사이관계 그리고 생성된 플루토니움과 발생된 에네르기사이 관계를 포함할수 있다.

19. 전략적지점이란 정상조건에서 그리고 모든 전략적지점들로부터 얻는 통보들이 결합될 때 담보조치를 리행하는데 필요하고 충분한 통보가 얻어지고 검증되는 설계통보를 심의하는 기간에 선택되며 장소를 의미한다. 전략적지점은 물질바란스회계와 관련되는 주요측정들이 진행되며 봉쇄와 감시조치가 실현되는 임의의 장소를 포함할수 있다.

본 협정은 1992년 1월 일 원에서 조선어, 로어, 영어로 각각 2부씩 작성되였으며 이 원문들은 같은 효력을 가진다.

해석상 의견상이가 있을 경우에는 영어문에 준한다.

조선민주주의인민공화국 정부	국 제 원 자 력 기 구
위 임 에 의 하 여	위 임 에 의 하 여

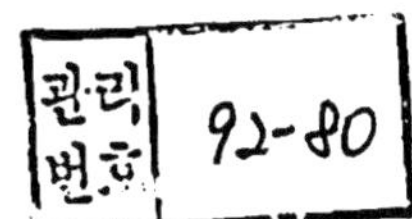

長 官 報 告 事 項

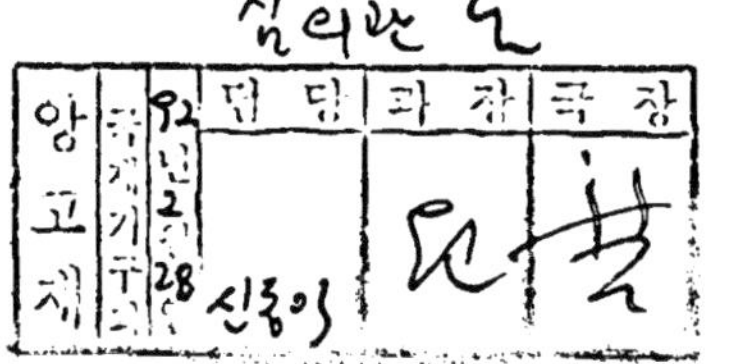

報 告 畢

1992. 2. 28.
國際機構局
國際機構課(16)

題 目 : IAEA 사무총장 기자회견 및 IAEA이사회의 안전조치 강화 방안 토의

IAEA 사무총장 Hans Blix는 IAEA 2월이사회(2.24-26)가 종료한 후 2.27(목) 기자회견을 하였는바, 그 요지와 2월이사회에서의 안전조치 방안 토의결과를 아래 보고 드립니다.

1. 북한문제 관련

  o IAEA는 미국의 언론이 CIA를 인용, 북한의 핵무기 개발 가능성 또는 북한의 은익기도에 관하여 보도한 내용의 정보를 입수하지 않았으며 동 정보를 CIA에 요청하지도 않을것임.

  o IAEA는 북한이 핵안전조치 협정을 비준하는 달의 다음달 말까지 제출하여야 하는 최초 보고서를 기다리고 있음.

  o 북한의 협정비준 이전에 IAEA 사찰관의 북한 방문은 없을 것임.

  o 자신(사무총장)은 북한의 핵안전조치협정 발효후 최초의 IAEA 대북한 사찰단의 단장으로 직접 방북할 생각임.

2. 안전조치제도 강화 방안 토의결과

  가. 특별사찰 (special inspection)

    o 토의결과 이사회 의장의 하기 타협안 채택

      - IAEA 헌장과 안전조치 협정에 따라 협정 당사국을 대상으로 한 IAEA의

0272

사찰권한이 있으며 핵관련 추가정보를 입수하고 관련장소를 사찰할 권한도 있음을 IAEA 이사회가 확인

- 이사회는 사무총장에게 상기 특별사찰을 행할 경우의 소요 예산내역과 동 소요예산이 기존 예산정책 테두리내에서 여타사업(개도국 기술협력 사업)용 예산을 손상하지 않도록 요청

o 상기 토의결과에 대한 우리측 분석 평가

- 특별사찰제도는 이미 핵안전조치협정에 포함된 것으로서 새로운것은 아님. 단, 특별사찰이 실시된 전례는 없음.
- 금번 이사회에서 특별사찰에 관한 상기 타협안은 IAEA의 기존 특별사찰 권한을 재확인 한것에 불과하며 동 타협안이 언급하고 있는 IAEA 헌장과 핵안전조치 협정의 여타 규정에 따라 협정당사국의 사전 동의가 없이는 특별사찰 실시가 불가능한 것으로 봄.
- 단, 금번 이사회에서 IAEA의 특별사찰 권한을 재확인 한것은 IAEA가 핵개발 위협 당사국을 상대로 한 문제제기 발판(차후 조치단계인 안보리 제기 관련)을 제공한다는 점에서 성과임.

나. 설계정보 (design information)

1) 토의결과

o 이사회는 하기 요지의 사무국 제안 채택

- IAEA가 신설 또는 기존 핵시설에 관한 설계정보를 조기 입수하기 위하여서는 핵안전조치 협정 당사국과 보조약정을 개정하여야 함.
- 보조 약정 개정시까지 임시조치로 하기 방안 채택 필요
  . 핵시설의 각 단계별(계획, 초보설계, 건설, 가동) 설계정보를 IAEA에 조기 제출

0273

. 모든 핵시설의 건축과 설계정보를 IAEA에 통보

. 신설 핵시설에 대하여는 초기 계획을 늦어도 건축시작 180일전에 완전한 설계정보 설문서(completed Design Information Questionnaire)로 IAEA에 제출하며, 완성된(as-built) 핵시설에 관한 설계정보 설문서를 동 시설용 핵물질 수령 180일 이전에 제출

※ 소수 이사국들은 상기 사무국 제안에 반대의사 표명

2) 우리측 평가

o 이사국의 완전한 합의가 없었고 유보한 이사국도 여럿 있었기 때문에 일사분란한 시행에 어려움 예상

o 시행을 위한 보조 약정개정에 안전조치 협정 당사국이 소극적일 경우 강제조치 방안이 없음.

다. 핵, 비핵물질 및 민감한 기자재의 수출입과 생산의 대 IAEA 보고 및 검증

o 추가 검토를 요하는 관계로 6월이사회시 재심의 예정. 끝.

예고 : 92. 6. 30 일반

0274

1/7

報 告 畢

1992. 2. 28.
國際機構局
國際機構課(16)

長 官 報 告 事 項

題 目 : IAEA 사무총장 기자회견 및 IAEA이사회의 안전조치 강화 방안 토의

IAEA 사무총장 Hans Blix는 IAEA 2월이사회(2.24-26)가 종료한 후 2.27(목) 기자회견을 하였는바, 그 요지와 2월이사회에서의 안전조치 방안 토의결과를 아래 보고 드립니다.

1. 북한문제 관련

o IAEA는 미국의 언론이 CIA를 인용, 북한의 핵무기 개발 가능성 또는 북한의 은익기도에 관하여 보도한 내용의 정보를 입수하지 않았으며 동 정보를 CIA에 요청하지도 않을것임.

o IAEA는 북한이 핵안전조치 협정을 비준하는 달의 다음달 말까지 제출하여야 하는 최초 보고서를 기다리고 있음.

o 북한의 협정비준 이전에 IAEA 사찰관의 북한 방문은 없을 것임.

o 자신(사무총장)은 북한의 핵안전조치협정 발효후 최초의 IAEA 대북한 사찰단의 단장으로 직접 방북할 생각임.

2. 안전조치제도 강화 방안 토의결과

가. 특별사찰 (special inspection)

o 토의결과 이사회 의장의 하기 타협안 채택

- IAEA 헌장과 안전조치 협정에 따라 협정 당사국을 대상으로 한 IAEA의

0275

사찰권한이 있으며 핵관련 추가정보를 입수하고 관련장소를 사찰할 권한도 있음을 IAEA 이사회가 확인

- 이사회는 사무총장에게 상기 특별사찰을 행할 경우의 소요 예산내역과 동 소요예산이 기존 예산정책 테두리내에서 여타사업(개도국 기술협력 사업)용 예산을 손상하지 않도록 요청

o 상기 토의결과에 대한 우리측 분석 평가

- 특별사찰제도는 이미 핵안전조치협정에 포함된 것으로서 새로운것은 아님. 단, 특별사찰이 실시된 전례는 없음.
- 금번 이사회에서 특별사찰에 관한 상기 타협안은 IAEA의 기존 특별사찰 권한을 재확인 한것에 불과하며 동 타협안이 언급하고 있는 IAEA 헌장과 핵안전조치 협정의 여타 규정에 따라 협정당사국의 사전 동의가 없이는 특별사찰 실시가 불가능한 것으로 봄.
- 단, 금번 이사회에서 IAEA의 특별사찰 권한을 재확인 한것은 IAEA가 핵개발 위협 당사국을 상대로 한 문제제기 발판(차후 조치단계인 안보리 제기 관련)을 제공한다는 점에서 성과임.

나. 설계정보 (design information)

1) 토의결과

o 이사회는 하기 요지의 사무국 제안 채택

- IAEA가 신설 또는 기존 핵시설에 관한 설계정보를 조기 입수하기 위하여서는 핵안전조치 협정 당사국과 보조약정을 개정하여야 함.
- 보조 약정 개정시까지 임시조치로 하기 방안 채택 필요
  . 핵시설의 각 단계별(계획, 초보설계, 건설, 가동) 설계정보를 IAEA에 조기 제출

0276

. 모든 핵시설의 건축과 설계정보를 IAEA에 통보

. 신설 핵시설에 대하여는 초기 계획을 늦어도 건축시작 180일전에 완전한 설계정보 설문서(completed Design Information Questionnaire)로 IAEA에 제출하며, 완성된(as-built) 핵시설에 관한 설계정보 설문서를 동 시설용 핵물질 수령 180일 이전에 제출

※ 소수 이사국들은 상기 사무국 제안에 반대의사 표명

2) 우리측 평가

o 이사국의 완전한 합의가 없었고 유보한 이사국도 여럿 있었기 때문에 일사분란한 시행에 어려움 예상

o 시행을 위한 보조 약정개정에 안전조치 협정 당사국이 소극적일 경우 강제조치 방안이 없음.

다. 핵, 비핵물질 및 민감한 기자재의 수출입과 생산의 대 IAEA 보고 및 검증

o 추가 검토를 요하는 관계로 6월이사회시 재심의 예정. 끝.

0277

IAEA 이사국 현황

구	분	이사국수	국 명(임 기)
당연직 이사국 (13개국) : 이사회가 매년지정	o 원자력 선진국 및 핵물질 공급국	10	미국,독일,소련,카나다,프랑스,일본,영국,벨지움,호주,중국
	o 원자력 선진국이외 지역의 핵물질 생산 선진국	3	
	- 라틴 아메리카	(1)	알젠틴
	- 아프리카	(1)	이집트
	- 중동 및 남아	(1)	인 도
지역선출 이사국 (22개국) : 매년 총회에서 11개국씩 개선	o 지역대표 이사국	20	
	- 라틴 아메리카	(5)	멕시코,에쿠아돌(91-93) 브라질,쿠바,우루과이(90-92)
	- 서 유럽	(4)	그리스,노르웨이(91-93) 오지리,폴투갈(90-92)
	- 동 유럽	(3)	불가리아,루마니아(91-93) 우크라이나(90-92)
	- 아프리카	(4)	알제리아,자이레(91-93) 카메룬,모로코(90-92)
	- 중동 및 남아	(2)	파키스탄(91-93), 이란(90-92)
	- 동남아 및 태평양	(1)	인도네시아(90-92)
	- 극동	(1)	한국(91-93)
	o 윤번이사국	2	
	- 중동 및 남아. 동남아 및 태평양. 극동	(1)	베트남(91-93)
	- 아프리카.중동 및 남아.동남아 및 태평양	(1)	태국(90-92)
	계	35	

0278

공 란

공 란

공 란

제 134 호

IAEA 이사회 회의에서 북한의 핵안전협정 이행 문제 토의

'92. 2. 29. 06:20,중 방

24일과 25일 오지리의 윈에서 진행된 국제원자력기구 2월관리이사회 회의에서 우리나라의 핵담보협정 이행문제가 토의되었습니다.

국제원자력기구 총국장은 보고에서 우리의 핵담보협정 조인과 핵담보협정문 초안심의를 최고인민회의 회의에 제기하기로 한 조선민주주의인민공화국 최고인민회의상설회의 결정에 언급하면서 기쁘게 생각한다고 말했습니다

회의에서는 우리나라 대표단 단장이 연설했습니다.

그는 연설에서 공화국 정부의 정당한 입장과 노력에 의해서 핵무기전파 방지조약에 따르는 담보협정이 조인된 데 언급하고 다음과 같이 말했습니다

"우리의 자주적인 조치에 의해서 담보협정문제가 결속되고 조선반도에서의 핵문제가 해결의 전망을 볼 수 있게된 것은 핵무기전파방지조약의 공정한 이행을 위한 우리의 일관하고 꾸준한 노력의 결실이며,공화국 정부의 자주적 대외정책의 빛나는 승리이다.

남조선은 지난해 12월 핵무기부재선언을 발표한 데 이어 우리가 내놓은 조선반도를 비핵화할 데 대한 제의에 동의했으며,미국도 남조선에 핵무기부재선언을 환영하고 올해에 팀스피리트합동군사연습을 하지 않겠다고

-1-

0282

발표함으로써, 우리나라에서 핵무기전파방지조약의 공정한 이행을 위한 선결조건과 환경이 마련되게 되었다.

또한 미국은 핵사찰문제와 관련한 조.미 사이의 쌍무협상을 진행할 데 대한 우리의 요구에도 응해 나왔으며, 북남동시사찰에 적극 협력하겠다는 의사를 표명하였다.

이렇게 되어 핵사찰의 공정한 이행을 위한 길에서는 기본장애가 제거되게 되었다. 이에 따라 우리는 핵문제를 해결하기 위한 조치로서 핵담보협정에 서명하였다.

이번에 평양에서 진행된 북남고위급회담을 통해서「북남 사이의 화해와 불가침 및 협력 교류에 관한 합의서」와「조선반도의 비핵화에 관한 공동선언」이 효력을 발생하게 되었다. 그리하여 조선반도의 비핵화를 위한 실제적인 조치들을 취할 수 있는 조건이 마련되게 되었다.

우리에게는 핵무기가 없으며, 그것을 만들지도 않고 만들 필요도 없다.

우리는 주변의 큰 나라들과 핵문제의 경쟁과 대결을 할 생각이 없다.

특히 동족을 멸살시킬 수 있는 핵무기를 개발한다는 것은 도저히 상상할 수 없는 것이다.

우리는 앞으로 가장 빠른 시일내에 법적 절차를 거쳐 핵담보협정을 비준하고 국제원자력기구와 합의하는 시기에 사찰을 받을것이라는 입장을 이미 천명하였다.

지난 2월 18일 조선민주주의인민공화국 최고인민회의상설회의 제 9기 제 16차회의에서는 공화국 정부와 국제원자력기구 사이에 체결된 핵담보협정을 심의하고 이를 최고인민회의 제 9기 제 3차회의 심의에 제기하기로 하였다.

이것이 심의되면 우리는 사찰과 관련한 사업들을 순조롭게 추진할 것이다.

우리는 핵담보협정의 요구대로 자기의 의무를 성실하게 이행할 것이다

우리는 한다면 하는것이고 안한다면 안하는것이지, 결코 빈말을 하는것을 좋아하지 않는다.

우리 공화국 정부는 앞으로 핵무기전파방지조약과 핵담보협정의 성실한 이행을 위하여 모든 노력을 다 할 것이다."

회의에서는 37개 나라 대표들이 핵문제와 관련한 우리의 입장과 성의있는 노력을 지지해서 연설했습니다.

-3-

0284

외교문서 비밀해제: 북한 핵 문제 9
북한 핵 문제 IAEA 핵안전조치협정 체결 5

초판인쇄 2024년 03월 15일
초판발행 2024년 03월 15일

지은이 한국학술정보(주)
펴낸이 채종준
펴낸곳 한국학술정보(주)
주 소 경기도 파주시 회동길 230(문발동)
전 화 031-908-3181(대표)
팩 스 031-908-3189
홈페이지 http://ebook.kstudy.com
E-mail 출판사업부 publish@kstudy.com
등 록 제일산-115호(2000. 6. 19)

ISBN 979-11-7217-082-0 94340
979-11-7217-073-8 94340 (set)

책에 대한 더 나은 생각, 끊임없는 고민, 독자를 생각하는 마음으로 보다 좋은 책을 만들어갑니다.